Mía, suya, tuya

Anamari Eskildsen

ISBN 978-9962-17-053-2

Diseño de portada y concepto: Mariana Núñez
Diagramación: Praditha Kahatapitiya
Edición: Julieta Ledezma
Corrección: Edubenis Sánchez

Impresión: Carvajal Soluciones de Comunicación, S.A.S. Bogotá, Colombia.

1.ª edición, 2022, Panamá.
2.ª edición, 2022, Panamá.

A Manuel, Jan e Iván
con amor.

Índice

Prólogo

Por Marina Peña

Hay recuerdos que quedan grabados en lo que yo denomino la memoria del corazón; ellos suelen ser profundos y nos dan una percepción personal, única y significativa que solo puede ser comprendida por quien lo vivió. Los sentimientos son lo más preciado del ser humano, ellos no se cuestionan; se valoran, se aceptan y, sobre todo, se respetan. Cada una de las líneas en este libro está escrita con el lenguaje del corazón, donde predomina el amor y el dolor, sentimientos universales que todos comprendemos. En algunas ocasiones es percibido por una niña; en otras, por una adolescente, y luego, por una mujer; y puedo afirmar que quizás Dios ha sido el coautor, porque cada locutora tiene en común un lenguaje profundo, que solo puede ser entendido desde lo más íntimo del corazón.

A través de una forma exquisita de escritura que cautiva la atención, este libro te tomará de la mano haciéndote parte de la historia, para vivir los momentos más traumáticos de su autora de una forma sencilla, pero profunda. Lo que le da valor al relato es la voz de quien se hizo protagonista de su propia historia y no permitió convertirse en víctima de la violencia, sino en testigo de la fortaleza interior que vive dentro de cada ser humano, percibido desde la vulnerabilidad.

Esta historia hace posible ver la realidad del ser humano, lo peor y lo mejor de él. Destaca nuestra humanidad en potencia, la realidad de las dinámicas familiares ante la crisis, el dolor y la debilidad de nuestra propia cultura para comprender el lenguaje del corazón.

Leer este libro trasciende la tragedia de una niña que le tocó vivir, a muy temprana edad, una experiencia de violencia que acabó con la vida de su madre y la oportunidad de compartir con ella los momentos más preciados de su vida. Es una invitación para crear conciencia de la importancia que tiene cada uno de nosotros como protagonista de la vida de los demás.

En 1998 tuve la oportunidad de conocer esta historia desde la tragedia de una comunidad, pero lo que más me inquietó en aquel momento, fue pensar en la realidad de esa niña y el impacto que tendría en su vida. Años más tarde, la vida misma me daría el regalo de que esa niña tocara mi puerta y en un escenario perfecto, entre la montaña y el calor del fuego, pudiera yo escuchar su corazón. Soñé con el día en que ella estuviera lista para compartir su historia y que muchos pudieran ser testigos, como lo he sido yo, de cómo el dolor puede ser sanado y de cómo una tragedia de vida puede convertirse en algo bueno para devolver al mundo.

Hoy tienes en tu mano la posibilidad de ser parte de su historia y disfrutar de cada uno de los momentos vividos, pero te invito a abrir tu corazón para que seas capaz de comprender lo que está más allá de las palabras y aproveches esta oportunidad para conectar con tu propia historia, de manera que te inspires para descubrir la fortaleza que vive en ti.

No puedo dejar de mencionar el valor que tiene la familia para afrontar la vida, pero, más aún, el poder del amor de una madre, capaz de seguir presente en el corazón de un hijo aun en su ausencia, y cómo hoy ella, desde el cielo, nos comparte su mejor obra de arte: su hija.

Marina Peña
27 de octubre de 2021.

Introducción

Mami:

He venido a visitar tu cripta por primera vez en varios años. No lo hacía desde aquella vez, cuando una amiga me lo propuso y accedí porque, más que pensar en que te visitaría (sé bien que no habitas ahí), era una invitación a sentir.

Hoy he venido a contarte que escribí un libro, todavía con culpa por la forma de tu partida. Esa frase que me he repetido tantas veces: "Murió defendiéndose de un violador en serie", está tan gastada, vacía de significado o de realidad. Suena como si estuviera contando el tráiler de una película de suspenso y no como que hablo de ti, mi mamá, a quien sentía acogedora en su pijama viejita llena de bolitas de algodón y calor de hornilla; quien no sabía comer chicle y caminar a la vez; quien me tronaba los deditos de los pies halándolos uno a uno; quien se reía de boca abierta con la cabeza hacia atrás cuando le hacíamos burla en banda.

Sé que sabes lo duro que ha sido para mí contar la historia de tu final y de mis diferentes puntos de partida después de la tuya. Cómo sentí la necesidad de contar la historia de lo que viviste en el momento de tu muerte, el dolor de tu vida robada, el dolor de la vida que dejé de vivir a tu lado; pero, sobre todo, de cómo esto me transformó. Siempre me ha producido culpa y vergüenza pensar en el lado bueno de algo tan horrible, pero me lo permito porque también dio cabida a una inmensa belleza. Con el tiempo he aprendido que algo puede ser horrible y generar belleza a la vez. Me ha costado, pero me permití respetar mi deseo ineludible de sacarme esta historia del pecho, porque siento que tengo tu permiso y un soplo divino de inspiración.

Siento que fuiste tú quien me haló del pelo aquella noche a las once de la noche para que escribiera las primeras líneas. Fuiste tú quien me susurró: "Ya es hora". Fue tan obvio... que sé que cuento con tu permiso.

Después me robaron la calma los otros. De quienes cuento mi verdad, que no necesariamente es la "verdad", porque nuestra historia se cose con las historias que nos contamos una y otra vez, hasta que toman forma y vida propia, posiblemente diferentes a los hechos. Esta historia está contada desde mi sentir y es lo único absolutamente veraz; lo demás fue visto e interpretado a través de los ojos de una niña de trece años, sacudida por la adolescencia, la tragedia y el dolor. He pensado que nadie que me conozca de verdad esperaría periodismo de mi parte, porque soy exagerada, creativa, desmemoriada y me permito inventar palabras, una combinación abominable para la profesión. Menos mal que esa no es mi intención, porque para periodismo están los periodistas.

Quise desarmar la historia, hacerla pedazos y permitir que fuera cayendo así, apilándose de manera aleatoria, amorfa, para luego moldearla con intención de crear una nueva, al cuidadoso ritmo de mi curiosidad. Para ello sí tuve que acercarme al periodismo, a familiares y a uno que otro involucrado. Suena a masoquismo, pero no fui más allá de las preguntas surgidas de mi curiosidad. Nunca leí ni pregunté más de lo que quería saber, pero acercarme tanto al día de tu partida, a tu miedo, a tu pelea, al revuelo que causó tu muerte; enfrentar mis miedos, cómodamente ocultos tras murallas de evasión, era lo que yo necesitaba para que se desvanecieran. Enfrentarme a ellos eliminó sus sombras, los matices de pesadilla, y me mostró únicamente lo que fue. Los hechos fueron de terror, sí, pero al verlos tan de cerca, con lupa y tanto detalle, hizo que perdieran sus adjetivos para simplemente ser.

También cuento lo que pasó después. El sentimiento de abandono, mi adolescencia con las tías mellas como madres putativas, con mi papá, con Kathia, las miradas imaginadas o reales de lástima, todo aquello que asumí como mi tragedia y mi cruz. Al observar tan de cerca pude verlo por lo que fue: la cadena de eventos que se puso en movimiento luego de un hecho traumático, que se manejaron o dejaron de manejar, y cómo me formaron en quien soy hoy. Y, nuevamente, la belleza que trajo a mi vida, sin dar a entender que esto justifica de alguna manera la atrocidad de la forma de tu partida y el dolor causado por ella. Lo entendí por lo que fue y cómo eso dio lugar a lo que es. Y lo que es, es lo que agradezco.

Pensaría cualquiera que eso se puede vivir, sentir y entender sin necesidad de escribirlo o publicarlo, pero para mí, no; narrarlo es vivirlo, sentirlo y entenderlo, y lo comparto porque ya no me pertenece. Lo he escrito y así ha salido de mí para ser compartido con quien le pueda valer su tiempo de lectura. Y no necesito más. ¿Que si quiero conectar con millones de personas a través de mi sentir? Sí. ¿Es mi razón de publicarlo? Pues, no.

Lo único que vale es la certeza, como la verdad más absoluta, de que no solamente apruebas este libro, sino que me acompañaste en cada letra sentida, pensada, escrita, borrada, reescrita, reescrita, reescrita, reescrita, y que me amas como yo ya he podido entender, como madre, que se ama.

Gracias por acompañarme con tu sonrisa que me mira como que me faltan un par de jugadores en la cabeza, y que me dice que me ama, no a pesar de los jugadores ausentes, sino por ello.

Te ama y extraña,
Ani

Parte I

Mía

Me he repetido
Cada paso
Cada sin aire
Cada lágrima
Cada miedo
Cada golpe
Cada letra
Cada paso,
Paso
Los paso y
Repaso
Y no quiero más
Quizás si la escribo
Si la entrego
Se hace
Tuya
Nuestra
No más
Solo mía.

1

'Pobreciteo'

Después de entender que esta no es una pesadilla de la que voy a despertar, se asoma el deseo de morir. Los siete días después de la muerte de mi madre los he vivido entre ausencia mental y un dolor demasiado grande para mi cuerpo, un dolor que trasciende el corazón y me duele hasta el vello.

"Aguanta la respiración".

No. Esto ya lo he intentado antes, cuando era muy chica y deseaba morirme por tener una madre tan cruel que me rellenaba las puntas de los zapatos, demasiado grandes para mí, con papel higiénico, para que me rindieran más, e ir removiendo el papel higiénico poco a poco en el año escolar. Qué genio ella y qué tonta yo. Ahora tengo el mismo deseo de morir porque no me creo capaz de vivir con tanto dolor. No funciona aguantar la respiración, y cada mañana vuelvo a despertar.

Dolor: desconsuelo, mal, pesar, suplicio, tortura, aflicción, angustia, congoja, daño, pena, tormento, calvario. No consigo un sinónimo que le haga justicia al dolor, porque es físico, como cuando duelen las articulaciones porque se está creciendo, pero toda, completa. Sí, se siente hasta en el pelo.

En la mañana del séptimo día, despierto con la horrible conciencia de seguir viva, y con la idea: si vas a seguir despertando en esta realidad que sabe a pesadilla, pero es tu vida, no te sirve de nada ser miserable, y la opción es vivir;

vivir porque estás viva. Esta idea de que vivir es mi decisión me da poder, que se hace luz en medio de esta oscuridad que me habita.

No estoy segura de las intenciones de esta sabiduría divina, porque también puede tener origen en un cerro de orgullo como respuesta a la lástima que me rodea.

Quizás estoy loca y a nadie le importa, pero se siente como que en nuestro Macondo, que se cree ciudad, murió Lady D. Sí, si soy honesta, así la veo yo, como Lady D, con la misma elegancia, porte, altura, estilo y bondad. Y aquí se siente de esa magnitud. Se transformaron todas las caras y yo no entiendo nada.

Imagino el diálogo a mis espaldas que dictan las miradas, y cuando hago el contacto visual, no quitan la mirada con vergüenza, sino que me lanzan una sonrisa de medio lado, con ojos de "te quiero, te siento, me gustaría abrazarte". Y yo la recibo pensando: espero que te atores en tu empatía. En su lugar, respondo con la sonrisa de aquella que conserva la gracia y diplomacia en tiempos difíciles, con una mirada que dice: gracias.

Cuando llegó la bolsa con doscientas cartas del colegio, firmadas con nombre y apellido, porque no conocía a ninguno de ellos, le pedí explicación a una compañera: las maestras habían interrumpido las clases para que todos me escribieran. Todas se resumían en:

> "Siento mucho la muerte de tu mamá. Estoy aquí para ti a la hora que me necesites, me puedes llamar a la medianoche si quieres. ¡Cuando lo necesites! Mi número es xxx-xxxx. Corazón grande con colores, mi Nombre y Apellido".

Me pregunto si ellos llaman a extraños a la medianoche llorando las penas de su alma.

Cuando me tienen de vuelta en clases, los maestros insisten en que no tengo que entregar la tarea, no tengo que ir al colegio, no tengo que ir al *ballet*. Parece que me eximí de la vida. "Tómate todo el tiempo que quieras", dicen. Toda una vida deseando un poco de flexibilidad de parte de las tutoras del *ballet*, y solo se tenía que morir mi madre asesinada para que mostraran un poco de empatía. Desearía que hablen claro del porqué, pero les da miedo.

Aunque lo que más me confunde son las niñas junto a sus madres que nunca me pararon bolas. Todas las que antes sabían perfectamente quién era, pero no me saludaban porque no era digna de su mirada. Ellas ahora sí saben mi nombre, me saludan en el colegio, se sientan a mi lado en el bus, se ríen de mis chistes y quieren participar del proyecto de ciencias conmigo. En la fiesta, la mesa más exclusiva de las madres me saluda efusivamente. Antes no existía y ahora todas saben que yo soy *la hija de Lolita*. Y me quieren.

Todo esto me pone a dudar: ¿será que ahora soy popular? ¿Será que este es mi premio de consolación? ¿Será que me permito gozar de esto? ¿Qué siento? ¿Lo amo? ¿Lo odio?

No, no soy popular; me miran con ojos de "pobrecita", esperando el desliz, esperando que se me desborde el dolor con malas notas en el colegio, entregándome a las drogas o abriéndome de piernas antes de tiempo. Y por ello no me dejo romper; ante todo, debo estar bien. Y así transcurre mi adolescencia, con un orgullo que no me deja cumplir ninguna profecía de la pobrecita que cayó en desgracia justificada por la tragedia.

Esta agresividad, producto de llevar mi historia cosida en la manga, tiene sus excepciones. De vez en cuando se me atraviesa alguien y me reconoce porque "soy el retrato de Lolita". Se cruza alguien con su carretilla en el pasillo de los enlatados y pausa, porque parece haber visto un fantasma.

Yo, enfocada en que debo encontrar la crema de coco para mi receta, me tardo un segundo de más en entender que es conmigo.

—Perdón ¿tú eres la hija de Lolita?

—Ssí…

—Yo trabajé con ella diez años en la Comisión del Canal y eres idéntica a ella. Siento tu pérdida, a mí me dolió muchísimo.

Me divido entre tres fuerzas, una que me hala a partirme en dos y soltar el río represado de llanto; mi reflejo practicado para guardar la fachada de "estoy bien"; y el deseo de hacerle mil preguntas y de esta manera inhalar la esencia de mi madre en el ir y venir ordinario de su día laboral. Quiero saber de su cotidianidad, ¿qué comía, qué tarea aborrecía, de qué se quejaba, qué hablaba de nosotros, quién le caía mal? Pero me limito a sonreír con una gratitud que me sale del alma, por traerme a mi mamá aquí, al pasillo de los enlatados. Le doy las gracias y sigo buscando los ingredientes para mi receta.

Ser feliz como decisión también tiene su peso; es sentirse como un pez que nada contracorriente, no porque se enfrenta a una tormenta, sino porque nació del tipo que debe nadar río arriba y es su destino, su ADN, su única alternativa de vida. Y la corriente es el dolor y el esfuerzo, es vivir ignorándolo porque habita en cada célula de mi cuerpo. La alternativa es dejarse llevar por la corriente y morir. Dejarme llevar por la fuerza del río sería justamente dejarme llevar por mis emociones y eso es sinónimo de muerte, de manera que no hay opción. Se debe seguir nadando y río arriba. Es como aguantar la respiración sonriendo porque el *show* debe continuar.

La vida es jugar con fuego sin tocarlo. Me atrae todo lo prohibido, pero sin probar, coquetearle sin aceptar el baile. Me gusta ir con mis amigos cuando se alejan de la fiesta a fumarse un porro, y cuando me lo pasan, rechazarlo:

—No, gracias.

Y luego disfrutar, sentir la arena bajo mis pies, bailar descalza con la luna y reírme a carcajadas. Mis amigos dicen que sienten que fuman ellos y me vuelo yo. Esto me produce una satisfacción sutil, una sonrisa hacia adentro, porque es una confirmación de que no necesito de nada externo para ser fuerte o feliz.

El comentario frecuente que mejor valora mi nado río arriba es cuando una amiga o conocida me dice:

—Yo te admiro mucho, si a mí me hubiese pasado lo mismo que a ti —nunca se menciona— me hubiese muerto.

Se asoma el recuerdo de aguantar la respiración antes de dormir, con el deseo intenso de morir, y pienso: pero, qué tonta eres, ¿no sabes que no es decisión tuya?

2

Un día

Dicen que cada siete años nuestras células se transforman por completo. Y si mi cuerpo no es el mismo, entonces ¿qué hace a mi alma de niña, la misma de ahora? Porque también la siento diferente, quizás más pesada, quizás más sabia. Y si es mi alma la única que me acompaña todavía, la siento transformada por completo, como al transitar de una vida a la otra. Como cuando veo fotos mías de chiquita, siento que veo a otra, una coqueta, de mano en cintura y cadera torcida, tan liviana que parece que flotara. Sí, ya soy otra.

Rememorar aquella vida sin duda me lleva a las mañanas, que las recuerdo todas iguales o como una sola. Eran iguales porque estaban orquestadas por mi papá, que es metódico. Al nacer, a él lo sazonaron con una pizca de desorden obsesivo compulsivo. De haber echado dos pizcas en lugar de una, hubiese sido como aquellos que prenden el interruptor de luz diez veces antes de entrar a la habitación. Madrugaba, porque pensaba que si igual no iba a lograr dormir, prefería sacarle el provecho a las primeras horas del día. Se despertaba a las cuatro de la madrugada a hacer cualquiera de varias opciones de ejercicios. A las cinco y treinta entraba al cuarto de Jan Petter e Iván a despertarlos. Iván ya estaba despierto, porque era un niño bicho raro que prefería estudiar un poco más con la mente descansada antes de su examen. Iván, como es el pequeño de los hombres y el menor en derechos, siempre tuvo el primer turno de los tres en la ducha. Mientras, Jan Petter llevaba a Randy, el perro, a pasear hasta la esquina de la cuadra. Si los vecinos estuvieran despiertos, pensarían que era sonámbulo, porque era de noche y seguía con los ojos pegados. Después de Iván tenía el turno Manuel, y cuando Manuel estaba por terminar, llegaba Jan Petter a tocarle la puerta para bañarse.

El baño quedaba próximo a mi puerta, y entre los argumentos de Iván por las injusticias del orden, las quejas de Manuel por el piso mojado y los tumbos de Jan Petter medio dormido todavía, parecía que fuesen las cinco de la tarde. Aunque todo era un lejano murmullo que nada tenía que ver con mis dulces sueños.

Mi papá me despertaba todas las mañanas con ternura, hasta cuando me apestaba la boca lo suficiente como para tumbarle los pelos de la nariz, como decía, y me susurraba:

—¿Te tragaste un ratoncito?

Se reía con su carcajada muda y yo no le entendía nada porque seguía con un pie en la tierra de los sueños.

—¿Qué quieres desayunar, mi amor? ¿Huevos, michita de pan o cereal?

—Michita.

—Ok, tienes diez minutos más de pereza antes de bañarte.

Me volvía a acomodar, hundiéndome más profundo en el calor de mis cobijas rosadas, en mi cama rosada, rodeada de paredes rosadas, levemente decorada por mis mocos tiesos; ahí me desperezaba hasta cuando llegaba mi mamá a avisarme que era mi turno para entrar a su baño.

Al terminar de ducharme, mi mamá me pasaba la toalla, después de secarme, cruzaba a mi cuarto, y en el camino la admiraba en ropa interior, alta, larga y estilizada, metida en su clóset manoseando ropas en busca del atuendo perfecto para un día más de oficina, igual a todos los demás. En mi cuarto, yo elegía mi propia ropa interior con algo de desilusión ante la espera eterna por parecerme a ella. ¿Cuándo crecerán mis tetas?

¿Serán iguales a las suyas? Una vez lista, bajaba rápidamente para ser la primera a la mesa. Atravesaba la sala desde donde se podía escuchar a mi papá haciendo los últimos arreglos del desayuno, asignando tareas a Nelsa y Marquela. Las mañanas eran suyas para controlar cada detalle.

Salía a la terraza, todavía de noche, y estaba Iván dormido en el sofá. Mi papá llegaba a la mesa a instalarse en su gran silla de mimbre, diferente a todas, por ser el patriarca. Llamaba:

—Iván, ya hijo, ven a desayunar.

Iván se quejaba entre dientes y venía entre tumbos a la mesa. No porque no quisiera que le escucharan, sino porque hasta la adultez nadie nunca le entendió una palabra en las mañanas. Solo Jan Petter, quien nos traducía cuando era necesario.

Luego iba llegando el resto de la manada, como por señal de abejas, y la reina de última.

Nos dividíamos en dos, los matutinos y los que no. Mi papá, Randy el perro, Iván y yo, ya éramos gente cuando todavía estaba por amanecer. Mientras que Manuel, Jan Petter y mi mamá, a duras penas establecían contacto visual.

Todos se sentaban en sus respectivas sillas alrededor de la mesa redonda. Mi papá a la cabeza imaginaria, y siguiendo las manecillas del reloj, yo entre mis padres, mi mamá, Iván, Jan Petter y Manuel a la derecha de mi papá. Y así continuábamos todos con nuestra rutina mañanera. Mi papá le hacía el honor a su preciada michita tostada que traía mensualmente de la provincia de Colón para su desayuno desde hacía dos décadas (hasta el día que le prohibieron las harinas blancas), untándole mermelada de naranja para luego coronarla con queso *gouda*. El cereal, más comida de pájaro que de humanos, con poderes digestivos milagrosos, ya se lo había comido de pie en la cocina.

Mi mamá, todavía dormida, me ayudaba a untar el queso crema a mi pan. Yo podía sola, pero ella quería administrar la ración. Ella picoteaba su fruta con queso ricota y su cereal. Iván parecía hacerle cirugía a sus *waffles* para servir el sirope sin que este tocara las paredes entre los hoyos. Un trabajo en sí, sumado a ignorar las quejas de Jan Petter porque se estaba demorando demasiado con el sirope. Manuel, también muy concentrado en seguir los protocolos de mi papá para lograr el cereal perfecto: servir leche dentro de un vaso lleno de hielos, darle vueltas con la cuchara grande destinada solo para este propósito, servir su cereal mientras esperaba a que la leche llegase al punto de casi congelación, y servir leche al plato usando dicha cuchara para aguantar los hielos en el vaso, porque permitir que se colara alguno podía ser un mal augurio para el resto del día.

Cuando, finalmente, estábamos listos para comer la comida metódicamente preparada por cada uno, Randy nos deleitaba con su espectáculo mañanero. Tenía un circuito, que era correr dando cinco vueltas al patio, detenerse a lanzar la penca de palma hacia el cielo, fracasar en el intento de atraparla y asestarse un golpe en la cabeza; dar dos vueltas más, correr hacia nosotros, insertarse en el espacio entre nuestros pies y la pata de la mesa, finalizando con una patada malévola de mi papá y salir magullado.

Su espectáculo nos alegraba el desayuno porque era al único hermano al que se le expresaba cariño abiertamente sin miedo a la burla. Sus circuitos se repetían una y otra vez hasta que mi papá terminaba de desayunar, se reclinaba al respaldar de su silla, momento en el que Randy le saltaba encima para jugar.

Cuando terminábamos todos de desayunar, se iniciaba el segundo acto de la danza matutina: el relevo del pupú. Mi mamá y yo no participábamos de este, ya que en mi casa las mujeres no se tiran pedos; huelen a flores y hacen pupú cada tres días cuando nadie las ve. Jan Petter tomaba el riesgo más grande usando el medio baño de abajo, donde habitaba una polilla prehistórica que los aterrorizaba a todos, y que además cronometraba su aparición para cuando el pupú estaba a medio salir. Una vez al mes se escuchaba el agudo grito de pánico salir del pequeño baño. Manuel e Iván se turnaban el baño frente a mi cuarto, y mi papá se sentaba en su trono a leer el periódico.

Con dos baños y medio, y seis personas movilizándose a la misma hora, no había espacio para la vergüenza. A un lado de mi papá en el trono, mi mamá y yo nos cepillamos los dientes. Mi mamá se pintaba los labios mientras yo la observaba en pausa. Se tumbaba sobre el lavamanos, hundiendo la brochita en la profundidad del labial, que bajo cualquier estándar ya se había acabado, pero los suyos siempre fueron otros, para dibujar sus labios perfectos que enmarcaron siempre su sonrisa enorme. Esa sonrisa roja y sincera que dejó tatuada en la memoria de todos. Incluso cuando se me desdibuja su cara, me quedo con sus labios rojos.

Luego, salíamos juntas, antes que todos, porque recorríamos más distancia. Yo iba a un colegio diferente, que quedaba lejísimos, y mi mamá trabajaba en la Zona del Canal, también alejada de donde vivíamos. Bajábamos juntas, ella se montaba en su carro y yo me sentaba con Marquela, mi nana, a esperar el bus en la banca de afuera.

Mis hermanos salían después. Iván en bus a su colegio, también diferente, y Jan Petter y Manuel con un taxista que los recogía todos los días junto a nuestros vecinos Pipo y Mario.

Las mañanas eran sagradas, de familia. No pasaba nada y a la vez mi infancia entera. Una infancia segura y feliz.

3

Falta

Martes, 13 de octubre de 1998

Estoy en el elevador para ir a avisar al ministro de la Presidencia que mi mamá falta. No ha llegado a casa. Siento tanto que no siento nada. Pienso tanto que estoy en blanco.

Estoy en blanco porque falta mi mamá y ella es mi vida. Es tanto el centro de mi universo que no lo puedo entender así. Somos seis en casa, pero el espacio que ocupa ella está en todo, y a la vez no lo noto porque ella es la casa, es mi techo y el aire que respiro. Como cuarta hija después de tres varones, me dicen que mi mamá me esperó mucho, que llegué a llenar un deseo intenso por tener una niña. Todo el mundo tenía que ver con que "a Lolita le llegó su niña". Así mismo me decían las tías en diferentes ocasiones fuera de contexto, porque sí, para hacerme entender que esto que siento era mutuo: "Todo el mundo tenía que ver con que a Lolita le llegó su niña".

Cuentan las fotos también, una en especial con mi mamá en lo que parece ser una pradera de flores, pero no; es un cuarto de hospital en el cual no se puede caminar entre tantas rosas, tulipanes, claveles y de cuanta flor rosada hubo disponible para enviarle. Ella al centro, con una pijama rosada, una bandana rosada en la cabeza y un bulto rosado entre sus brazos, foco de su atención y amor. Luego le sigue una foto de mi hermano Iván, de cuatro años, sentado en una silla conmigo en sus piernas. En su cara se puede leer el deseo de dejarme caer por accidente y ver si podemos regresar todos a la normalidad en la que él es rey de la casa.

Y así es mi vida como hermana, con mis padres atravesados entre niños y niña. Yo la princesita y ellos los monstruos de quienes me deben proteger. Manuel me pide que no haga tanto ruido cuando como; Jan Petter me configura la televisión para que solo la pueda ver en inglés, e Iván me corrige todo cuanto hablo. No puedo decir "cuando estaba chiquita", porque me responde:

—¿Estabas?

Parece que me ignoran, pero no es así; sí estoy, porque me corrigen el vivir, pensar, hablar y respirar. Y a lo que me corrigen, yo pego el grito para que se entere el barrio y a ellos les den su "tatequieto".

Nueve de diez veces suena un grito de mi papá:

—¡Ya! ¡Déjala, que si tengo que bajar, te meto un café!

Mis padres están de mi lado siempre; no hay que enfrentar, hablar, comunicar, hacer las paces, porque siempre saldrán al rescate de la princesa. Y supongo que para mis hermanos debió ser lo opuesto: "llegó esta a tirarse la dinámica familiar". "Además, insoportable". "Debemos quitarle lo ñoña a como dé lugar".

Mi papá además trabaja a toda hora y el tiempo para sus hijos nos lo dedica con lo que sabe: *coach* de pequeñas ligas de béisbol, tenis, entre otras actividades deportivas a las que yo solo soy invitada para hacerles porras.

Mi mamá y yo funcionamos en dos estados: su lucha por todo lo que ella sueña que yo sea: bailarina, niña que se arregla, baña o peina, delicada y organizada; y yo, ninguna de esas cosas. O alineadas en lo que sí nos une: su arte, conmigo sentada a su lado en un charco de babas, muerta de ganas por tener la oportunidad de aprender y crear con ella. Puedo, en un segundo, evocar el olor mareador del metal que derrite para hacer sus vitrales. O el sonido de la pulidora de vidrios.

Ella trabajó en la Comisión del Canal en la era de los gringos. Ocuparon un territorio de Panamá, desde donde operaban el Canal hasta 1999. En aquellos tiempos, bajo su tutela, los colaboradores se jubilaban con veinte años de trabajo y beneficios a perpetuidad. Mi mamá empezó a trabajar a los diecinueve, de manera que a los treinta y nueve ya se podía jubilar. Se jubiló a los cuarenta y uno y pasó dos años dedicada a su hogar y a su arte; y yo siempre a su lado de "compañerita pío pío", como me decía.

Mientras la acompaño en sus miles de mandados, me cuenta cómo eran mis hermanos de chicos. Que Iván pequeñito mató un periquito con sus manos por accidente, que tenía el cabello tan parado que lo bañaba con una media en la cabeza; que Manuel es genio y a los siete años se encerraba en el baño a leer el *Times Magazine*; que Jan Petter no engorda y por eso hay que darle Sustagen.

Cuando decidió regresar a trabajar, y escogió bienes raíces entre todas las posibilidades, fue una sorpresa para todos. Luego supimos que se debió a un tema financiero que no podía digerir desde el jardín pacíficamente trabajando en sus vitrales. Quiso aportar a la sopa y la venta de bienes raíces le sonó a un trabajo en el que podía abrirse campo y a su vez mantener la flexibilidad de su jubilación, pero solo han pasado tres semanas, de manera que todavía no me he acostumbrado a que falte.

Hoy traté de irme del colegio excusada, tenía dolor de cabeza o me produjeron dolor las simples ganas de irme a casa. Estaba clara de que jamás me iban a dejar ir, porque mis padres nunca me han permitido faltar, ni muriéndome. Fui a la oficina y pedí llamar a mi mamá, y no me contestó el celular. Salió el buzón, le dejé un mensaje y regresé a mi salón. Pasé la tarde en ensayos de *ballet*, porque en octubre ya estamos a tiempo completo en preparativos para la función de fin de año. La volví a llamar más tarde con cualquier otra excusa y seguí dejando mensajes. En la tarde me postré a ver el tan esperado episodio de *Friends,* del nacimiento de los trillizos de Phoebe. Cuando me despegué de la televisión, todo parecía normal, rutinario y digno de olvido, hasta las ocho de la noche, cuando fui donde mi papá para preguntarle por mi mamá. Nunca ha llegado a casa tan tarde sin avisar y quise saber si él sabía algo. Él terminó de leer lo que tenía enfrente y arrancó su mirada del papel, posiblemente sin concepto del tiempo, por lo que me miró bastante desorientado y preguntó:

—¿Ya la llamaste?

—Sí, la he llamado varias veces hoy, pero su buzón está lleno.

Se miró la parte de atrás del cerebro, sonaron algunas alarmas en sus ojos y, como si me pidiese un vaso de agua, me mandó a que fuese al piso veinte a contarle a nuestro vecino esto mismo que le acababa de decir. Este vecino y amigo de mi padre es además el actual ministro de la Presidencia.

Salí de su cuarto, recorrí el pasillo de los dormitorios, abrí la puerta hacia el recibidor cuadrado y de paredes color mostaza, decorado con una pequeña alfombra turca, y me vi en el espejo como tantas otras veces al pasar por la cómoda antiquísima de la familia. Sin mucho razonamiento, elegí no salir por la puerta principal, tomando la ruta más larga, por el pasillo hacia la lavandería y salida hacia el elevador de servicio. Lo logré todo sin respirar, sin tragar, sin pestañear. Ahora en el elevador siento que he pasado siglos aquí dentro. Mi estómago me sabe a yunque. Cuando le pregunté a mi papá por mi mamá, esperaba que me respondiera: "Tu mamá salió con sus amigas". No sé por qué, si no ha pasado nunca, pero jamás esperé estar en camino al piso veinte a avisarle al vecino que mi mamá no ha llegado a casa. Tengo la piel fría. Anamari, respira, que no ha pasado nada, solo tienes que pasar el mensaje tal cual.

4

Mi papá

Los recuerdos que tengo de mi papá pretragedia están todos teñidos de autoridad y miedo. Dos cosas en particular desataban su mirada amenazante provocadora de orines: cuando me derramaba la comida encima, algo frecuente hasta mi adultez; y si me hacía dibujos en la piel con algún piloto o pluma.

—Anamari, ¿qué te hiciste en el brazo?

—Mmm, Andrés me dibujó un poni.

Se le transformaba el rostro, se le acentuaba el gran cañón de su entrecejo, y sus ojos verdes de gato se pintaban de ira. No podía poner en palabras una amenaza lo suficientemente escalofriante sin sonar desproporcionado al rayón en el brazo. Se quedaba en pausa y hablaba bajito, comunicando amenaza entre sonidos.

—Anamari: no - te - pintes - la - piel.

Nunca me atreví a contradecirlo o a responderle. Cuando me salían las primeras palabras para contestarle, regresaba el gran cañón del entrecejo y sus ojos teñidos, y me callaba.

Su fama también era conocida en el barrio. Su hermana, que había enviudado, amenazaba a mis primos con decirle al tío Tony, cuando a ella se le salían de las manos y sus zapatos voladores no cumplían la tarea de amedrentarlos.

Mi mamá también hizo uso de este miedo. En general, yo mantuve buenas calificaciones. Nunca fui una estudiante espectacular, pero tampoco di problemas. Me mantuve cómoda en la medianía escolar y me gradué con el *ranking* número veinticinco entre cincuenta estudiantes. Hubo una ocasión en la que obtuve una nota de fracaso y le lloré mis ojos a mi mamá para que, por favor, no le contara a mi papá. Fue un examen en segundo grado de primaria sobre los puntos cardinales, en el que confundí el Este y el Oeste y saqué 2.5 de 5.0. Este fue mi primer fracaso y le rogué a mi mamá:

—Por favor, mami, no le digas a mi papá. Por favor.

—Se lo mostraré esta noche cuando llegue, Ani.

—Por favor, por favor mami; me va a matar.

Ella sabía que no me iba a matar; que probablemente no me pondría un dedo encima, pero ella seguía en su rol. Esa noche me encerré en mi cuarto esperando ver materializado el miedo de mi infancia, que mi papá entrara a mi cuarto con una correa, porque imaginado siempre es peor. Pero nunca llegó. Yo lo interpreté como que mi mamá se apiadó de mí a último momento. A la mañana siguiente, me senté a su lado en el desayuno, rezando que no supiera, y nadie dijo nada. El castigo se redujo a la angustia del día anterior.

Para mí todavía es difícil entender que este hombre fuese el mismo que, después de muerta mi mamá, bailara y cantara a voces conmigo con la música a todo volumen en el carro y las ventanas abajo: *"HIT ME BABY, ONE MORE TIME"*, de Britney Spears. No sé cómo no lo conocí de niña; siempre estuvo ahí, pero quizás estaba tan absorbida en el amor por mi madre, que no lo pude ver. Ahora sí encuentro su ternura al esculcar la caja de los recuerdos. Como cuando me acerqué a él mientras leía en su hamaca y le dije:

—Papi, todos mis amigos se saben los meses. ¿Me los puedes enseñar?

Me miró con cara de ¿no era cierto que el último aprende por ósmosis? Me cargó, me sentó en sus piernas y comenzó a enseñarme que unos meses son de treinta días y otros de treinta y uno, pero febrero tiene veintiocho. Esta faceta más tierna de mi papá no la recordaba, sino hasta ahora de adulta, ya que, durante mi infancia, él estuvo cubierto con un velo de miedo.

En nuestra segunda relación, al inicio, sentía que me acercaba a un leve conocido, pero rápidamente me aferré a mi papá como si fuese mi hilo de vida. Cuando llegaba a casa, me instalaba a hablarle:

—No sabes lo que pasó en la escuela hoy, le escupimos la silla al profesor Berguido.

—Me sacaron del salón, pero fue injusto, yo le estaba respondiendo a otro.

—La profesora Marcela nos llama ladrillos con pelo y nos lanza el borrador si decimos brutalidades. ¡La amo!

—Carolina le dice a Juan que se ponga camiseta adentro, que se le ven las tetillas.

—Hoy probé el sándwich de Andrés; estaba delicioso. Ahora me gusta la mostaza.

Él me escuchaba, se reía con su carcajada muda y yo continuaba. A veces le hablaba mientras les quitábamos juntos las pepitas a las uvas, una por una, para luego comerlas todas de golpe, a la carrera, para evitar que uno comiera más que el otro.

Cuando hablaba, era poco y quedaba grabado para siempre. Hubo una vez que le pedí algún permiso en mi adolescencia, para ir a algún fin de semana de fiesta; me sentó al borde de mi cama de colores y me dijo:

—Ani, solo te quiero decir que yo confío en ti, pero si pierdes esta confianza, la pierdes y no vuelve más.

Así, sin más. Con esta frase regresó el miedo, pero ahora, en lugar de dirigirlo a su correa, le tenía pavor a perder su confianza. Por un tiempo me gustó fumar; también les enseñé a mis amigas cómo hacerlo, pero tuve que parar porque no podía disfrutar de rodillas entre mis amigos de pie, escondida para que ningún adulto me pillara y él se enterara. Fue más fácil no fumar.

Igual era poco el tiempo que lo veía en casa, llegaba tarde y, por lo general, seguía trabajando en su enorme escritorio. Su estrategia para balancear esta ausencia fue incluirme en sus viajes de negocios. Bajo la opinión de cualquier psicólogo familiar, posiblemente esto no era lo ideal y hasta activaría la alarma de Edipo y toda la teoría freudiana. La dicha me duró mientras estuvo soltero.

Funcionaba así: si tenía un viaje que requería de él a partir del lunes, nos íbamos juntos desde el jueves anterior y pasábamos el fin de semana de compras:

—¿Museos? ¡Ni verlos! —decía.

Solo compras y nada cultural. El domingo me llevaba al aeropuerto, donde me recibía la aerolínea con su servicio de acompañamiento de menores. Gafete colgado alrededor del cuello, bolsas llenas de compras, nada de filas y de regreso a casa. ¡Fantástico!

Esta dinámica supuso un cambio dramático en mi vida. Mi papá nunca se ha destacado por limitarse en sus gustos y gastos; antes ocurrían en lo posible a escondidas de mi mamá. Ella, por el contrario, era el tótem tributo a la frugalidad. En buen panameño: "Más dura que una sopa de tuercas".

Una vez, en algún paseo familiar, yo vi un vestido celeste a la rodilla, en dos telas, una de la cintura hacia arriba y crepé en la falda. Lo deseé tanto que al regresar a Panamá me lo cosió con sus manos. Uno pensaría que yo estaría agradecida, pero yo seguía queriendo el de la tienda.

Mis tres hermanos usaron la misma ropa, y a Iván le tocó la ropa remendada y llena de parches. Supongo que después de él esta ropa no se podía donar. Te la ponías en la mano, soplabas y se convertía en cenizas.

Como su hija rosadita no podía heredar nada de ellos, me compraba ropa muy grande y le iba soltando amarres y bastas hasta que me quedara.

Luego mi papá, antes de irnos a nuestros viajes de compras, me decía:

—Ani, debemos gastar más de lo que costaron los pasajes para que realmente valga la pena el viaje y no salga tan cara la ropa.

Nunca entendí esta lógica, pero no era difícil seguir el mandato. Él me esperaba pacientemente afuera de las tiendas, con las bolsas en mano, viendo a la gente pasar, solo para entrar a pagar.

En estos viajes también le contaba más que en nuestra cocina:

—A Marcos le gusta Juana, pero su papá no la deja salir con él porque es del partido político contrario.

—A Roberto le regalaron un carro y lo dejó pérdida total borracho al otro día.

—Todo mi grupo de Pedro, Juan, María y Cristóbal fuma marihuana. Me ofrecen, pero a mí no me interesa.

Sapa, sapa, sapa.

Solo le contaba aquello que fortaleciera su confianza en mí.

—Me gusta Julián, el otro día nos quedamos caminando alrededor de Los Condominios por horas. Es muy, muy chistoso. Creo que es mutuo, pero no me llama.

Y él respondía con sonrisas, risas y miradas que hablan y derriten.

En estos viajes siempre debíamos ir una noche al cine. Se pagaba triple por una película anunciada también en Panamá, solo para poder comprar palomitas con adición de mantequilla derretida. Para mí, íbamos a comer palomitas mojadas de grasa, tamaño extragrande, porción personal.

En una ocasión fuimos a ver *American Beauty*. No teníamos idea de qué iba la película, pero sabíamos que salía Kevin Spacey y que tenía buenas críticas. En trazos generales, en la trama, en la familia protagonista la hija se enamora del vecino, la mamá tiene un *affair* con el jefe, y el papá, Lester, fantasea con la mejor amiga de la hija, la cual se le insinúa cada vez que tiene oportunidad.

Cuando salimos del cine mi papá estaba pálido. Yo presumí que se debía a las últimas dos horas que se sintieron como doce de tensión sexual, pero no. A los veinte minutos de caminar hacia nuestro restaurante y yo en estado de verborrea nerviosa, mi papá finalmente rompe el silencio y me dice:

—Esa película me dejó afectado y preocupado.

—¿En serio? ¿Por qué? —pregunté, como si acabáramos de ver dos horas de dibujos animados.

—Me preocupa que algún día a mí me pase como a los papás de esa película.

Le respondí con silencio y cara de dime más.

—Bueno, que sus hijos, mi hija, esté viviendo todas esas cosas y yo no me entere.

Lo que le debí haber dicho fue: no, no, no, papi, yo estoy llena de traumas sexuales y no dejo que nadie me toque ni con una ramita. Pero no. Me recuperé un poco de la ternura y le dije:

—Papi, claramente todo te lo cuento. No me he callado en todo el viaje. Te he dicho mucho más de lo que me atrevería a aceptarles a mis amigas. Eso no te va a pasar nunca porque yo me tragué un radio. ¿No ves que no me callo?

Esa misma noche, cuando llegamos a nuestro restaurante, me contó que tenía novia. Interrumpió mi verborrea, aún más alborotada de lo normal por lo derretida de amor por la confesión anterior.

—Hija, te tengo que contar algo: estoy saliendo con alguien.

Se me trancó toda la comida y se me debió notar en la cara, o en el silencio, raro como los eclipses. De los nervios comenzó a hablar de más:

—Tú sabes que los hombres tenemos necesidades.

No, no sabía. Comenzó a aumentar la velocidad del habla.

—Y no es nada, solo estamos saliendo, tú sabes que yo no me voy a enamorar. Yo no me enamoro. En realidad yo nunca así, dizque ameéé a tu mamá.

Cuando pensé que no podía ser peor, lo fue. Se me derramaron algunas lágrimas en silencio. Más velocidad, más verborrea, pero yo ya no escuchaba. Me excusé para ir al baño y lloré sobre el lavamanos. Cuando regresé, hubo un poco más.

—Ay, hija. Yo no te quiero ver sufrir, pero tampoco te quiero esconder las cosas; no quiero estarte mintiendo que voy aquí cuando realmente voy allá con ella.

Me pareció brillante esa idea.

—Papi, eso me parece perfecto, yo no tengo ningún problema. Si al fin es pasajero, tú sal y me dices que vas a otro lado. No me importa, miénteme, y no es mentira porque ya me dijiste. Miénteme.

Y así nos fuimos en este baile por un año más, hasta que su novia le puso un pare al asunto y solicitó que le diera su *merecido* lugar fuera del clóset.

5

Útiles

Salgo del elevador de servicio y toco la puerta que da a la lavandería del piso veinte, y me pregunto qué hago aquí. Me siento fuera de mí. El señor ministro y tío de cariño, porque me enseñaron que los niños debemos llamar tío a cualquier adulto medianamente allegado, abre la puerta bastante sonreído de la conversación que tiene en la mesa. Se sorprende bastante por mi presencia y me pregunta:

—¡Anamari! ¿En qué te puedo ayudar?

—Hola. Tío, mi papá me pidió que te contara que mi mamá no ha llegado a la casa todavía, que tiene el celular apagado y su buzón lleno de mensajes.

Se desvanece su sonrisa, se ajusta a la seriedad de lo que pueden suponer mis palabras y responde:

—Ok, dile a tu papá que yo me encargo y lo llamo ahora.

No han pasado treinta minutos y mi apartamento está lleno de gente. No hay menos de cuarenta personas, todos pegados a algún tipo de teléfono. Yo me dispongo a ofrecer algunos vasos de agua, quizás porque soy servicial. No, no soy servicial. Este es el antídoto para huirle a algunas tías con cara de pánico que me buscan para consolarme con mentiras. Así, entre ellos, también puedo escuchar lo que hablan, pero nadie dice nada de valor. Ellos tampoco saben qué hacer y han encontrado su propio refugio en pretender ser útiles haciendo llamadas redundantes. La policía ha sido alertada y están haciendo su trabajo. Ellos están de más.

Mi papá recibe una llamada de seguimiento y se le acercan dos adultos, a quienes les resume:

—Ellos piensan que se trata de un secuestro. Han tenido varios desde que se intensificó la nueva ola de migrantes.

—Sí, pero lo raro es que no hayas recibido ningún tipo de acercamiento —dice uno al que le llamo tío, pero no sé quién es.

—Sí, podríamos aprovechar la espera.

Se ofrece dinero en la recolección de capital en caso de necesitar pagar un rescate. Se preocupan también, porque entre más larga la espera antes de la llamada, se la podrían estar llevando a algún lugar de difícil acceso.

Hablan como si estuviesen hablando de los hechos en el periódico, de vidas ajenas y lejanas a la nuestra. Aunque a mi papá sí se le nota algo diferente. No es perceptible al ojo, es muy sutil, como quien aguanta la respiración para mantenerse derecho, en la mente, alejado del sentir.

¿Dónde están mis hermanos? Son las diez de la noche un martes y no los he visto. Esa conversación en la que un secuestro es el escenario predilecto me deja fría y no sé cómo reaccionar. Quizás ellos sí sepan.

Mi abuela Chela, la mamá de mi mamá, me toca el hombro y me volteo hacia ella. En su cara sí hay emoción, sus ojos, normalmente claros, están oscuros de miedo y algo vidriosos:

—Ani, ¿quieres venir a rezar conmigo? —me pregunta.

Asiento y la sigo hasta mi cuarto. La idea me suena terrible, acá no me entero de nada y no me gusta rezar.

Ella se acuesta en la cama y me trae de la mano para que me recueste a ella, mi espalda contra su pecho. Todo me huele a talcos, angustia y plegarias. Mientras ella repite los padrenuestros, solo me pregunto: ¿qué le puedo ofrecer a Dios a cambio de que regrese mi mamá?

6

Mi abuela, la Chela Chapman

Ya grande, cuando había aprendido a apreciarla, caminaba las cuatro cuadras hasta su apartamento para visitarla una vez por semana. Al final había dejado de manejar, aunque condujo hasta sus noventa años. Entre los familiares decían que Chela había perdido la ganas de vivir, pero cuando yo entraba a su apartamento, me gritaba desde su cama con un salto en la voz:

—Ani, ¿eres tú?

Al llegar a su cuarto, apagaba la tele, se empujaba con sus manos hasta quedar sentada y me miraba con el rostro iluminado.

Su piel era blanca, arrugadita, muy suave, como un papel higiénico mojado que se desmenuza al tocarlo. Su cuarto entero olía a ella, como siempre. Todavía, cada vez que pienso en ella, me regresa el olor a la nariz como si la tuviera enfrente. Un olor dulce, parecido a talcos, pero es otra cosa, es el olor del envejecer con dignidad.

Inmediatamente me preguntaba si quería comer algo. Me tenía Besitos, como siempre tuvo en la nevera para mí desde que tengo recuerdos. Aquellos chocolatitos recubiertos de papel de aluminio, en forma de besito que todavía me saben al recuerdo de mi abuela. Y siempre me los comí igual, con la boca en forma de beso, succionando la puntita hasta derretirla, y luego a la boca de un solo golpe.

Iba por mi chocolate a la nevera y regresaba de una vez.

—Mi amor, ¿cómo te está yendo en el colegio?

—Bien, Chela, me va bien. No soy la mejor estudiante, pero sobrevivo. Tengo una maestra que está medio loca, pero la amo, me presentó este libro que…

—¿Sabes que a tu mamá le iba muy, muy bien en la escuela?

—Sí, me has contado que era excelente estudiante, mi papá como que no, quizás yo…

—Sí, ella primero estudió en el Colegio María Inmaculada, pero yo después quise que aprendiera inglés. Porque siempre te he dicho que el que habla dos idiomas vale por dos, y el que habla tres vale por tres, así… Y la cambié al St. Mary's. ¡Ahí conoció a Elsa, tu madrina! Las monjas me lo decían: "nunca hemos visto algo igual, está aprendiendo inglés rapidísimo".

—Sí, era brillante, ¿no?

—Tú también, mi amor. ¿Y te gusta alguien? Está muy guapo ese Jose, tu amigo con el que vas a debutar.

—No, no me gusta nadie. Y sí, es bien guapo Jose, chistoso también, pero no me gusta, es mi amigo, nos queremos mucho.

—Ay, Ani, pero deberías reconsiderar porque es muy guapo. Tú sabes que tu mamá se casó a los diecinueve años.

—Sí, eso sería en dos años. No creo que yo me case a los diecinueve años.

—¿Y qué has sabido de Manuel? ¿Cómo le va en Estados Unidos?

—No sé mucho, Chela; tiene unos turnos criminales y hablamos poco.

O no mucho que le pueda contar. Creíamos que si se enteraba que estaba emparejado con un hombre, moriría antes de tiempo.

—¡Tú sabes que él es genio! Cuando tenía siete años se encerraba en el baño a leer el *Times Magazine*. ¡En inglés! No sé por qué le daba vergüenza y se encerraba en el baño.

Siempre ha sido genio. No fue sorpresa que se graduara en primer puesto de la Facultad de Medicina.

—Sí, es genio. Se robó todos esos genes cuando nació.

—Tú también eres muy inteligente. Y también deportista. ¿Sabes que yo jugaba baloncesto cuando estaba en el colegio? ¡Éramos muy buenas!

—Sí, bueno, yo no me voy a destacar en básquet con mis cinco pies de altura. Tú, por el contrario, con la altura de los Chapman, me hubieses sacado algo de ventaja. Yo heredé la altura de mi papá.

Aunque así, en su cama, liviana y frágil, hace un enorme contraste con aquel recuerdo.

—Y, tú, abuela, ¿te traigo algo? ¿Estás comiendo bien?

—Ja, ja, ja; sí, pero tú sabes que yo como como un pajarito.

Era cierto, poquito es poco. No sabemos de qué vivía, y desde antes de que quisiera morir. Su despensa nunca guardaba más de nueve artículos, que se limitaban a ciruelas pasas, leche, manzanilla, sirope, kétchup diluido para que rindiera más, galletas Digestive, bananos, pan, mantequilla y ni un artículo más. Me cuesta creer que no había más cosas, porque de algo más tenía que vivir, pero si solo recuerdo esos tres tristes tigres, lo demás debía ser aún peor.

—Te voy a traer agua, veo que se te acabó. ¿Segura que no quieres nada más?

—No, mi amor.

A mi regreso me preguntaba cómo me estaba yendo en el colegio.

—Creo que ya te pregunté. Ja, ja, ja. Tú sabes que ya estoy vieja, vuélveme a contar.

Y de vuelta a la historia de mi mamá, St. Mary's, las monjas, Manuel es genio, Jose, y que jugaba baloncesto. Alguna vez se colaba algún relato de Iván, "su pollito", de cómo se metía cositas en la nariz, pero no más; ese era el repertorio. Yo lo recibía con un toque de impaciencia, pero mayor de ternura.

Esta ternura fue lo menos en nuestra relación. En mi infancia nunca pude tolerar tanto amor, no conocía el afecto de esa manera y me generaba alergias. Chela, con solo cuatro cuadras hasta nuestro dúplex y amor a reventar, venía todos los días caminando cuando no hubiese riesgo de que la cocinara el sol. En la mayoría de los días me entregaba a la visita, pasaba cinco minutos con ella para luego irme al parque por el resto de la tarde. En otras, le pedía a mi nana Marquela que me hiciera la segunda. Que cuando llegara, por favor, le dijera que estaba en casa de una amiga, mientras yo me escondía en su cuarto. Un día se sospechó que era mentira y le pareció tierno buscarme como si yo estuviese jugando a las escondidas. ¡Y me pilló! Había dejado la puerta del cuarto de Marquela abierta, mientras yo la esperaba en la cama, hasta que la sentí llamándome y acercándose. Demasiado tarde para cerrar la puerta, corrí a esconderme detrás de ella y la vi venir por la ranura. La olí también, olí su decepción cuando se dio cuenta de que yo sí estaba, y que no estaba jugando a las escondidas. Salí y le dije: "Aquí estoy, aquí estoy. ¡Me encontraste!", pero ese ratito y el resto de la tarde cambiaron su rostro usual de dicha por verme.

Normalmente, ella era bastante tolerante de mi comportamiento de niña malcriada; así de incondicional era su amor. Cuando me acompañaba hasta el parque para alargar su visita, ella caminaba despacito y yo la apuraba.

—Abuela, pero mira, uno, dos, uno, dos... ¡Así, más rápido, vamos!

—Ja, ja, ja; ay, mi amor, *piano piano*, se va *lontano*.

—¿Eso qué es? Eso no se entiende. ¿Qué estás diciendo?

Ya me lo había explicado mil veces antes.

—Es una frase en italiano, significa "el que va despacio, llega lejos".

—No, no, mira, yo llego lejísimos corriendo.

Corría una cuadra más y regresaba adonde ella. Unas cuantas risas tiernas más.

A pesar de mi patanería, siempre quería pasar más tiempo conmigo. Me llevaba al supermercado a hacer sus compras, me recibía en su casa cuando mi mamá se lo pedía, aunque me hacía ver como que me invitaba ella.

Quizás era tan dulce y amorosa, que hacía ver los favores como si fuesen iniciativa propia. ¿Quién sabe? Siempre me sentí amada sin importar lo grosera o desagradable que fuera con ella.

Aunque, después de la muerte de mi mamá, cambié. Ella era la única a la que se le salía del cuerpo su dolor por la pérdida, y eso me traía paz. En un mundo en el que no pasó nada, en casa y en mi interior, que a ella le doliera era una luz de realidad en mi mundo de ficción.

En algunas ocasiones me decía, entre frases fuera del contexto de lo que estábamos hablando:

—Extraño mucho a tu mamá. No es natural enterrar a un hijo, mucho menos dos. Acuérdate que tu tío Vichy murió en un accidente de carro cuando tenía veinticinco años. Y luego perdí a tu abuelo, ni tú ni Iván lo conocieron. ¡Qué lástima!

Y luego regresábamos a la conversación anterior como si nada.

Después de escuchar las historias de mi mamá, St. Mary's, las monjas, Manuel es genio, Jose y que jugaba baloncesto unas tres veces más, le anunciaba mi partida con promesa de llamarla con frecuencia y visitarla la siguiente semana. Se paraba por primera vez de la cama desde mi llegada para acompañarme a la puerta. Me causaba mucha impresión verla casi de mi tamaño y con joroba. Era fuerte el contraste con la mujer de la foto en blanco y negro, en el marco de plata, con su equipo de baloncesto; ella significativamente más alta que el resto.

Manuel, mi hermano mayor, el genio y geriatra, refunfuñaba: ¿cómo es que los médicos no le han diagnosticado osteoporosis? ¿Cómo no lo ven, si antes medía seis pies y ahora mide cinco?

Al graduarme me dejó claro que su trabajo ya estaba terminado.

—Ani, cuando murió Lolita yo le prometí que te iba a cuidar, pero ya estás grande.

A esto le seguía un silencio lleno de palabras.

La internaron en el hospital por una gripe. Todos sabíamos que ella no iba a volver a salir, excepto los doctores. Nos contaban de sus avances con optimismo:

—Ella es una mujer mayor, pero muy sana.

Y les queríamos creer.

Cuando le comentaba sobre los reportes positivos de parte de los médicos, me respondía como si aquello fuese una mala noticia:

—Bueno, mi amor, yo ya estoy vieja, que sea lo que Dios quiera.

Luego los doctores, preocupados nos contaban de la siguiente complicación. A ella, por el contrario, se le veía casi aliviada.

Ya nosotros nos íbamos preparando para su partida, con algo de culpa por el optimismo que sentíamos de que finalmente descansara del peso que venía cargando.

7

Perdida

Abro los ojos con esfuerzo para despegar las lagañas crujientes que pueblan mis pestañas y me ajusto a la luz. Es mucha para un miércoles de colegio; ya es tarde, se me alborota el corazón al pensar que voy a llegar retrasada. Me miro el cuerpo y veo que todavía tengo los *shorts* y la camiseta de cuando se comenzó a llenar el apartamento de gente anoche. Y con la ropa recuerdo todo de golpe, lo surrealista y que no fue un sueño. Nadie me ha despertado para ir a la escuela, faltan 10 minutos para las ocho de la mañana y no se escucha el ajetreo típico de una mañana en mi casa. Salgo de mi cuarto y me asomo al de mis padres... no hay nadie; me asomo al cuarto de mis hermanos… tampoco hay nadie. Escucho unas voces extrañas desde la sala y me dirijo hacia ellas.

Están dos tías de cariño y una política en un sofá pequeño de la sala. Las dos de cariño son comadres y conversan con complicidad. Absortas en su conversación, no se han dado cuenta de que me acerco a ellas. Tía Glo, la exesposa del hermano de mi mamá, tío Camilo, y la mamá de mi prima más cercana, Yoli, que está en la esquina del sofá, media nalga dentro, media nalga afuera, como quien no quiere estar sentada, pero no tiene más remedio que hacerse parte del grupo y pretender interesarse en la conversación; ella sí me ve llegar y me mira, pero me saluda solo con su mirada, para no interrumpir la conversación amena, entre risas, que continúa entre las dos.

—Ay, no sé qué le ha dado a Lolita por ponerse de bienes raíces.

—Sí, yo le dije: "Lolita, pero ¿qué ahuevasón es esa, por qué bienes raíces? Si tú no has vendido ni un boleto en tu vidaaa".

—Sí, total, ja, ja, ja. ¡Ay, Ani, mi amor, te despertaste!

—Hola tías. ¿Dónde está mi papá? ¿Dónde están todos? ¿Hay noticias de mi mamá?

—No, nada todavía, mi amor. Tu papá salió, pero nos dijo que apenas tenga noticias, llama.

Tía Glo me toma una mano y la pone dentro de la suya sutilmente, mientras me habla y me mira con cara de empatía; eso me valida que sí está pasando algo real y grave. Me volteo hacia ella dándoles la espalda a las otras dos y ella me pregunta:

—¿Ani, quieres desayunar algo?

—No, tía, gracias. ¿Dónde están todos?

—No sé, mi amor. Está la policía trabajando, pero por ahora no tienen noticias. Supongo que tu papá salió a contestar algunas preguntas, a apoyar de alguna manera, pero apenas sepa algo, dice que te llama. ¿No quisieras salir a distraerte un rato? ¿Por qué no me acompañas a la escuela a buscar a Yoli?

—No, tía, prefiero quedarme acá en la casa; si alguien llama quiero estar aquí.

—Pero yo dejo dicho que me llamen a mi celular cualquier cosa, tu papá dijo que te va a llamar apenas sepa algo.

—No, tía, gracias, prefiero quedarme aquí.

Y es que de verdad algo me dice que debo quedarme. Como cuando uno se pierde de la manada y es más seguro quedarse quieto que salir en la búsqueda, alejándose más. Prefiero mantenerme en el epicentro de todo.

Caigo en la cuenta de que ya las otras tías no están en el sofá y las escucho fuera de mi vista. Entro a la cocina y las veo desde mi ángulo en la lavandería, una con un celular en la mano, hablando muy cerca la una de la otra en voz baja, y me acerco. Siento cómo se alborota el ácido de mi estómago mientras lo hago. Ellas no me han visto y al entrar se callan y me miran con un poco de susto. Quizás ante la posibilidad de que haya escuchado su conversación.

—Ani, mi amor, ¿nos puedes dar un poco de espacio? Estamos hablando de algo importante.

En este momento de mi vida, yo solo sé manifestar mis niveles de ira con gritos, puños y patadas de animalito salvaje, usualmente dirigidos hacia mis hermanos. No sé qué hacer con esto que siento sin agredirlas.

Quizás no es solo que estén aquí, en mi casa, cuchicheando a mis espaldas sobre la información más valiosa de mi vida. Quizás es todo lo que siento, todo este miedo embotellado, todo el dolor por sentirme sola e impotente, pero ellas destaparon la olla y son quienes reciben el impacto de lo que sale en forma de gritos:

—¿Ustedes saben algo? ¡Por favor, díganme, que están en mi casa! ¡Si saben algo de mi mamá, díganmelo ya!

La ira se convierte en desesperación y dolor rápidamente. Se me quiebra la voz, todavía entre gritos.

—Por favor, por favor, no es justo. Si saben algo, por favor —suplico mientras siento encorvarse mi espalda.

—No, Ani, de verdad no sabemos nada, solo te estábamos pidiendo privacidad.

—No les creo nada, son unas brujas, no les creo nada.

Siento la mano de tía Glo en mi hombro que me voltea hacia ella:

—Ani, vamos a la escuela a buscar a Yoli, te va a hacer bien. La información nos va a llegar cuando se sepa algo, te lo prometo, pero distraerte un rato te va a hacer bien.

Siento que perdí la batalla y ya no es una petición. Trato de respirar, apagar el volcán con bocanadas de aire. La miro, veo la cara de mi infancia, la que me llevaba a comer conos de helado en El Valle de Antón con mi prima, y decido confiar en su palabra. Voy a confiar en su palabra; ella dice que me va a hacer bien.

—Ok.

Camino derrotada hacia mi cuarto, un pie enfrente del otro, un pie enfrente del otro. Voy a confiar en su palabra. Un pie enfrente del otro. Me voy a bañar, a poner mi uniforme y a buscar a Yoli al colegio.

He estado en este carro mil veces, pero nunca sentada adelante y sin mi prima. Es incómodo y tía Glo hace preguntas con ánimos de distraerme:

—Ani, me contó Yoli que están desesperadas con el profesor de Science…

—Sí, es inso, quiere que solo estemos callados y pone unos exámenes que nadie entiende.

—¿Y qué más hace? Me cuenta que quiere que se aprendan todo de memoria.

No siento ganas de responder, pero tampoco tengo el corazón de hacerle un desplante.

—Sí…

Trato, pero no es fácil. El camino es eterno, ya quiero estar en mi casa, me pica la piel por dentro, quiero poder hablar con mi papá, hablar con mi mamá.

Anamari, no llores, que se angustia la tía.

El tiempo pasa despacio, pero finalmente llegamos al colegio. El guardia me ve con uniforme, me reconoce y nos deja pasar.

Nos bajamos a pedir por Yoli en las oficinas. No quiero que me pregunten por qué no vine. Nadie lo hace ni me miran tampoco. ¿Será que saben? Siento que me miran si no los miro. Siento algo en el aire. Todo se disipa cuando entra Yoli con su mochila, confundida, pero alegre.

—¿Qué pasó, mami? Ani, ¿y tu mochila? Dice que nos vamos, tienes que ir por ella.

Caigo en la cuenta de que ella no sabe que yo no vine al colegio hoy, porque estamos en salones diferentes. Le miento:

—Ya está en el carro.

—¡Ah! ¿Y por qué nos vamos, mami?

—Después te cuento.

Una vez en el carro, Yoli vuelve a preguntar:

—Mami, ¿por qué nos viniste a buscar? ¿Tenemos una cita con el doctor?

Se nota el alivio de tía Glo porque Yoli le dio la salida:

—Sí, tienen una cita de chequeo y se me enredó todo en el trabajo, no te podría llevar en la tarde. Me pidieron que las llevara a las dos de una vez.

No menciona a mi mamá.

Como Yoli no tiene idea de lo que está pasando y es aparente que tampoco ella le va a decir, yo sigo con la charada. También se me hace más fácil pretender que no está pasando nada en este nuevo ambiente y me dejo llevar. Unos veinte minutos de camino y tranque después, suena el celular y se me va la respiración.

—Es tu tía Mechi.

Contesta.

—¿Aló? Sí… mmhmm… ok…

Algo cambia en ella por dentro. Por fuera solo se muestra su esfuerzo por mantener la postura de antes, casi igual a simple vista, pero aquí hay más.

—Pásamela, tía, por favor.

—Ok, buenísimo, claro, entonces todavía no saben nada, nos vamos a mi casa.

Cierra la llamada y siento regresar el ácido del estómago. No confío en nadie.

—Ani, dice que todavía no hay noticias, que es mejor que te quedes con Yoli en nuestra casa y apenas sepan algo me llaman.

Yoli está callada e invisible, la tensión es espesa y ella es más decente que yo.

—No, tía, el trato era regresar a mi casa.

—Ani, pero mejor allá, mira, vamos a Blockbuster, alquilamos una película, buscamos una *pizza* y…

Yoli se voltea a mirarme con ojos de súplica, ya que es claro que la consulta se me está haciendo únicamente a mí.

—No, tía, no quiero, ese no era el trato. Y si no me llevas a mi casa me bajo del carro.

Por primera vez siento alivio de estar en un tranque que le da veracidad a mi amenaza. Tía Glo piensa, me mira a los ojos, a mi mano en la puerta, y se rinde en el acto. Se muestra un poco aliviada y dice:

—Ok, vamos a tu casa, ese era el trato.

Vuelve a tomar el celular y llama.

—Mechi, voy a llevar a Ani a su casa.

Llega la respuesta inaudible.

—No, ella QUIERE ir a su casa.

Aumenta el volumen del murmullo y tía Glo interrumpe.

—Listo, nos vemos allá, vamos en camino, pero hay tranque.

Más murmullos…

—Calculo que llegamos en veinte.

El camino de regreso transcurre en silencio absoluto. No me incomoda, ya nadie más pretende y me siento segura de saber que me estoy acercando a mi casa.

Al acercarnos al edificio, veo cómo los estacionamientos de visitas están llenos y hay carros estacionados bordeando toda la calle.

Llegamos y está tía Mechi de pie, estoica, afuera del edificio; alta, grande como la vida, con las manos enlazadas detrás de ella. Me bajo del carro con ansias por una noticia.

8

Las mellizas

Si fuese pintora, no hubiese problema en pintarlas como me diera la gana, pero esto es un texto, así que las escribo más como habitan en mi memoria, que como son en fotos o en la memoria de los demás, a pesar de la culpa, porque me salvaron la vida. También hablo en plural, como si fuesen una figurita repetida. Igual que la foto de los Alfaro Chapman que vestía la mesita de la entrada de varias casas, en blanco y negro y con marco de plata: las mellas idénticas en sus mejores galas, delgadas, altas y con postura de reinas. Vicente, el hermano que murió, en saco, gatito al cuello y cara de qué hago aquí. Él era el mayor de los hermanos, pero más pequeño en tamaño que las mellas, o quizás hasta ahí las veo más grandes. Camilo, flaco y largo, menos togado que los demás, de pie, cuadrado de medio lado con su actitud indiferente y liviana que lo acompaña hasta la vejez. Mi mamá, pequeñita, prístina, inocente, hermosa, con una muñeca en la mano, bien portada y perfecta.

Nunca entendí por qué se triplicaron ni a qué hora. Yo me las imagino desde siempre grandísimas, de alto y de ancho, más grandes que la vida. Quizás porque su personalidad no hubiese entrado en un cuerpo pequeño, o de todos modos no cabe y por eso se les derrama del cuerpo sobre los demás.

De nuevo el plural. Lo bueno y lo malo lo recuerdo en ambas. Aunque sus personalidades son muy distintas, en mi recuerdo están dibujadas repetidas en todo. En apariencia y personalidad. Si una grita, las dos son gritonas; si una es metiche, las dos son metiches. ¿Nerviosas, groseras, curiosas, aventureras, fumadoras? No, fumadoras, no. Ese recuerdo sí es solo de tía Mechi. Esta era la diferencia primordial y como podía diferenciarlas cuando chiquita. Tía Mechi apestaba a cigarrillo y tenía voz de humo. Tía María, no.

Quizás tenían que ser dos porque semejante fuerza no cabía en una. Los cuentos de infancia son en plural también, claramente no soy la única con la vista doble. Cuentan que se agarraban a puñetazos con hombres en el colegio, afuera de la casa, en el parque, donde fuese. Que las echaron de todos los colegios de Panamá, que terminaron en un convento en Pereira, Colombia, y de allá las echaron también, por supuesto. ¿A quién se le ocurre mandar semejante fuerza de vida a un convento? No hay monja que adoctrine a ese par. Ni ahora, viejas y cansadas.

Eran tan fuertes que la vida entera les pertenecía. Su necesidad de control no conocía límites. De chicas, cuidaban a mi mamá como si les perteneciera. ¿Cómo que de chicas? De viejas también. La culpa de que hubiese muerto y de no haberla encontrado ellas, fue lo que las rompió.

Esto lo estoy presumiendo, por supuesto, porque no me lo ha dicho nadie, pero no había nada que ellas no pudiesen solucionar. Recuerdo cuando se perdió nuestro perro Randy, un bóxer marrón bellísimo. El amor de nuestra infancia. Una noche, cuando estábamos recién mudados de nuestro dúplex de toda la vida, a un apartamento, mi mamá salió a pasear a Randy y, algo vio que le dio un tirón a mi mamá y salió disparado. Se fue a buscar a Dios en una iglesia, pero nosotros no conocíamos sus tendencias religiosas. Mi mamá regresó a casa angustiada después de dar muchas vueltas gritando por el barrio. Salimos en el carro todos a buscar al perro y nada. Esa noche nos dormimos juntos, llorando.

Solo tuvo mi mamá que contarles a las mellas para que activaran el poder de las gemelas fantásticas. Volantearon toda la ciudad entrevistando persona por persona, hasta que dieron con un pordiosero afuera de la iglesia que les dijo que lo había visto.

—Sí, señora, yo vi a ese perro chombo anoche. Se lo llevó la puta que se para en la esquina. Le pagó de más al taxista y se lo llevó, pero ella no vuelve hasta mañana en la noche.

No sé cómo, pero consiguieron su teléfono. De imaginarlas esperando pacientemente hasta el día siguiente me da risa. No existen minutos para fumarse tantos cigarrillos.

—Oye, tú tienes a mi perro.

—Sí, aquí ta. ¿Cuánto me vas a dar por el perro?

—Más de lo que tú te ganas en una noche.

No sé cuánto ganaba ella en una noche, pero transaron.

Recuerdo escuchar esta historia repetida hasta el cansancio por parte de los adultos, asombrados por la osadía de responder así. Me reía yo también con el grupo, por supuesto, sin entender qué era esto que vendía la señora en la noche.

Se fueron las tías a Tocumen, lejos, donde queda el aeropuerto, a buscar a nuestro Randy. Dicen que estaba en un patio sin techo, amarrado a un árbol con soga, con el cuello cerquita del tronco.

Llegaron con Randy a mi casa como las grandes salvadoras, para el reencuentro más emotivo de nuestra infancia. Randy dando brincos de conejo, nosotros bañados en lágrimas de felicidad y con el miedo de volver a sentir ese miedo.

Cuando era pequeña no las soportaba, no sé por qué realmente. Simplemente me generaban un desagrado visceral, y tía Mechi en especial no hacía nada por agradar. Le sabía a bizcocho que yo la quisiera o no, o así parecía.

Llamaba a casa con un saludo que sonaba más a ladrido:

—Pásame a tu mamá.

—No está.

—Yo sé que sí está, pásamela.

—No.

Volvía a llamar, yo volvía a contestar y la iba sacando de sus casillas. Placer. La furia debía llegarle en sondas energéticas a mi mamá, hasta que se iluminaba y contestaba el teléfono.

Mi mamá, tan pacífica, sentada afuera haciendo vitrales, y la llamada sin duda llegaría a interrumpir su serenidad. Fracasé, no la logré proteger.

A veces nos íbamos de paseo las cuatro, las mellas, mi mamá y yo, en alguna aventura de comprar plantas o simplemente a pasar el día en la playa. Yo me le pegaba a mi mamá todo el paseo, disfrutaba de su compañía y dejaba en claro que me desagradaba la de ellas. Si tía Mechi prendía un cigarrillo, protestaba exageradamente y luego sacaba la cabeza del carro a respirar como un perro. Mi misión: estorbarlas como ellas a mí, pero no parecía lograrlo; tía María parecía entretenerse con mi *show* y tía Mechi me ignoraba con aparente facilidad.

Con su espíritu de salvadoras, tal vez por no haber podido prevenir la muerte de mi mamá, se enfocaron en lo que sí podían hacer: honrar a su Lolita cuidándome a mí. Al inicio me opuse; sacaba la cabeza del carro como perro para coger un respiro, me ahogaban sus nervios por mi seguridad, porque yo las dejase entrar, porque las dejase llenar el vacío de cuidado logístico que dejó mi mamá. Saqué la cara del carro, actuando un ahogo, hasta caer en la cuenta de que afuera corrían carros a toda velocidad y el nuestro estaba lleno de oxígeno, calma y seguridad.

Me entregué a sus cuidados, pero nunca sin drama. Aunque este era un drama diferente al de mi infancia, uno de protesta, con sonrisa entre dientes, como quien discute con el niño que le gusta.

Me llamaban doscientas veces al día:

—¿Vas a la playa? ¿Con quién? ¿Quiénes son los papás? ¡Aaah, ella es la nieta de Susanito Rodríguez! Ok, me llamas cuando llegas.

—¿Y quién más va? ¿Quiénes de tus amigas van?

—¡Anamari, tengan mucho cuidado con el mar, por favor! Al mar hay que tenerle respeto. Y tú eres medio loca. Por favor, Anamari.

—¿La casa tiene piscina? ¿Y la mamá va a estar ahí?

—¿Quién va a manejar? ¿Vas con los papás?

—¡Tía! ¡tía! ¡ya! Voy a tener cuidado todo el fin de semana, lo prometo. ¡Me has llamado diez veces!

—Bueno, me escuchas, porque yo soy vieja y tú eres medio loca. ¡Así que con cuidado, por favor!

Siempre contestaba con pedradas, pero se me colaba una sonrisa por el teléfono. Una de gratitud por tener a alguien que me enloqueciera y con quien ser grosera. Con quien jugar a la adolescente rebelde, mala con su mamá.

Luego se me fue tía Mechi a Argentina, nombrada como embajadora, pero allá también había teléfonos y se sentía como que seguía en Panamá. Solo que relegó la logística del lleva y trae a tía María.

Hay quienes dicen que tía Mechi manda en esa dupla, pero no es cierto. Tía María manda en suspiros cuando nadie la oye. Tía Mechi a gritos, hasta cuando habla. Tía María manda y nadie lo sabe, pero yo sí. Cuando tía Mechi recibe una llamada de tía María, cambia: se altera, se relaja, actúa. Tía María contestaba sus doscientas llamadas, pero no iba a echarse la logística de mi adolescencia al hombro, y por ello entraba Tuti al puesto de bateador. ¡Mi dicha!

Tuti es su hija. Es rebelde y sobrevivió a su adolescencia con ese par. Me lleva once años y aprovechó la partida de tía Mechi para asumir mi logística nocturna y de fin de semana.

—¿Tienes un quinceaños? Tranquila, yo te llevo, te busco después de que salgo de la casa de Juana.

—¿Puedes regresar también a Mafa y a Nini?

—Sí, claro.

Lo mejor eran las conversaciones en el carro:

—¿Virgen? Yo no me conozco la vida de tu mamá, pero créeme, Ani, tu mamá no llegó virgen al matrimonio. Eso es como Santa, no existe.

Tuti completó la trinidad: tía Mechi es tía Mechi, la madrina en su trono; tía María el suspiro, que actúa en misterios, y Tuti, la hija divina. Llegó a liberar y salvar mi mundo. Aunque, cuando me permitía danzar en esta dicha, se reproducía en mi memoria este recuerdo con mi mamá:

—¡Ya pronto vas a ser adolescente! Vas a cumplir trece años, y comenzarán a invitarte a quinceaños.

—Todavía falta para eso, no tengo amigas grandes; faltan dos años.

—Bueno, igual, si te invitan, solo podrás ir a los quinceaños a los que esté invitado tu hermano Iván.

—¡¿Qué?!!! ¡Pero si Iván es un *loser*! ¡Solo juega tenis! ¡Y está en otra escuela, nadie sabe que yo tengo hermanos! ¡Nadie lo conoce!

—Bueno, mi amor, esa es la regla.

También me llegaba el recuerdo de pensar: cruzaré ese puente cuando llegue a él.

¿Será que yo atraje el ser liberada antes de mis quinceaños?

Tuti me enseñó a conducir y me entrenó en cómo manejar a las mellas.

—Tú sonríe y di que sí, no discutas. Después tú y yo arreglamos.

Luego me fui a estudiar a una universidad en Filadelfia. En Fili también estaba mi hermano Jan Petter estudiando una maestría, pero vivía al otro lado de la ciudad y nos veíamos una vez al mes. Allá no había tía María ni Tuti, y Jan Petter no respondía a sus nervios, de manera que se le volvió a alborotar el estrés a tía Mechi por no poder controlar, y con el estrés, las llamadas:

—¡Anamari, me dijo tu papá que esta semana vas a visitar a Carolina a Austin! ¡Ten mucho cuidado!

—¡Acuérdate de que tienes que llegar dos horas antes al aeropuerto!

—Ani, ¿cómo te vas a ir al aeropuerto? ¿Jan Petter sabe que te vas? ¿Jan Petter te va a llevar?

—¡Anamari, ten mucho cuidado con los trenes! ¡Ponte la mochila enfrente, la gente se te acerca mucho y te puede sacar las cosas sin que te des cuenta!

Cada llamada iba subiendo de tono, la respiración más agitada, más saltos en la voz. Y si yo no le contestaba, llamaba a Jan Petter.

Él es un hombre en general muy correcto, respeta a sus mayores, de manera que ejercía toda su paciencia en estas llamadas. Además son sus madrinas. Sí, las dos, porque no soy la única con vista doble. Hasta que de gota en gota le derramaron el vaso. Un buen día les contestó con tres piedras en la mano.

—Me parece que ya tienen que dejarla vivir. ¡Si la deja el avión, la deja y aprende; que mal no le viene! ¡Dejen de sobreprotegerla y déjenla vivir!

Las palabras de Jan Petter se escuchan. No solo los regaños, todas sus palabras, porque, contrario a mí, él habla poquito y cuando habla se le escucha.

Me llamó Jan Petter después, sintiéndose apenado.

—Anamari, regañé a tía Mechi —me dijo con un tono de frustración—. Pero es que me tiene loco y tú ya no eres una chiquilla.

Y lo escucharon. Estas palabras debieron calar profundo, porque no volví a recibir llamadas de este tipo. Callar ese pánico y necesidad de advertir de los peligros del mundo debió suponer un gran esfuerzo. O, quizás, como los otros esfuerzos para no sentir, decidieron ignorar mi vida para no ver el peligro. No sé cómo lograron esto tan antinatural para ellas durante cuatro años. Hasta que les llegó motivo para preocuparse desde el corazón, no desde donde habita el miedo.

9

La encontraron

Salgo del carro y encuentro a tía Mechi de pie afuera del edificio, esperándome en posición de soldado, tomada de manos atrás y más alta que nunca. Parece que la sostiene un hilo desde la corona de la cabeza que la mantiene perfectamente erguida. Me saluda como si no me hubiese tratado de exiliar:

—Hola, mi amor.

—Hola tía, ¿saben algo de mi mamá?

—Sí, ya te digo, lleguemos al elevador primero.

¿Sí? Parece estar tranquila; deben tener buenas noticias. Me relajo un poco y trato de calmar mi impaciencia por llegar hasta el elevador. Son veinticinco metros desde la puerta del edificio atravesando el *lobby*. No es mucha distancia, pero con este nivel de desesperación se siente como caminar sobre carbón en brasas.

Tampoco es fácil avanzar porque el *lobby* está lleno, atiborrado de los amigos de mi hermano Jan Petter. No reconozco todas las caras, solo algunas conocidas, pero la forma en la que se consuelan unos a otros me hace pensar que son parte de una misma manada. Tienen caras de preocupación, algunos llorando, algunos abrazados, me miran con ojos de empatía y dolor.

Pido permiso para avanzar entre ellos y llegar al elevador, con un saltito extra en mi andar porque creo que tía Mechi me tiene buenas noticias. Si fuesen tristes, se le notaría descompuesta. Ellos deben estar así porque no saben todavía.

Cuando alcanzamos el elevador, tía Mechi presiona el piso nueve y no me mira.

—Tía, cuéntame, me dijiste que ya saben algo.

—Sí, mi amor, encontraron a tu mamá. Se había caído en una de las casas que está vendiendo, se golpeó la cabeza y había quedado inconsciente, pero ya está bien. Te está esperando en el hospital.

Sentí un torbellino despertarse dentro de mí. Me lo imaginé todo: yo llegando a abrazarla, a contarle que sentí mucho miedo, que la extrañé mucho, que la amo, que nunca se lo digo, pero que la amo, que la amo con todo mi corazón. Le contaría de la casa llena de gente, de las tías chistosas, de buscar a Yoli, de la angustia.

El viaje de nueve pisos dura treinta y seis segundos, pero yo imagino una hora completa de abrazos e historias. Sobre todo, su sonrisa. Quizás golpeada, pero aún así, vistiendo su sonrisa.

10

Papa Dios

De pequeña me dijo mi mamá:

—Papa Dios ama a los niños porque son puros. Tú le puedes hablar, rezar y pedir lo que quieras y Él va a contestar a tus plegarias.

Yo, con manitas al pecho rezo:

—Papa Dios, yo quiero pedirte la varita mágica que te pedí cuando soplé las velas en mi cumpleaños, así voy a poder cumplir cualquier deseo sola y ya no te tendré que molestar más.

—Papa Dios, te ruego por favor que no se caiga el avión en el que están mi papá y mi mamá. Por favor, te lo ruego, los amo mucho y no quiero que quedemos solos.

—Papa Dios, por favor, que Iván me deje de molestar, yo quiero que juegue conmigo.

Mi mamá:

—Las personas que son buenas, van al cielo, y las malas van al infierno.

Yo, de rodillas como hacen los niños y niñas en las películas:

—Papa Dios, perdóname, por favor, por haberle mentido a mi mamá. Son deliciosas las tostadas de pan con canela y si le cuento que es lo que almuerzo todos los días me va a hacer comerme la comida. No me dejes ir al infierno por mentirosa. Yo seré más buena de aquí a que sea vieja y me muera, te lo prometo.

Mi mamá:

—Si te portas bien, el Niño Dios te trae regalos.

Yo, aterrada antes de dormir:

—Niño Dios, perdóname por haber exagerado un poco mis gritos y causar que le pegaran a Iván. No lo vuelvo a hacer, te lo prometo.

En las horas, días y semanas después de enterarme de que mi mamá estaba muerta, recibí consuelos de todo tipo referentes a Dios:

—Mira, mi amor, te regalo este rosario que es muy especial. Es de plata y está bendecido por el Papa. Para que te acompañe siempre.

—Gracias, tía.

Pensando: ¿para que me acompañe? ¿De aquí en adelante? No me fue muy bien hasta ahora. ¿Qué hago ahora con esto? Y si lo boto, ¿será que me voy al infierno? Mejor aquí, en esta gaveta.

Otra tía de profesión:

—Dios les da a sus guerreros más fuertes las más duras batallas.

Mi respuesta fue una sonrisa de lado, de niña buena que decía: "Gracias por creerme fuerte", pero pienso: "¡No, no, no, te confundiste, Dios, yo no soy fuerte! ¡Me quiero morir, llévame esta noche porfa, yo no estoy hecha para aguantar esto!".

Otra tía inidentificable:

—Tu mamá era tan buena que Dios la prefiere a su lado en el cielo.

Mi respuesta fue una sonrisa de niña agradecida que decía: "Gracias por pensar que mi mamá era un ser especial, digna del llamado de Dios", pero pienso: no, no, todavía no,

¡después! Cuando yo sea más grande; todavía no estoy lista para esto. Y quizás de un infarto, o algo así menos aterrorizante. Todavía no, tú eres todopoderoso, vamos a despertarnos de esta pesadilla y repetir el día.

Más:

—Mi amor, tranquila, un día ustedes se van a encontrar en el cielo.

Ya no salía sonrisa, solo pensaba: pero ¿qué es esta idea tan cruel? ¿Espero toda mi vida para reencontrármela? ¿Y qué tal que no sea cierto? ¿Qué tal si todos han estado equivocados?

Pero aún quedaba una esperanza: ¿será que sí nos encontraremos algún día en el cielo?

Poco después sentí la necesidad de dar para sanar a los que no tienen, a los verdaderos pobrecitos. Porque los que somos fuertes ayudamos a los pobrecitos. Pedí apoyo del colegio y comencé una fundación a la que llamé "En Nombre de Dios". Dibujé un logo bonito con niños tomados de las manos en círculo en torno a un corazón. Hicimos algunas actividades: lavamos carros, vendimos *cupcakes* y pulseras. Con esto recogimos algo de dinero e hicimos una fiesta para los niños pobres. Pobrecitos. Compramos los regalos y preparamos todo entre mis amigas y sus mamás. Hicimos la fiesta y fue un éxito.

Durante la fiesta, en algún momento regresé del baño y vi lo que había generado.

Pensé, qué lindo, yo causé esto, lo hice bien, están todos felices gracias a mí. Gracias a mí les trajimos regalos y ahora están felices.

Y luego lo vi, en las caras de todos, las mismas caras con las que me miraban a mí. Pobrecitos, decían sus expresiones.

Se sintió familiar esto y no quise más. En el colegio me preguntaron mis amigas cuál sería la próxima actividad. Pospuse las reuniones y murió "En Nombre de Dios".

Mi papá me invitó a uno de sus viajes. En el avión, se terminó un libro y me lo pasó:

—Toma, te regalo este libro, creo que te gustará. Me lo regalaron y no pensé que me iba a gustar, pero está bueno. Te lo recomiendo.

El libro era *Muchas vidas, muchos maestros,* de Brian Weiss. Trata de un psiquiatra y su viaje desde ser un completo incrédulo de lo sobrenatural, hasta convertirse en un fiel creyente en la reencarnación y la posibilidad de viajar a vidas anteriores, ya que mientras conducía terapias a través de la hipnosis, comenzó a notar que, en ocasiones, sus pacientes iban tan atrás que ya no se encontraban en esta vida. Al indagar un poco, comprobó con mucho detalle cómo, cuando morimos, tenemos un tiempo preciso de limbo y luego pasamos a la siguiente vida. El libro era largo y detallado, pero esta era la premisa.

Desde las primeras hojas hipaba del llanto.

—Mi amor, mi amor, ¿qué te pasó?

—No, nada papi, este libro... no sé.

—Ay, mi amor, si hubiese sabido que te ibas a poner así no te lo daba.

¿Cuál es la diferencia? ¿Por qué no me lo hubieses dado? ¿Por qué no me puedes ver llorar?, me pregunté. Lloraba porque con este libro murió la esperanza de un reencuentro. Solo fue un libro, pero sembró algo en mí y ya no creía nada de lo demás. Sin admitirlo, por supuesto, porque dejar de ser una niña buena, una católica creyente, podría despertar alarmas de que yo no estaba bien y, ante todo, debía estar bien.

A los dieciséis años comencé mi catequesis de confirmación con mis tres mejores amigas. Porque así sale en el manual de la niña buena católica panameña, porque seguir el manual es estar bien.

Nos reunimos todos los viernes con nuestra catequista, durante dos años. Canté todas las canciones, recé todos los rezos, estudié todos los textos, al cierre nos fuimos de retiro, sentí a Dios, lloré, lo sentí un poco más, le reclamé, creí que perdoné y me confirmé en mi fe en una misa frente a mis familiares y nuevos amigos.

Después de haber cumplido con todos los requisitos y alejarme de la posibilidad de encender alarmas de preocupación hacia cualquier sentir o pensar fuera del manual, me permití sentir y pensar fuera del manual.

A los dieciséis años comencé mi catequesis de confirmación con mis tres mejores amigas. Porque así sale en el manual de la niña buena católica naturalmente, porque según el manual es estar bien.

Nos reuníamos todos los viernes con nuestra catequista durante dos años. Canté todas las canciones, recé todos los rezos, estudié todos los textos, al cierre nos fuimos de retiro, [illegible] un poco más, [illegible] que [illegible] y nos confirmamos [illegible] frente a mis familiares y nuevos amigos.

Después de haber cumplido con todos los requisitos y al alcance de la posibilidad de [illegible] haría cualquier sentir o pensar fuera del manual, me permití sentir y pensar fuera del manual…

11

La pesadilla

Se abren las puertas del elevador mientras sigo sumida en una fantasía de abrazos y declaraciones de afecto. Veo espaldas y se me hace confuso. No caben las personas en el apartamento y mi tía camina delante de mí. Con la mano nos abre camino entre la gente hasta llegar a la puerta del apartamento. Cruzamos con dificultad los cuatro metros entre el elevador y la puerta, ya abierta. En el umbral me identifica una señora que, supongo, es tía de algún tipo; extiende un brazo entre otras personas y me aprieta el hombro en señal de empatía. Solo le respondo con una sonrisa, porque no tengo tiempo para darle la buena noticia. Seguramente tía Mechi me está llevando donde mi papá para que vayamos todos juntos al hospital. La puerta del apartamento está directamente a un lado de la entrada al pasillo que conduce hacia los cuartos, pero cuesta movernos entre las personas, hasta que finalmente llegamos. Nos exprimimos hasta cruzar el umbral y cerrar la puerta detrás de nosotras. ¡Ya... paz! Aquí no hay nadie, no hay ruido, más que un murmullo latente que se nos cuela a este lado. Mi papá me espera al final del pasillo con la mano extendida para tomar la mía. Tomo su mano, pero ahora sí estoy confundida. ¿Por qué nos alejamos de la salida? ¿Por qué no nos vamos de una vez?

No me saluda, no me dice nada, solo me toma de la mano y caminamos hacia su cuarto. Abre la puerta del pasillo hacia su habitación, entramos y la cierra detrás de nosotros. Todavía en el pasillo, me toma de las dos manos, me mira a los ojos y me dice:

—Ani, encontraron a tu mamá. Está muerta.

No entendí. Luego entendí. Él no sabe, no puede ser, no entiendo nada. Él sigue hablando, pero de mi boca sale:

—No, no, no. Ella, en el hospital. No. No.

Mi papá sigue hablando. Ceden mis rodillas y él procura sostenerme por una axila. Se le nota angustiado, le duele más mi dolor. Logro hilar una frase:

—No, papi, ella está en el hospital.

—No, mi amor, la encontraron esta mañana muerta en una casa que estaba mostrando.

—¿Cómo? ¿Por qué? No. No.

—No sabemos, fue asesinada, pero no sabemos nada. La policía... Ani, necesito que seas fuerte.

Esto es idéntico a una pesadilla. Esto es una pesadilla. ¿Cómo hago para despertarme? Me siento en trance. Debo sobrevivir hasta despertarme. Me pongo de pie y solo corren lágrimas.

—Vamos adonde tus hermanos, estamos en su cuarto.

Me toma de la mano nuevamente y me guía por el pasillo hasta la habitación de Jan Petter e Iván. Abre la puerta y los veo por primera vez desde que comenzó todo. Están cada uno en su cama, cobijados con la mirada perdida y la cara mojada de lágrimas. Me miran y me quitan la mirada. Nadie aguanta la realidad. Está mi abuela Chela en la cama de Iván tomada de su mano. Todos en silencio, llorando. Mi papá me suelta de la mano y se sienta a un lado de Jan Petter.

Necesito despertarme. ¿Cómo puedo hacer para despertarme? Golpes. Sí.

Me desvío hacia el clóset de pared. Me posiciono de lado y golpeo mi cabeza como un balón contra la puerta. No funciona, otra vez. Otra vez. Otra vez. Mi papá me toma por los hombros de manera agresiva y me detiene.

—Ani, ya, por favor, ya.

—Me quiero despertar, me quiero despertar.

—Ani, esta es la realidad. Y te necesito aquí, con nosotros. Todos estamos mal. Esto es muy duro. No sé qué decirte. Estamos todos en *shock* también.

Lo miro a los ojos y noto por primera vez que está hinchado de llorar y que nunca lo había visto así. Me abalanzo sobre él y lloro.

No puede ser. Esto tiene que ser una pesadilla, pero no parece serlo. O, por lo menos, no logro despertar. Esperaré.

Mi papá me sienta en la cama de Iván, a un lado de mi abuela. Mi abuela me abraza y llora. Por alguna razón me incomoda. No quiero que me lloren encima, no quiero que me consuelen, esto no está pasando. Su consuelo lo hace real.

Mi papá está de pie entre las dos camas, en pausa. Entra mi tía Mechi y le dice en voz baja a mi papá:

—Hay que llamar a Manuel. Por lo menos decirle algo para que venga a Panamá y darle la noticia acá.

—¿Qué le decimos? —pregunta mi papá.

—Podemos decirle que Lolita se cayó mostrando una casa y que está en el hospital.

Esto está mal, pero no tengo pulmón para protestar. Se alejan y salen de la habitación.

12

Manuel

—Manuel es genio.

—Manuel se escondía en el clóset, cuando era chico, para leer el *Times Magazine*. ¡En inglés!

Al escuchar la letanía repetida tantas veces cuando era chica, de parte de mi abuela y mamá, un día le pregunté sobre esto de la revista. No dijo nada, solo torció los ojos de tal manera que se le perdió el iris de uno. Eso debió doler.

Cuando le pregunté sobre ser genio, tener siempre las mejores notas, graduarse de la Facultad de Medicina premiado en todas las materias, excepto una, y tener su nombre grabado en la pared del edificio en la plancha de mármol destinada para los alumnos del capítulo de honor Sigma Lambda, se encogió de hombros y me dijo:

—No creo que sea genio, creo que tenía mucha frustración sexual acumulada y estudiaba muchísimo. Además, estudiaba todo en inglés y español, no sabía que quería vivir en Estados Unidos, pero supongo que una parte de mí sí, y eso, bueno, no es normal.

Recuerdo pasar por su cuarto, camino a las escaleras para bajar, y verlo siempre en posición horizontal en su cama, con un libro gigantesco en una mano y el control de la tele en la otra, lanzándolo al aire para darle una pirueta, de manera sistemática, en *tempo*.

Yo no entendía; a veces entraba a su cuarto a interrumpirlo. La computadora de la casa vivía allí para el uso de todos.

Algunas veces yo quería usar su compu, otras era la excusa para tener su compañía. Él no necesitaba de mi compañía, para eso ya tenía el ruido de la tele.

Cuando se le caía el control, me apresuraba a tomarlo y sacudirlo, y escuchar la maraca que sonaba dentro.

—¿Sabes que estás dañando el control?

—Sí.

—¿No te molesta estudiar con la tele?

—No, no le pongo atención, es solo ruido.

¡Qué diferentes somos! A mí una mariposa a una milla me saca de mi capacidad de estudiar.

—¿Y por qué estudias en inglés, si tu universidad es en español?

Su paciencia llegaba a su límite y me ponía fin:

—Ani. Estoy estudiando. Por. Favor.

Me daba media vuelta y regresaba a la computadora. Luego lo volvía a interrumpir para preguntarle sobre internet, algún problema técnico o la impresora, pero seguro volvía a interrumpir. Yo me justificaba al sacudirlo de su paz, si Jan Petter era el yugo de Iván e Iván el mío, lo justo era que yo fuese el de Manuel. Si nos encontrábamos a la hora de la cena, en la mesita a un lado de la cocina, yo hacía extra ruido con mis cubiertos sobre el plato. No era difícil lograr mi cometido.

—¡Ani! ¿Por qué tienes que hacer tanta bulla para picar la comida?

Cuando se graduó en diciembre de 1997, le salió del clóset a mis padres y anunció que continuaría su carrera en Estados Unidos. Mi mamá recibió la noticia de su homosexualidad con resistencia. Le averiguó algunos retiros religiosos y recursos para cambiar su preferencia sexual.

—¿A ella le dio muy duro? —le pregunté a Manuel en alguna ocasión.

—Me decía que era por la religión, porque no estaba bien a los ojos de Dios o algo así, pero yo sé que tenía más que ver con su luto de madre, de haberme imaginado desde siempre casado con una mujer y haciendo una familia; dándole nietos de primero. ¡Jamás se imaginó que sí sería el primero en darle nietos siendo gay!

Manuel, por supuesto, ignoró sus recomendaciones e ingresó a un programa de residencia en Boston. Su salida del clóset se mantuvo en secreto para nosotros, sus hermanos.

—Lo más duro es aceptarlo uno mismo —me dijo—. ¡Es difícil! Y lo peor es que lo sabía desde chico. Me acuerdo que me gustaba el presidente. Corría a verlo cuando salía en la tele; eso fue como una banderita de algo ahí... Y una vez te aceptas a ti mismo, la resistencia del mundo es secundaria. Ya vendrá, pero ya fuiste honesto contigo mismo, no te traicionas más, así que estás en paz.

—¿Y no te dolió que se haya muerto sin aceptarte?

—Me dolió que se muriera; pero no, eso no. Yo sé que tenía más que ver con ella que conmigo. Si estuviera viva estaría orgullosa de mí.

Manuel es once años mayor que yo y en mi infancia nunca me habló realmente. Me hablaba como para espantar una mosca que le da vueltas.

Cuando mi papá me sentó para darme una noticia, me dio un buen susto porque no habían pasado muchos meses después de la muerte de mi mamá y no quería más noticias. Me dijo:

—Te tengo que contar algo. Manuel prefirió que fuera yo quien les contara a ustedes. Tu hermano es gay, homosexual.

Primero sentí un gran alivio de saber que no era una mala noticia. Y luego, una alegría enorme por saber que finalmente tenía algo en común con Manuel: ¡nos gustaban los hombres! Mi papá no tuvo lectura de este alivio y siguió hablando:

—Pero él es el mismo, no ha cambiado.

Lo interrumpí con un gran salto para correr a escribirle un *e-mail*:

Querido Manuel,

Mi papá me acaba de dar la noticia de que eres gay. ¡Jamás me lo hubiera imaginado! No pareces, no eres amanerado ni nada. Pero yo estoy emocionada porque tenemos algo muuuy importante en común: ¡nos gustan los hombres! Podemos hablar de hombres cuando quieras. Estoy aquí para ti, y te puedo contar de los que me gustan a mí. Deberíamos hablar más a menudo, y más ahora. Gracias por confiar en mí.

¿Es un secreto? ¿Se lo puedo contar a mis amigas?

¡Te quiero mucho!

Ani

Luego fui al cuarto de Jan Petter y me lo encontré viendo tele.

—Jan Petter, ¿te contó mi papá de Manuel?

—Sí.

—Y, ¿qué piensas?

—No sé, es raro nada más. Por supuesto que lo acepto y no lo veo como algo malo ni nada. Me da igual su preferencia sexual. Solo me tomará un tiempo digerirlo. Es información nueva y grande de mi hermano con quien crecí. Ya me acostumbraré…

Regresó su mirada a la televisión en señal de que había hablado suficiente, y posiblemente de más.

Unas semanas después lo visitamos por primera vez todos juntos en Boston, un viaje que se convertiría en tradición anual hasta que no se pudo más. Al tercer año nos presentó a su novio, Graham, con quien se casó y decidió formar una familia. Con esto sí encontró resistencia de parte de mi papá.

—Esos no serán mis nietos —me contó mi papá que le dijo a Manuel.

Inmediatamente después de escuchar esto y resentir semejante crueldad, llamé a Manuel para consolarlo, pero no fue necesario. Estaba sereno y alegre ante la idea de ser padre.

—Espera que los tenga en sus brazos y que me diga lo mismo.

Por supuesto, tenía razón, y mi papá se enamoró de los mellizos: "los porotos".

Estos porotos fueron mi primera experiencia con niños, y Manuel y Graham, la primera pareja de adultos casados en mi vida. Cuando me fui a Florida State University (FSU) en Tallahassee, se me hacía fácil visitarlos en Atlanta, donde habían elegido vivir para criar a los niños. Yo hubiese pensado que el sur de Estados Unidos no era la mejor opción, pero ellos investigaron y el barrio que eligieron tenía la segunda población más grande de padres del mismo sexo en todo el país. Los visitaba con la mayor frecuencia posible para mí, una o dos veces por semestre, específicamente, cada vez que uno de mis mejores amigos visitaba a su novia que estudiaba en Georgia Tech, una universidad también en Atlanta.

Yo no crecí con primos pequeños y soy la hermana más pequeña, de manera que estos bebés eran los primeros en mi vida. Y ser testigo de la vida de Manuel y Graham como padres fue todo. Pañales, rituales, rutina, cuentos antes de dormir, el cuarto, el olor de la casa, la comida orgánica horrorosa que les preparaban y la paz con que ignoraban el sucio en el sofá, su ropa y todas las esquinas. En general, la danza de su vida alrededor de sus nuevos dos amores me dejó hipnotizada.

Un día, en una fiesta de Navidad, años después en una de sus visitas a Panamá, conmigo ya adulta, con negocio propio y casada, me dijo:

—Ani, sabes que estoy positivamente sorprendido de lo que has hecho con tu vida. Me impresiona cómo es completamente a tu medida. Tu trabajo no se lo imagino a nadie más, es la peor pesadilla de muchos, pero para ti es un sueño que has cumplido con mucho éxito y pasión. Tu esposo me parece perfecto para ti y la familia que han formado. Tus amigas, tus hábitos, cómo llevas tu vida, todo. ¡Te felicito!

Me hubiese gustado ser más rápida mentalmente, y no como soy realmente de pensar la respuesta ideal dos meses después en la ducha, para responderle: "si solo supieras que eso lo aprendí de ti".

13

El espacio borroso

Estoy, pero no estoy. Todo transcurre como en cámara lenta, entre las lágrimas sin llanto, lágrimas de grifo abierto, y a la vez rápido, porque mi mente está en pausa, no estoy y el tiempo me atraviesa sin hacerse sentir. Todo ocurre a mi alrededor como en una película encendida, sin espectador. Estoy dormida y despierta a la vez. Alguien me toma de la mano y me dice que han venido a visitarme unas amigas. Recibo abrazos y algunos consuelos que me generan un corrientazo desde el oído hasta el ombligo.

—Lo siento mucho, Ani —me dicen con abrazos y entre lágrimas.

¿Qué sienten? Esto no puede estar pasando. Nada de esto tiene sentido; los pésames no los registro y recibo los abrazos de manera mecánica. No entiendo por qué, pero no quiero llorar más; no con ellos. Quiero que se vayan, pero quiero que se queden. Quiero que se vayan para no tener que pretender, pero quiero que se queden para seguir en este paréntesis de la pesadilla. Después de los abrazos no pasa mucho más. Entre ellos conversan, me ponen al día del colegio, comparten algunas risas, se relajan y todo parece normal. Carolina, una amiga que llegó hace poco de Colombia a vivir a Panamá, rompe la farsa cuando me dice al oído:

—Anamari, ¿quieres algo? ¿Quieres que estemos aquí? Estoy confundida, allá afuera se me acercó un mesero y me ofreció una empanadita. ¿Qué es esto tan raro? ¿No quieren estar ustedes solos en familia? Quiero estar contigo, pero, ¿quieres tú que estemos aquí?

Me sorprendo con que alguien me pregunte lo que yo quiero. Le respondo encogida de hombros:

—Ni idea, yo también estoy confundida. Esto está bien. Ni idea, la verdad.

Al rato entra tía Xenia y me invita a ir a Estampa a comprar algo para el funeral. Será mañana mismo. Me siento sonámbula, transitando por la pesadilla. Todavía no me despierto.

Vamos a la tienda, me mido, tía Xenia aprueba. Me acompaña con amor; ella no pretende que no pasa nada ni habla del tema tampoco. Simplemente se percibe su amor porque lo destila.

Cuando regreso a casa ya hay menos personas, pero alguien me dice que vuelva a mi cuarto porque tengo visitas:

—Ve, así te distraes un rato.

Todo parece indicar que esto se navega pretendiendo que no pasa nada. Así transcurre la tarde hasta que se van yendo poco a poco y, sin darme cuenta, despido a la última; la acompaño a la puerta.

Busco a mi papá y lo encuentro en la cocina sirviéndose un vaso de agua.

—Hola, mi amor. ¿Dice que fuiste con tía Xenia a buscar ropa para la misa mañana?

—Sí.

—Qué bueno. Salimos a las ocho de la mañana para la misa.

—Ok. ¿papi, no sabemos nada más?

—No, mi amor, incluso me han dicho que debemos tener cuidado y no salir porque el asesino está suelto. Mañana nos vamos a ir a la playa justo después de la misa... Apenas yo sepa algo, te prometo que te cuento todo tal y como es. Tienes mi palabra.

—Gracias, papi... gracias. No quiero más mentiras. Te lo ruego.

—Claro, mi amor. Esta noche llega Manuel, tarde, y ya vas a estar dormida. Yo lo voy a ir a buscar al aeropuerto. Ya él sabe todo. Yo le quería contar en persona, pero esto ha generado tanto escándalo que tenía miedo de que se enterara antes por alguien más. Incluso había periodistas abajo del edificio. Un amigo que tiene contactos en varios periódicos consiguió que se fueran. También afuera de la escena tomaron unas fotos del cuerpo, pero él logró que no salgan mañana en el periódico.

Sí. Me va a contar todo. Él no tiene filtro, me quedo tranquila.

—¿Y qué hace la gente que no tiene esos contactos? ¿Se encuentran a sus hermanos, padres, madres, muertos en la primera plana al día siguiente en el periódico?

—Pues… sí.

No sé qué hacer con mi tiempo. Miro el reloj, es hora de *The Nanny* en la tele. Quiero ver algo tonto hasta la hora de irme a dormir. Me echo en mi cama y desenchufo mi cerebro viendo a *miss* Fine.

Entra Iván a mi cuarto y me dice:

—Llegó el Toro a darnos el pésame... el presidente. —Tiene que aclarar que se refiere al presidente de la República, porque este no pertenece a nuestra sala de estar—. Dice mi papá que lo vayas a saludar.

Apago la tele y caigo en la cuenta de mi realidad, de golpe: mi mamá está muerta, fue asesinada y el asesino está suelto. Está el presidente en la sala de estar porque vino a darnos el pésame.

Atravieso el apartamento hasta llegar a la sala donde está el Toro, imponente, haciéndole justicia a su apodo, en nuestro sofá, donde me acuesto a ver películas con mis hermanos. Me acerco para saludarlo simulando un beso en la mejilla, más parecido a un beso entre cachetes, como acostumbramos saludarnos en Panamá.

—Lo siento mucho, siento mucho la pérdida de tu mamá. Vine a decirle personalmente a tu papá que están todos los recursos policíacos a disposición de este caso. También le pasé el contacto de un escolta porque es importante que estén seguros hasta que tengamos al culpable en la cárcel.

—Gracias. Gracias.

¿Qué más se dice? Él me lo hace fácil porque se voltea hacia mi papá y continúa la conversación como si yo ya me hubiese marchado. Me excuso y salgo.

Me pongo la pijama, me cepillo los dientes y me enfrento a mi cama. No quiero ver tele. Es muy raro sentir que es un día normal. No sé qué hacer, qué sentir, cómo actuar. Se siente como que mi mamá está de viaje. ¿Cómo le informo a mi corazón que está muerta y que no vuelve más?

Prendo el aire acondicionado, me introduzco entre mis cobijas y me repito como mantra: "que esto sea una pesadilla, por favor, déjame despertar". Ruedan lágrimas y repito: "que esto sea una pesadilla, por favor, déjame despertar".

14

Hermanas prestadas

De Carolina, me decía mi papá:

—No me gusta esa niña, ella te domina.

Carolina olió la duda y se lo ganó. A mi papá todos mis amigos, amigas, primos y primas le tenían terror. Si mi papá decía: "¡Te lo comes!", ¡te lo comías! Su personaje de militar que mantuvo siempre como fachada en la paternidad le sirvió para tenernos a todos caminando derecho. Excepto a Carolina; ella inventó a los indomables.

Un día llamó mi papá a la casa, debíamos tener catorce años, y ella contestó el teléfono. Inmediatamente se me paró el corazón, como cuando me soplaba la respuesta en los exámenes. Estos actos tan fuera del esquema rígido de lo correcto y tan naturales para ella, me dejaban fría, repensando la vida.

Contestó el teléfono de una casa ajena por primera vez en historia patria y, por supuesto, mi papá presumió que era yo:

—Hola, mi amorcito.

—Hola, mi amorcito, es Carolina.

Mi papá no supo si reír o colgar. Titubeó un poco sin saber cómo reaccionar a esto que se salió del guion social, y simplemente le pidió por mí.

—Ja, ja, eh... ¿está Ani por ahí?

Carolina me pasó el teléfono ahogada en carcajadas.

Luego, cada vez que me visitaba, si mi papá estaba en casa, se asomaba un poco a su puerta, sin entrar ni ver nada, porque era rebelde, pero nunca indecente, y saludaba:

—Hola, mi amorcito.

También se atrevía a remedarlo. Él es medio sordo; dice que perdió la audición de un oído a causa de un accidente con pólvora en una fiesta, borracho. Lo que nunca hemos entendido es cómo, a causa de ello, en lugar de hablar más alto, habla a unos decibeles más aptos para perros que para humanos. Y cuando Carolina no le escuchaba, le respondía como un mimo, moviendo los labios sin emitir sonido.

Con cada cosa él se atacaba de la risa, y así fue, poco a poco, bajando la guardia, disfrutando de su compañía como se debe.

Cuando se casaron mi papá y Kathia, en la boda se acercó para felicitarla, la abrazó y le dijo:

—¡Ok, ok! Te lo presto. ¡Ya que insistes!

De Mafa, me decía:

—Me parece buena esa niña.

Mafa se peleaba el primer puesto de su clase en calificaciones, pero bajo su uniforme escondía un tatuaje. A sus padres les dio guerra entre mentiras y escapadas, pero ellos sí confiaban en mí y, por eso, los fines de semana, pedía dormir en mi casa para poder romper su encanto de Cenicienta. Yo dejaba la puerta sin llave y ella entraba. Mi deber era asegurarme de que llegase con vida, y por ello le daba regaños de mamá:

—¡Con nadie que esté tomando, por favor!

—Ay, María Fernanda, con qué cara le digo a tu mamá que tu amiguita la buena te esconde las mentiras. ¡Hazme el favor de llegar, no me importa la hora, pero llega viva!

Yo tenía la muerte muy fresca y se lo hacía saber.

Eran, y son, unas indomables las dos, pero nunca en lo mismo.

Mientras Mafa saltaba entre mentiras a sus padres para sacarle hasta la última gota a la vida, Carolina estaba de paseo en algún lugar fantástico con sus padres y hermano.

Si Mafa se deslumbraba por todas las cosas bonitas que me compraba mi papá en nuestros viajes a Miami, Carolina me educaba en feminidad:

—¡Anamari, eres bonita, pero tampoco tanto! Te faltan cinco minutos en el espejo. Y hay que depilarse el osito entre las piernas. Y las cejas también. ¡A ver!

Mafa me enseñaba con alegría, con su sentido del humor y su levedad. Me decía cuando me ponía agria:

—No odies, solo ama. No odies, solo ama. No odies, solo ama.

Siempre liviana, alegre, desprendida, hasta en la disciplina.

Carolina me enseñó con palabras sabias. Salían de algún lado que no era ella, y luego no recordaba lo que me dijo:

—Ani, no te olvides que tu mamá está contigo. Esto lo sé, no sé cómo, pero lo sé. Ella no te ha dejado, está contigo siempre. No importa qué creas, no pienses, solo tienes que saber que está contigo siempre.

Las dos son colombianas; llegaron a Panamá más o menos a la vez y la familia que me faltó en mi casa, me la prestaron ellas.

Los padres de Mafa cocinaban con frecuencia y te servían el amor en un plato.

La mamá de Carolina me pelaba un ojo de espaldas, para asegurarse de que no le dañara nada en su hermosa casa.

Los padres de Mafa me adoptaron como una hija; todo lo que yo hiciera era perfecto.

Los padres de Carolina me preguntaban, conversaban, aconsejaban: sobre qué estudiar, cómo sanar un corazón roto, cómo dar amor a manos llenas, cómo no darte por completo, qué es de importancia, qué no.

Ambas familias fueron mis familias. Ambas amigas fueron mis hermanas. Mafa con el hambre de vida de un picaflor. Hizo amigos y amigas con todos y todas. Probó todos los deportes, corrió todas las carreras, tuvo cantidades de novios. Le rompieran el corazón o no, dolía o se reía, y seguía adelante.

Carolina tenía brío de león; si tenía un problema, rugía, discutía hasta llegar a una solución. Su arte y pasatiempos se hacían con la intensidad del maestro, y una vez dominado, al siguiente. Con la soltería y los novios operaba igual, largo y con intensidad.

De sus manos aprendí a ser mujer. Me hicieron verme, entenderme, quererme y pulir los bordes filosos. Yo las pensaba como huracanes, pero me mostraron un espejo e hicieron ver que yo también lo era.

En sus hogares encontré patria; siempre me sentí también colombiana.

Carolina vivía a unas cuadras de mi edificio y me era fácil caminar a su casa en las tardes para estudiar. En nuestro colegio siempre nos sentamos cerquita. Decían que éramos como mellizas:

—Si no encuentro a Anamari, busco a Carolina. ¡Fácil!

Excepto si estábamos de pelea, porque eran de categoría mundial.

Mafa estaba en otro colegio y nuestro amor era de fin de semana. Yo me cansaba en el intento de ponerme al día con sus múltiples grupos de amigos, deportes y destinos.

A los diecinueve nos fuimos las tres a estudiar a Estados Unidos. Mafa vivía al otro lado de mi pared y compartíamos el ritual del café en las mañanas. Ella cursaba ingeniería, estudiaba a toda hora, y cuando no estaba enterrada en cálculos matemáticos, estaba aprendiendo algún deporte nuevo o de paseo con un grupo diferente de amigos cada vez. Se manifestaba para advertirme si estaba bebiendo demasiado, o si me había estancado en un hueco de tristeza exageradamente prolongado. Del resto, me contagiaba con su alegría en la mañana, nos montábamos en nuestras bicicletas, y después de pasar el túnel de árboles, nos separábamos cada una hacia su mundo.

Con Carolina estuve colgada del teléfono toda mi carrera universitaria. También intercambiamos cartas y nos visitamos en todas las vacaciones. Yo a ella y ella a mí. No nos perdimos de un amor, amorío, amigo, amiga, fiesta, cuento, clase, libro, música, nada.

En lo que sí estuvieron siempre alineadas fue en esperar más de mí. Ambas fueron el trampolín de salida cuando estuve en mi hueco más profundo de depresión, a los veintiséis años. Ya tenía tres años de terapia después de la universidad, y profunda tristeza recorrida cuando ambas, y por separado, me dijeron: "Aquí estoy y estaré siempre, pero basta, necesito a mi amiga de regreso".

15

Sepelio

Mi papá nos apura para salir, debemos ser los primeros en llegar a la misa. Es la tradición. Faltan dos horas y "la gente" llegará desde temprano a dar el pésame. No sé quién es "la gente", pero esto no suena del todo atractivo. Los cuatro caminamos hacia el elevador en nuestras mejores ropas monocromáticas, en silencio y sin saber a qué vamos.

En el carro, Manuel se sienta en la silla del pasajero. Es extraño, resalta que falta ella, la luz y la alegría que falta en todos. Llegamos a la iglesia del Carmen, una de las tres más grandes e importantes de Panamá, de un estilo *wannabe* gótico.

Está en una esquina incómoda de alto tráfico en una de las arterias más importantes de la ciudad, y la más larga, la vía España. Es extraño estacionarse sin que haya otros carros en misa. Debo mirar hacia arriba, observarla blanca e imponente, flanqueada por sus dos torres, para creer realmente dónde estoy. Me quedo atrás y los alcanzo.

No sé bien cómo es un sepelio. ¿Estará en una caja, la enterraremos en un campo? No pregunté ni lo voy a hacer ahora.

Bajamos por el pasillo de la iglesia vacía, iluminada por los dieciocho vitrales que decoran las ventanas superiores que destilan una luz mágica, con el eco de nuestros pasos resonando en el cielo abovedado. El techo es tan alto como un edificio de cinco pisos, calculo. Observo la mesa redonda, pequeña, al final del largo corredor. Sobre ella descansan un jarrón y una foto de mi mamá, radiante. Abajo, en el suelo, un único *bouquet* de rosas blancas.

Mi papá pidió, al viento supongo, porque no sé cómo se comunican estas cosas, que quienes quisieran mandar flores, por favor hicieran una donación al Hogar Bolívar en su lugar, un asilo de ancianos al que mi mamá apoyaba. Solo se permitió un ramo de parte de la prima hermana más cercana a mi mamá, mi tía Julie, que no alcanzó a llegar desde Europa para la misa. Las flores quedaron a sus pies. Se siente como que así estarán cerca las primas.

En mi vida normal, casi siempre llegamos tarde a misa, entre la primera y segunda lectura. Es por ello que se siente rarísimo entrar juntos a una iglesia vacía. Tampoco nos hemos sentado nunca en la primera fila, de manera que me sorprende el recorrido por el interminable pasillo.

Regreso al presente con la llegada de las mellas, quienes nos saludan de besito cálido y hablando en murmullos. Tía María se queda cerca de mí mientras tía Mechi conversa algo logístico con mi papá, y nos ubicamos los cinco (antes seis), en la primera fila del lado derecho, como quien espera a sus invitados frente a la mesa decorada. Cuán insólito todo.

Pronto comienzan a llegar los familiares más cercanos. Mis abuelas, hermanos y hermanas de mi papá, tío Camilo, sus respectivos hijos e hijas. Y así se van estirando los anillos del círculo hasta que se organiza una fila de parientes y conocidos, y con el pasar de los minutos van aumentando los grados de extrañeza.

Uno tras otro, pasan primero por mi papá y luego de hijo en hijo. Nos dan un beso mojado de lágrimas, algunos un abrazo. Uno tras otro, uno tras otro. Y se calienta. Y se calienta. Comienzan a rodar las gotas de sudor dentro del pantalón y mi camisa de botones. Algunos dan abrazos más calurosos, algunos explican quiénes son, por qué Lolita era fantástica, su sonrisa, su sonrisa, por qué la extrañarán:

—Yo le vendía la pintura.

—Yo trabajé con ella hace diez años en la Comisión del Canal y me marcó su sonrisa.

—Su sonrisa.

Uno tras otro, hasta que siento que me ahogo. Miro hacia el techo alto y profundo y no encuentro aire. Miro hacia atrás y veo a mi abuela Chela. Físicamente adolorida, acompañada, pero sola. Entre lágrimas le pregunto:

—Chela, ¿me puedo pasar para atrás contigo?... No puedo más.

—Sí, claro, mi amor. ¡Ven!

Me paso a la banca de atrás y me tumbo sobre sus piernas. Son flacas y no me abrazan, de manera que lo hace con sus manos. Siento que me ahogo, pero no quiero ver más gente pasar, gente llorar, gente decir que lo siente. Me escondo en sus piernas y lloro.

El padre Bárcenas le pone fin a esto. No sé si hay Dios porque no me respondió antes, pero, si sí, gracias a Dios. A la iglesia no le cabe un alma y la fila se extiende hasta el estacionamiento y le da vueltas. Luego me dirían que tres vueltas, pero no sé cómo imaginarme a tanta gente. Ya me queda claro quién era "la gente". Realmente toda.

El padre comienza la misa y solo veo sus labios moverse. No puedo escuchar, solo pensar que mi mamá, mi universo, ha quedado reducida a un tarro de cenizas. Su risa y sonrisa, su amor, su entrega, su estilo, su falta de ritmo, su caricia, su dedicación, todo en un frasco. Lo miro y lo miro a ver si logro entender que está muerta, que no vuelve y que está metida en un frasco, pero aún no lo logro, la incomprensión se hace llanto y aún no lo logro procesar.

Finaliza la misa y entiendo que el padre está oficiando ya las últimas palabras. Sin voluntad propia, me pongo de pie y camino hacia él. Un pie delante de otro y no soy yo. Le pregunto si puedo decir unas palabras. Se sorprende y responde: "por supuesto, Ana María, por supuesto que sí". Ajusta el micrófono a mi estatura, menor a la de una típica niña latina de trece años, y me cuadro frente a él. Miro el mar de gente atónita, que ha dejado de llorar y me mira. No reconozco que estoy hablando. No soy yo. Solo me escucho decir:

—No la recuerden por cómo murió, recuérdenla por su vida, lo que compartieron con ella y su sonrisa. Es lo que ella quisiera.

Doy las gracias y observo que están todos ahogados en llanto. Hay una respuesta inusitada que me regresa a mi cuerpo. Estoy asustada frente a la respuesta, por llamar la atención hacia mí, me bajo y me escondo entre mi papá y mis hermanos. Mi papá me da un abrazo y un gran beso en el cachete. Actúo como si no hubiera pasado nada, mirando al suelo.

El padre Bárcenas anuncia que la familia procederá a la cripta, que nos den un espacio. Subimos las escaleras en dirección hacia el altar y luego tomamos a la izquierda, hacia un cuarto muy pequeño que nunca he visto, de unos ocho metros cuadrados. La pared está completamente llena de criptas que datan desde 1925, y mi mamá entrará en una de las más altas, donde solo se puede llegar con la ayuda de una escalera. Veo la lápida en el piso con los nombres tallados y noto que mi abuela se incluyó a ella misma sin fecha de partida:

Vicente Alfaro Ch.	1942 -1967
Vicente Alfaro A.	1905 - 1979
Ramón Alfaro H.	1978 - 1980
Luis R. López V.	1928 - 1995
Lolita A. de Eskildsen	1953 - 1998
Mercedes Ch. de Alfaro	1914 -

La molestia por este acto de mi abuela se me va al recordar todos los trámites que acompañé a mi mamá a hacer para cambiarse su nombre. Detestaba llamarse Dolores y quería ser oficialmente Lolita. Hasta que llegó un día a la casa y me dijo:

—¡Ani! No sabes, ya no me voy a cambiar el nombre. Me enteré de que tu tumba puede decir lo que se te dé la gana. ¡Puede decir Cleopatra si quieres! Eso es lo que me mortificaba, que dijera Dolores. Ya me puedo morir Lolita, así que ya no voy a terminar el trámite. ¡Qué pereza! Tú solo asegúrate de ponerme Lolita.

Tienes Lolita, me digo, le digo. Sigo sin escuchar qué dice el padre, pero ya no lloro. Me abraza mi abuela descompuesta. Ella ya dejó muy claro que una parte grande de ella murió. Yo la sostengo con la fuerza de algo que nos abraza a ambas, que nos sostiene en el dolor compartido.

Regresamos a casa donde hay más gente, más empanaditas, pero no más lágrimas. Esto es un simple evento social. Es confuso el sentir tan intenso y contrariado, pero me entrego al papel. Los cinco estamos separados en diferentes lugares del apartamento y rodeados de nuestros amigos, quienes han llegado a distraernos. Suelto el deseo de que se vayan todos con el consuelo de que más tarde descansaremos de la gente y los deberes que conllevan.

16

Su casa

Por mucho tiempo creí que su alma vivía en la casa de la playa, que para sentir su alma debía ir ahí para estar con ella.

Todos fuimos espectadores y acompañantes en su viaje para construirse el espacio de sus sueños, donde descansar y hacer familia. Mi papá me cuenta que ella tuvo que convencerlo porque no había quién lo arrancara de la ciudad. Bajo estándares actuales, el terreno lo consiguieron regalado. Eran dos hectáreas de forma alargada que terminaban en un barranco frente a una playa preciosa, de arena negra como una noche de luna nueva, escarchada de estrellas. Cuando la marea estaba baja, el mar se retiraba casi un kilómetro, descubriendo 500 metros de un paraíso de rocas por explorar.

Cuando yo tenía cuatro años, los domingos mis padres cargaban el carro con sus cuatro hijos y Boris, el perro, toallas, meriendas y comida suficiente para un día de playa. Cerca del atardecer, nos sentábamos en el baúl del carro con los pies hacia afuera para lavarlos con el agua fresca que traíamos en botellones desde Panamá, nos secaban y emprendíamos el rumbo de regreso a la ciudad.

Un año después construyeron un rancho. En Panamá son clásicos: un espacio redondo con piso de cemento que sostenía las ocho columnas de madera y, sobre ellas, un techo en forma de cono hecho con pencas de palmera real. Un rancho bien hecho puede durar hasta diez años. El nuestro era un espacio fresco de ventilación cruzada. Al llegar colgábamos hamacas entre las columnas. Algunos se iban a explorar, mientras otros nos tumbábamos en las hamacas.

El terreno estaba inclinado en una pendiente contraria a la lógica, en ascenso hacia el mar. Se entraba a la propiedad por la parte inferior, se subía la loma para acercarse a lo más alto del barranco, desde donde se podía bajar al mar por un camino casi perpendicular a la playa. El rancho estaba situado en la parte superior del terreno, donde soplaba el viento y la paz.

La tierra no era fértil, quizás por la salinidad del suelo, pero mi madre, con su perseverancia de hormiga, logró un paisajismo diseñado para ofrecer una bienvenida de reyes al paraíso. Construyeron una pequeña calle en curvas para subir la pendiente, donde ella sembró un camino de palmeras que escoltaban la vía a ambos lados hasta alcanzar la cima. Estos plantones no crecieron con la voracidad tropical de la ciudad. Recuerdo acompañarla en los veranos, escapada un poco antes de su salida del trabajo para ir a rellenar los garrafones de agua, puestos boca abajo con hoyitos en la tapa. También aprovechaba para respirar el aire fresco de sus sueños y supervisar cualquier otro detalle. Yo no le servía de mucha ayuda, era solo una fiel pasajera absorta de admiración.

El siguiente proyecto fue hacer una casa de una habitación, la cual nos permitió pasar todos los fines de semana en la playa. Tenía una cocina que ocupaba dos metros de pared, una cama sencilla y un camarote. Ambas tenían camas que salían de abajo; con una, a mis padres les quedaba una cama matrimonial, y a nosotros tres camas, que por lo general eran ocupadas por Iván, algún amigo y yo. Mis dos hermanos mayores se quedaban en la ciudad. Estaban ya en la adolescencia y no tenían mucho interés en pasar tiempo de campo en familia.

—A mí me parecía que ustedes estaban locos por ir a meterse en esa casita en ese monte —me dijo alguna vez Manuel.

Ahí me enamoré de todos los amigos de Iván, los perseguí como la peste, como le conté fielmente a mi diario. Desarrollé suelas en los pies de tanto andar descalza. Viví todos los golpes y caídas de mi infancia, e hice más amigos y enamorados en la vecindad.

Durante todo este tiempo de ahorro y planificación, previo a la casa grande, mi mamá mantenía un cartapacio con recortes de sus ejemplares de *Architectural Digest*. Cada sección del fólder correspondía a los diferentes espacios de la casa, nichos de las paredes, cada baño, techos, pérgolas, habitaciones, cocina, balcón, paisajismo y piscina. Un sueño de casa en retazos de papel.

Luego me contaría el arquitecto de la casa:

—Nunca voy a olvidar el día que llegó tu mamá a mi oficina con semejante fólder. Más que un diseño arquitectónico, mi trabajo fue darle forma idónea a la casa que ella ya tenía construida en su corazón.

Cuando finalmente se inició la obra, mi mamá estuvo ahí a cada paso. Convenientemente, mis padres viajaron mucho a México por el trabajo de mi papá en esos años y recuerdo las valijas monumentales con las que llegaban, llenas de cachivaches para la casa. Llegaban cajas con azulejos, lavamanos, entre otros coloridos acentos mexicanos para nuestro nuevo segundo hogar. Ella además se colaba en los patios de algunos vecinos para robar uno que otro hijo de plantas a las que les tenía puesto el ojo. Y algunas veces nos tocaba regresar a dicho patio porque la plantita no había pegado y ella necesitaba una segunda ronda de hijos. También hubo muchos viajes con las tías a comprar plantas a El Valle de Antón, un paraíso botánico a dos horas de la ciudad.

Este tiempo de su vida giró en torno a este lugar soñado, a cada adorno, cada nicho, cada luz, cada acento. Y yo, su compañera fiel en toda la travesía.

Cuando finalmente se inauguró la casa grande, esta era realmente un sueño hecho de concreto. Lo más especial de toda la casa era "la esquina". En la baranda que bordeaba el acantilado, se construyó una banca que sentaba a unas veinte personas alrededor de una mesa hecha por ella. Esta la hizo con sus manos en el patio de nuestro dúplex en la ciudad, con azulejos mexicanos sobrados de la construcción, varas de acero y cemento. Era grande y fuerte. Prueba de ello fue que bailamos sobre ella en varias noches de fiesta adolescente. Tuvo larga vida hasta que el salitre y el óxido en su estructura interna acabó con ella, años después de fallecida mi mamá.

La casa tenía un techo plano, también de estilo mexicano, algunos tejados tradicionales, y la terraza estaba cubierta por un rancho más grande que el que la casa reemplazó. Era de dos pisos con dos recámaras abajo y dos arriba. Toda entera tenía colores, afuera color mamey y adentro cada área con su paleta diferente, pero siempre con una combinación que sabía a tacos con chile picante. Algunas paredes pintadas normalmente y otras con diferentes estilos de *wash*. Abajo, una habitación para huéspedes y otra para los no-niños con camas camarote. Mi recámara de princesa y la de mis padres, ambas con balcón hacia el mar, estaban arriba. Era un espacio para la niña que soñó mi mamá, rosadita y "floripepeada".

La casa fue un paraíso sin estrés hasta que un buen día se acercó el desarrollo a la vecindad. Nuestro terreno era uno de cinco lotes vendidos por un gringo que dividió el suyo para la venta. El terreno original colindaba a su derecha con un río que lo bordeaba. Nuestro pedazo era el de la mitad.

El desarrollo era un proyecto de playa lujoso del otro lado del río. Para transitar por el proyecto se construyeron unas calles, y entre ellas, algunos puentes en forma de represas para atravesar el río.

Justo después de construidas las represas, el río se desvió de su forma recta hacia el mar, en una curva hacia nuestros terrenos. En época lluviosa rompía con fuerza arrolladora y poco a poco fue borrando las tierras bajo los acantilados. Y con esto se libró una batalla campal.

Se hicieron estudios ambientales por nuestra parte que probaban cómo todas las anomalías, en efecto, eran causadas por las represas, y en la contraparte, otros estudios que probaban cómo los ríos naturalmente cambian su curso. En buen panameño: un dime que te diré. Todos nuestros esfuerzos eran inútiles; en Panamá manda el dinero y el poder, y la balanza del dinero y poder se inclinaba hacia el desarrollo.

Se trajeron peñones, se construyeron muros, se hizo cuanto se pudo y cuanto cada presupuesto dio para construir. Nuestro bolsillo era un poco menos profundo y a mi madre se le alborotaron las pesadillas, todas diferentes, pero con el mismo desenlace de que algún día el río erosionaría el terreno lo suficiente como para comerse el acantilado, llevándose la casa consigo.

Las únicas tres veces que recuerdo haber visto llorar a mi mamá fueron: una vez que le martillé el dedo mientras ella agarraba una puntilla que yo insistí en martillar; cuando le perdí uno de sus aretes de regalo de quince años; y una noche cuando esta frustración e impotencia llegó a su límite. Esta última, poco antes de morir.

Pero sus lágrimas se quedaron en el pañuelo y sus pesadillas en sus sueños. La casa sigue en pie con otros dueños. Nunca olvidaré el día en que mi papá nos sentó a Jan Petter y a mí (Iván vivía fuera de la ciudad), para decirnos que había decidido vender la casa, ya que no tenía sentido conservar ese bien teniendo deudas. Se sintió como otra pérdida al unísono, con una impotencia desmedida. ¿Cómo podía él tomar una decisión sobre lo que era casi un miembro más de la familia? No ocurrió de inmediato y tuvimos tiempo para procesarlo. Esto no lo hizo menos doloroso, pero sí más digerible.

Años después, mi papá finalmente lograría venderla y yo sentiría perder a mi mamá nuevamente. Con los golpes y más pérdidas materiales aprendería que ella no vivía ahí, solo mis recuerdos de la familia que fuimos.

17

Juntos, pero solos

Estamos, pero no estamos. No hay más deberes ni tradiciones, por ahora.

¡Qué alivio no tener que ver a nadie! Aunque le pedí a mi papá si, por favor, podía venir mi prima Mari a la playa. Es tres años mayor que yo y la diferencia de edad genera un pequeño abismo, pero el amor es el suelo, me sostiene y la quiero cerca. Ella no dice nada ni me pide nada, pero está ahí y sí habla. También están mi papá y mis hermanos, pero parecen zombis. Quizás yo también, pero ellos más, porque yo no me callo ni en este estado. Quiero hablar, hablar de ella, hablar de lo que pasó, que no sabemos qué pasó realmente. Y nadie más habla. Mari sí me responde y me pone atención.

Me voy a dormir la segunda noche y sueño. Sueño que despierto, miro alrededor, confundida al verme en el dúplex de mi infancia, en mi cuarto rosado. Es un sábado también y se escucha a mis padres ya despiertos y activos. ¿Será que finalmente me desperté de la pesadilla? No. Sería muy cruel creerlo, esto parece un sueño. Voy a buscar a mi mamá, bajo las escaleras y está desayunando sola en la mesa redonda de la terraza. Me siento a su lado.

—Mami, no sabes la pesadilla tan horrible que tuve. Es muy raro porque se siente al revés, se siente como que esto es el sueño.

—Uy, no, qué feo, mi amor, cuéntame.

—Soñé que te morías, aparecías muerta en una casa, como que alguien te mató —le cuento y se me escurren algunas lágrimas—. Lo peor del sueño es que no me podía despertar.

Me toma de la mano y me responde:

—Mi amor, qué horrible, pero no ha pasado nada, aquí estoy. ¡Qué horror tu sueño! Pero no va a pasar nada, aquí estoy contigo y no me voy para ningún lado.

Nos damos un abrazo incómodo entre sillas y llega Randy a interrumpirnos. Se mete entre la mesa y nuestras piernas buscando nuestra atención, estorba como siempre y nos reímos.

—Ani, sácate ese sueño de la cabeza. ¿Qué quieres hacer hoy?

El día transcurre de manera rutinaria e inmemorable. Un sábado más. En la tarde mis hermanos van a Subway caminando por el clásico de los sábados: *meatball sub* para los hombres y *turkey melt* para nosotras.

Vemos una película en el cuarto de mis padres y me voy a dormir al mío cuando se acaba.

Me despierto alegre y optimista. Mientras ajusto mis ojos a la luz, noto el cuarto de paredes rosado chillón con *wash*. ¿Por qué estoy en la playa? Está Mari durmiendo en la cama de al lado. ¿Por qué está Mari durmiendo en la cama de al lado? No, no pasa nada, todo está bien. Bajo a saltos las escaleras, llego al umbral de la puerta que da hacia la terraza y me detengo a observar a mi papá, Jan Petter e Iván desayunando; parece que toda la imagen tiene una tonalidad grisácea. Se llevan la comida a la boca con la mirada perdida. Entiendo que aquello era el sueño, esta es mi realidad y siento las rodillas fallarme. Llego a la mesa, ocupo la silla libre entre ambos y les cuento.

—Ay, Ani. No te pongas así. Ay, Ani... —me dice mi papá mientras me acaricia la cabeza.

Es cierto, yo tampoco me quiero sentir así, tampoco quiero sentir. Palabra a palabra, ladrillo a ladrillo, construyo mi pared para que no duela más.

Estoy en la cocina calentándome un sándwich y llega Mari por mí:

—Ven, dice tu papá que tienes que ver esto.

Llego a la terraza y están todos de pie, uno al lado del otro de cara al río. Mi papá siente mi presencia, se voltea y me llama:

—Ani, mira, es tu mamá.

El río que antes curvaba hacia la casa ha roto la cama de arena y se ha abierto camino derecho hacia el mar como era antes, con furia. Solo se escucha el sonido del agua, que retumba en mis oídos y recorre mi cuerpo con la misma fuerza. Es cierto, es mi mamá... la siento.

18

Jan Petter

Un viernes cualquiera de la vida adulta, de esos que íbamos a almorzar a casa de mi papá, todos escapados del trabajo por dos horas para pasar un rato en familia, todos en sus mejores galas corporativas: Jan Petter, su esposa Clarissa; Iván, su esposa María Amelia; Kathia y mi papá. Excepto yo, con pintura en el pelo y la polo apestosa de sudor y mocos. Eric, nuestro hermanastro, no estaba porque estudiaba en una preparatoria en Estados Unidos para niños y niñas neurodiversos. Las hijas de Jan Petter y Clarissa dormían la siesta en su casa mientras todos hablábamos de ellas:

—Están comenzando a interactuar —dice Clarissa.

—Sí, son una ternura, yo las vi el otro día que las bañaron acá. Sofi le hala el pelo a Emma, dizque jugando —se ríe Kathia.

—Seguro son celos —ríe Clarissa—. Sofi apenas tiene pelo a sus tres años y Emma es María Melenas.

—Sí, esa melena de Emma es de ustedes, Clarissa —digo yo—. Nosotros también teníamos tres pelitos, y el de Iván vino parado. De bebé lo tenían que bañar y dejar secar con una media en la cabeza para que no pareciera un puercoespín.

—Ya vas, Ani —dice Jan Petter—. Yo creo que Ani ve las fotos de los álbumes de nosotros chiquitos y les inventa cuentos. Dizque, sí, sí, yo me acuerdo de ese viaje, me perdí y luego no me encontraban.

—¡Es en serio! Me perdí y no me encontraban, sé perfectamente de qué estás hablando —digo yo—. ¡Me acuerdo perfecto! ¡Mi mamá no me habló en todo el día de la furia que tenía conmigo por el susto que le di al extraviarme en Alcatraz!

—Sí, claro —dice Jan Petter, callando la risa que se asoma—, un día nos vas a decir: cuando estaba chiquita iba caminando por el bosque, tenía una capa roja súper *cool* que me había regalado Chela, porque estaba un poco frío… y de la nada, ¡llegó un lobo!

Todos rieron a carcajadas. Jan Petter es de pocas palabras, pero cuando interviene es para hacer un comentario cínico hacia alguien, que nos rompe a todos de la risa.

Nunca me habló realmente, siempre fue así, en ráfagas cortas. En algunos momentos gloriosos me defendía de Iván con argumentos halagadores, solo para entender luego que lo hacía para llevarle la contraria a él.

Esta dinámica se materializó cuando rompimos una puerta. Iván me estaba persiguiendo para pegarme y yo me encerré en mi cuarto. Me quise trancar, pero él giró la perilla antes de que pudiese lograrlo. Yo halaba con toda mi fuerza, pero la suya era ganadora. Cuando la puerta comenzó a moverse hacia afuera y perdía la batalla, sentí otra fuerza nueva empujando a mi favor. Era Jan Petter, mi salvador, o mejor dicho, el yugo de Iván. Iván halando hacia él, yo, hacia mí y Jan Petter empujando de cuerpo entero en mi dirección. Hasta que escuchamos ¡CRAC! La puerta se rajó por la mitad, de arriba hasta el centro. Nos detuvimos de golpe a mirar juntos, aterrorizados, el objeto de la furia de nuestra mamá al llegar del trabajo en la tarde.

Jan Petter siempre ha sido igual desde que dejó de crecer. Se congeló en el tiempo. Alto, alargado, de cara blanca, redonda y labios rellenos. Cabello oscuro del material este que no se moja, y siempre lo lleva muy corto. Sus cédulas de identidad solo se diferencian por la antigüedad del diseño, porque él sigue igual.

Es ocho años mayor que yo y nunca me prestó mucha atención. Cuando Iván se fue de la casa, lo busqué mucho. Me parecía lo más *cool* que podía existir, pero nunca me habló.

Si yo entraba a su cuarto para ver tele con él, pasaba los canales hasta encontrar algo que yo quisiera ver. Lo dejaba unos cinco minutos, lo suficiente para antojarme, y luego volvía a saltar entre canales.

—¡Jan Petter, deja ese! Estás cambiando canales, ni siquiera estás viendo nada... ¡por fa! —le suplicaba.

Me miraba con una sonrisa de medio lado, con un mensaje claro de: "Tú tienes tele en tu cuarto, anda". Yo entendía y salía derrotada.

Si decía una palabra aquí y allá era para hacerle burlas a mi ropa:

—¿Esa falda la vendían por yarda? Te debió salir regalada.

—¿Ese vestido se lo robaste a tía Mechi?

—¿Esa camisa te la hiciste con las cortinas?

No hablaba ni mostraba sus emociones, ni tampoco entendía el desborde de las mías.

Cuando fuimos a ver *Free Willy*, en la escena de la ballena despidiéndose y el protagonista agonizando, con lágrimas en los ojos, y yo, hinchada y roja, hipando de llanto, Jan Petter se volteó hacia mí y me preguntó:

—¿Te cayó una brusquita en el ojo?

No le conocí emociones hasta que murió mi mamá. Vi llorar a todos, pero él fue el que más me impresionó. Su llanto era de cuerpo entero y le salía de las entrañas. En aquellos días no le recuerdo ni una palabra, en general parecía estar bien, pero en la misa de novenario caía descompuesto, hinchado, colorado como un tomate, empapado de mocos y lágrimas.

Sentía muchas ganas de que nos consoláramos el uno al otro, de estar juntos, pero nunca me miró a los ojos ni me abrió esa puerta. Lo vi de lejos, con el consuelo de que no estaba sola en mi dolor y que quizás, a puerta cerrada lloraba igual que yo.

El sentirme afín a su dolor me dio ánimos para insistir. Si estábamos solos, mis esfuerzos eran fallidos, pero luego descubrí que si estaba con un amigo o con su novia, me podía colar en su conversación y, por cortesía, me incluían. Así pude conocer cómo era con los demás, cómo sí hablaba algo más que en casa. También se burlaba de otros y, asimismo, se reían con sus comentarios colados entre líneas e inesperados. Aprendí que a pesar de ser de pocas palabras, era central en su pandilla de amigos.

Esta puerta se ensanchó cuando sus amigos descubrieron que el papá de Jan Petter tenía una casa de playa. A él le daba vergüenza y lo había mantenido oculto, pero desde que la descubrieron la convirtieron en la casa del árbol. La usaban también como parada oficial de ida y regreso de sus aventuras en las diferentes patronales y demás fiestas que celebran a todos los santos, cristos y procesiones en el interior de Panamá.

En casa no lograba que mis esfuerzos germinaran, pero los fines de semana me colaba entre la manada de Búfalos, como se apodaron. Y así nos adoptaron a mí y a Mafa. Nos hacían todas las preguntas de hermanos mayores:

—¿Quiénes son sus amigos?

—¡Tráiganlos, que vengan y "parqueen", que los queremos conocer!

—¡Les tenemos "buco" preguntas!

—¿Fuman? ¿"Chupan"?

—No confíen en nadie, somos los peores... ¡todos los hombres son iguales!

—¡No tengan novio!

—¡No se emborrachen!

Jan Petter, por su parte, callado, observaba con una sonrisa que sugería que estaba disfrutando de jugar al hermano mayor a través de sus amigos, pero que también decía "No te acostumbres que en casa te vuelvo a cambiar los canales".

Cuando elegí dónde estudiar, me equivoqué totalmente. Subestimé mi necesidad de rodearme de calor latino y escogí una universidad fría por dentro y por fuera. Solo duré ahí un año, pero fue suficiente para descubrir un hambre voraz por mis raíces: en mis diez metros cuadrados de dormitorio compartido, bailaba diariamente al ritmo de Gilberto Santa Rosa, Juan Luis Guerra, Rubén Blades y Jarabe de Palo. Y huyendo de las tardes-noches de invierno, me calenté las venas leyendo todo el realismo mágico que el tiempo me permitió devorar.

Lo que sí me gustó de haber elegido esa universidad fue que coincidí con Jan Petter en la ciudad donde él estaba estudiando una maestría en negocios. Vivíamos en extremos opuestos de la ciudad y nos veíamos aproximadamente una vez por mes: "Exquisito, pero escasito", como decía el papá de Carolina. Nuevamente tuve la oportunidad de infiltrarme en su mundo y conocerlo en su elemento. Le conocí una cara más formal, de menos chiste y alcohol que con los Búfalos; un poco más cuadriculado, pero llevando la vida a su ritmo y con un sentido del humor único. En el poco tiempo que le sobraba de recreo, se metió en un equipo de *hockey* y pertenecía a la asociación de latinos de la facultad.

Cuando me presentó a sus amigos de la maestría, en los primeros encuentros me preguntaban:

—¡Qué bueno que llegó tu hermana! ¿Viven juntos?

Nos mirábamos extrañados como si alguien nos hubiese preguntado si teníamos una tercera tetilla y yo respondía por los dos:

—No, por mi propio bienestar, porque creo que saldría volando por la ventana a los pocos días de convivencia.

Esta gloria solo me duró un año porque él se graduó, se mudó a Nueva York y yo regresé a Panamá, pero este tiempo lejos de casa nos acercó. Y más aún viviendo en diferentes ciudades. Acercarnos en versión "nosotros" significó que hablábamos durante un promedio de trece segundos una vez al mes, pero el solo contacto me manifestaba que me extrañaba. No me lo imaginaba llamando a muchos más.

A ratos me preguntaba si no me gustaría ir a Nueva York, sin usar la palabra "visitarlo", por supuesto. No hubiese valido la pena una visita exclusiva porque trabajaba en algo financiero y complicado, de esos trabajos trillonarios altamente codiciados que exprimen cien horas a la semana.

Al siguiente año de mi regreso a Panamá hice un grupo fantástico de amigos gringos, y juntos planeamos un viaje a NYC. Yo estaba sobre todo feliz de hospedarme con mi hermano. Planificamos un par de noches juntos y que lo acompañase a almorzar algunos días. No necesité más, estaba hinchada de dicha y amor. Una noche me invitó a ver *The Phantom of the Opera* y me sentía en las nubes. Mi hermano estaba invirtiendo tiempo y dinero en mí, el equivalente en él a decirme que me ama y me valora.

Cuando tuvo novia y decidió pedirle la mano en matrimonio, me llamó para contarme y pedirme consejo sobre el anillo a elegir. Sin saber medio quilate del tema, accedí con entusiasmo de novia enamorada, buscando por horas el anillo perfecto en internet.

Siempre de pocas palabras, una vez me sorprendió con unas de más. Estaba yo, como solía hacer con frecuencia, quejándome de mi falta de habilidades, ahogándome en el vaso de la autocompasión:

—Voy a aplicar a University of Texas, pero no sé si me acepten. Además, el programa al que quiero entrar es excelente. Está a otro nivel y solo aceptan gente que ya tenga un portafolio. Voy a aplicar, pero dudo mucho que...

Me interrumpió en seco a mitad de la frase, con hastío:

—Anamari, qué pereza, siempre andas con esto de que tú no puedes. ¡Lo dices muchísimo! Y no te das cuenta de lo que eres capaz.

Me quedé muda. ¿Él creía que yo era capaz? ¿Capaz de qué? ¿Él esperaba más de mí? ¡Dime más! ¡Dime más! Necesitaba saber:

—¿Cómo así? —pregunté con la esperanza de que ampliase un poco el tema.

—Ay, Ani... —me respondió torciendo los ojos sin decir más.

El tema se cerró, pero me fui evaporando en el camino hasta convertirme en éter y flotar. Jan Petter no solo me quería: me veía capaz. No se le podía pedir más a la vida.

Jan Petter para mí es una paradoja. Sigue la norma social al pie de la letra. No entiende por qué la gente se tatúa o hace cualquier otro acto de rebeldía; pero coloreando dentro de las rayitas, ha pintado su vida con sus propios colores, siempre fiel a sí mismo y a lo que cree. Vive horrorizado por la discriminación de cualquier tipo: raza, nacionalidad, preferencia sexual o de género. Nunca ha pedido permiso por ser como es y más bien percibe la rebeldía de los demás como una forma de llamar la atención, antes que de cualquier señal de autenticidad. Su acto más rebelde es cumplir con las expectativas sociales y ser absolutamente íntegro a su esencia en el proceso.

Jan Petter nunca me cargó, siempre esperó de mí lo que yo tengo para dar. Y este ha sido mi regalo más preciado. Sus estándares y juicios son altos. Cuando dicen que la voz de los padres se convertirá en la voz interior del adulto, la mía es la de Jan Petter. Siempre presente, siempre exigente y siempre compasiva.

19

¿Fin?

Ya estamos en camino a la ciudad; voy sentada adelante en el asiento del pasajero y Mari atrás. Mis hermanos van juntos en el carro de Jan Petter. En el camino escuchamos música, los clásicos que le gustan a mi papá: Buffalo Springfield, Eagles, The Beatles, etc. Después de dejar a Mari en su edificio, ya cerca de llegar al nuestro, mi papá me dice:

—Hablé con el encargado del caso, están comenzando a preocuparse porque no han conseguido al asesino, pero están casi seguros de que no ha logrado escapar de Panamá, porque tienen toda la fuerza disponible asegurando las posibles salidas. Como no saben sus motivos, ni si estamos nosotros también en peligro, prefieren que no salgamos de la casa hasta que lo consigan. No tienes que volver a la escuela hasta que no te sientas lista, pero, por ahora, estamos todos encerrados sí o sí.

—Está bien, papi. ¿Y tú crees que estamos en peligro?

—No, en la casa no. Creo que en casa estamos seguros. Además de que también nos han puesto seguridad adicional en el edificio.

—Ok.

¿Qué tanto se parece esto a una película? No sé qué sentir ni qué pensar. Ni mi mente ni mi cuerpo se han ajustado a esto que pasó y está pasando. Tampoco siento que extraño a mi mamá, es rarísimo, porque me duele el alma pensar que ha muerto, pero en el momento presente es como si no estuviera porque se ha ido a hacer una compra.

Llegamos antes que Manuel porque mi papá transita la vida como piloto de Fórmula Uno. Bajamos juntos las cosas del carro con cada movimiento en silencio. Subimos. Entro a nuestro apartamento, silencioso también, y llego a mi cuarto. Dejo la maleta en el piso y nuevamente no sé qué hacer.

¿Qué ahora? ¿Se acabó el drama y comienza la vida?

¿Averiguo qué hay de tarea?

¿Llamo a alguien? No, qué pereza la lástima.

Veo a Randy en el pasillo acurrucado en su cama y me le echo encima para acariciarlo y abrazarlo. Se menea un poco mostrando cuánto le irritan mis caricias y yo lo ignoro. Mentalmente le pregunto:

—¿Tú la extrañas? ¿Te has dado cuenta de que no está? ¿Será que estás triste y no lo demuestras?

Le toco la nariz mojada con el dorso de mis dedos como hacía mi mamá. Se muestra más irritado, se para y se va. Me quedo acostada en su cama hedionda, acurrucada todavía sin saber qué hacer con mi cuerpo, tiempo o mi sentir.

Escucho la puerta y entiendo que entran mis hermanos a la casa. Me pongo de pie como un resorte. No sabría cómo explicar estar acurrucada sola en la cama de Randy. Caminan callados como sonámbulos. Jan Petter e Iván ni me miran y giran a la izquierda, hacia sus cuartos. Manuel intercambia una mirada cortés y pasa frente a mí, hacia el suyo. Salgo de la pausa y me enrumbo hacia el mío.

20

Iván

No tenemos muchas fotos con mi mamá, pero las de Iván son diferentes a las de todos. Las nuestras con ella la muestran vestida con su mejor pose, sonrisa amplia y cautivadora. Las de Iván la muestran con la boca cerrada, ojos sonrientes y cachetes saltones, con gesto de enamorada. Tienen un velo de afecto y tinte de complicidad. Siempre con Iván acurrucado a ella o en un abrazo. ¿Iván era afectuoso desde chiquito? Yo no conocí a ese niño.

Mi infancia completa se puede resumir en esfuerzos de variadas formas y tamaños para conseguir la atención de Iván. Ni hablar de su cariño, una niña no puede soñar con tanto. No se pueden listar estos esfuerzos porque mi vida completa estaba dedicada a ello: comerme toda mi comida, mi respuesta a mis padres, buscar el abrazo o no de mi madre, hacer intentos de algo semichistoso, mis amigas y nuestro comportamiento, mi vestimenta, ir a *ballet*, no ir *ballet*, tener buenas notas, tener malas notas, que me importase o no que se me cayó el dulce en el piso, todo. Mi vida entera transcurría con un ojo en la acción y otro en su reacción. Y sus acciones se limitaban a la indiferencia o burla. Yo lo veía como malo, horroroso, maquiavélico, pero nada era particularmente maléfico. No porque no lo tuviese dentro, sino porque supondría un correazo de mi papá. Sus torturas eran con gotero. Como dice el proverbio de pueblo chico: "No es lo que jode, sino lo seguido".

Algunos de sus tormentos eran hacerme burla con sus amigos en banda, todos guapos y objetos de mi amor; acompañar a su hermanita de un lado al otro con sus dedos hundidos en el cuello donde duele; simular el saludo de la paz en misa para estrujarme los nudillos; apodarme cariñosamente boba... un insulto poco ofensivo, pero cuando se convierte en tu nombre, te pone a dudar. El problema real era que sus torturas me fascinaban, eran la forma en la que venía empacada su atención y yo se la hubiese recibido así viniese envuelta en caca de perro. Anhelaba cualquier migaja y la recibía con risitas de enamorada: síndrome de Estocolmo.

Su risa también era de malo, una risa que se le mezclaba con llanto. Un día estaba acostado boca abajo en el piso, con la cara sobre los antebrazos, riéndose de cuerpo entero. Jan Petter, Boris, nuestro perro, y yo, ahí parados encima, mirándolo, hasta que nos confundió la cosa. ¿Está llorando o riéndose? Nos acercamos un poco y vimos lágrimas. Se había golpeado muy fuerte y llevaba un rato largo llorando con público.

Iván me enseñó las bases del amor masoquista, ese que hace que te guste el niño en la escuela que más te agobia. También me enseñó a tolerar la frustración y, en general, que nada me importe mucho. Si nada me interesaba más que su atención, y no la podía tener, pues todo lo demás era adicional. Completamente desprendida de los resultados de todo y nada.

Iván chiquito también era extraño. Tenía una fascinación por meterse cositas en la nariz. Se metía de todo, incluso algunas le costaron a mis padres una visita al hospital para sacarle "el algo". Una vez fue una casita de Monopolio. Mi papás no visitaban el hospital con facilidad, teníamos que estar al filo de la muerte. Si lo llevaron era porque no había poder humano que le sacara la casita, pero la peor fue una vez que se puso hediondo. Mis padres se fueron en un viaje largo y nos dejaron con mi abuela materna. ¿Cómo podía la Chela con esta cuadrilla? No me explico.

Iván se puso hediondo. Primero era una burla:

—Iván se cagó.

—Iván apesta.

—¡Iván, dale de aquí que estás podrido!

Hasta que se preocupó la Chela. Realmente hedía a podrido todo completo. Soltaba una estela de muerte por donde caminaba. Ella con su valentía y toda cargada de amor por su pollito, se acercó y lo olió de cerquita hasta identificar que el hedor provenía de su boca y nariz.

Lo llevó al otorrinolaringólogo para ver si se le había podrido un pulmón. El otorrino lo revisó todo, luchando contra las arcadas que le asomaban, le inspeccionó la nariz e identificó un material extraño alojado dentro de uno de los orificios nasales. Tomó sus pinzas y, contra gritos y patadas de animalito salvaje, se lo sacó. Se había metido un algodón en la nariz, que quedó ahí oculto hasta que se pudrió, y como la nariz es húmeda y fértil, se mantuvo fresquito, con ventilación constante para generar el halo de putrefacción que arrastraba.

Su hediondez no se limitaba a este paréntesis de fetidez. Esto fue algo aparte. Él además era hediondo por sí solo, por niño que no se baña bien, el tercero de una camada en que sus padres no están para darle seguimiento a la calidad de cada baño, ni la nana, porque también había. Luego esto se acentuó en un momento en particular: a los tres hermanos les gustaba leer, y el género predilecto de Iván eran las novelas de terror. Después que leyó IT, la historia de un payaso maléfico que le salía a sus víctimas por el desagüe del baño, se bañaba en segundos. A veces salía medio seco.

Luego, en la adolescencia, ya no era el payaso, sino la autonomía y la frescura. Llegaba de sus entrenamientos de tenis, algunos de más de seis horas, y no le quedaban energías en el cuerpo para bañarse. Se acostaba a ver tele hasta que se le secaba el sudor y entonces no era tan necesario bañarse.

La realidad es que todos éramos medio cerdos, excepto Manuel, a él sí lo criaron sus padres con ahínco. El resto nos lavamos las manos cuando hay alguien en el baño con nosotros y jamás por hábito de higiene básica. Tampoco nos enfermamos nunca y creo que está relacionado.

Pero el rey de los cerdos era Iván. También lo hacía diferente que era de otra genética, porque no se parecía a nadie. Esto último era material para la tortura de Jan Petter hacia él. Intentaron repetir el chiste de que era adoptada conmigo, que me encontraron en una canasta afuera de la puerta, pero no funcionaba porque yo era idéntica a mi mamá, o así decían los adultos. Él, por el contrario, repetía lo que le decían las tías, que era igual al abuelo muerto, pero ninguno de nosotros lo reconocía, ni tampoco explicaba que fuera tan extraño.

Redireccionar esta tortura hacia mí no era menos que justo: el ciclo de la vida. Y para mí era la única forma en que me ponía atención, de manera que yo lloraba, me quejaba y pataleaba, pero muy dentro lo disfrutaba.

Un día era mi motor de vida y al otro desapareció, entregándose a su vida de tenista semiprofesional en una universidad en Estados Unidos. Mi mamá murió el 13 de octubre y él se fue en enero. No mantuvimos contacto, solo me enteraba de sus éxitos deportivos por boca de mi papá, cuando su memoria le daba para contármelo.

Luego, cuando yo me gradué del colegio, nos cruzamos. Él regresó de la universidad graduado y yo me fui a Filadelfia. Y cuando regresé a Panamá un año después, con la excusa del cambio de carrera, pero realmente deprimida, huyéndole a esa ciudad fría, él estaba viviendo en el cuarto de al lado.

Al llegar, aterricé en la nueva vida familiar de mi papá, en un lujoso apartamento *penthouse* de dos pisos. La separación que yo sentía emocionalmente estaba diagramada en el diseño de interiores: mi papá, Kathia y Eric en el piso de arriba, y abajo el cuarto de Jan Petter e Iván, y mi cuarto para mí sola, gigante, cuidadosamente decorado y privilegiado con vista al mar.

Al llegar, me encontré con un compinche; en su tiempo afuera de Panamá, Iván maduró y se convirtió en filósofo. Al parecer, atormentar a la hermanita no estaba alineado con la escuela helénica de los estoicos. Además, se bañaba, estaba entregado a su trabajo y era absolutamente disciplinado en sus ejercicios y estudios de filosofía. Me canjearon al cerdo por un japonés.

Iván es alto para estándares latinos, de cabellera negra azabache, con un largo permanente entre surfista y banquero. Ni muy muy, ni tan tan. Ojos grandes combinados con su cabello, y tiene la nariz de mi madre, grande, elegante y de gancho. Sonrisa amplia y generosa con los dientes en fiesta por una infancia sobrada de tortazos en la boca.

En sus tiempos de tenista era de otra raza, pero al convertirse en hombre serio y profesional se destiñó. Aunque mantuvo su espalda amplia de tenista y fuerza visible. A mis ojos: guapo. Quizás como siempre lo vi horroroso, escuálido y hediondo de maleficio, este cambio me sorprendió.

Por primera vez en la vida tenía un hermano de verdad. Él me dio una uña de afecto, me dejó de ignorar, y yo me mudé a su cuarto, ya que en el amplio lujo del mío me sentía privilegiada y sola. Las primeras veces pregunté:

—¿Puedo dormir aquí hoy?

Normalmente acostumbro a hablar de más, pero nunca dije por qué. Poner en evidencia mis emociones de niña confesando la soledad que sentía en aquel palacio me podía cerrar una que otra puerta, literal y figurativamente.

—¿Eh? Sí, claro.

Después de unas cuantas veces ya no pedí permiso. Él se quedaba despierto estudiando filosofía horas después de que yo me dormía, y se levantaba a hacer *thai chi* y estudiar antes de que yo me despertara. Era vecina de cama de un Confucio roquero.

Poco a poco me mostró aquel hombre afectuoso que se cultivó así en el regazo de mi mamá. El pollito de la abuela, el bebé de su mamá. Si estaba sentada a su lado en el sofá, descansaba su brazo sobre mí, saludaba de abrazo profundo, y reposaba su mano sobre mi hombro cuando conversábamos de pie, cara a cara. En una familia en la que somos alérgicos al tacto, Iván comprobó una vez más que, en efecto, lo encontraron afuera de la casa en una canasta. ¡Y qué bien me venía algo de genética afectiva!

También comenzamos a tener amigos en común. Con él probé mi primera experiencia de acampada, la marihuana y una absenta que se trajo de un viaje a España. Nos esperábamos una alucinación de película y lo que obtuvimos fue un gran dolor de cabeza al día siguiente. Y lo mejor fue eso, tener dolor de cabeza juntos, lo que parecía en sí una alucinación. La niña dentro de mí daba saltos mortales de dicha.

Compartimos unas buenas fiestas y, entre sus amigos y mis amigas, ampliamos el panorama romántico. También me presentó a Coldplay, Travis, Peter Gabriel, James, Pink Floyd, entre otros, y paseábamos juntos en el carro escuchando música con amigos, el plan perfecto para el joven adulto con poco presupuesto.

La gloria me duró poco, porque luego comenzó a tener novias, se mudó de la casa y perdimos el hilo del día a día. Ninguno de los cuatro hemos podido pegarle a una relación de larga distancia. No somos lo suficiente atentos de lejos ni de cerca, pero el lazo ya se había formado, el tanque del amor estaba lleno y listo para cualquier adversidad.

La soledad en el piso de abajo me despertó hambre por la seguridad de una pareja. Depender amorosamente de alguien me mataba de susto, pero despertaron mis ganas. Sola, de regreso en mi habitación, comencé a pedir un abrazo de contención, manos sobre mi cuerpo y amor que embrutece.

Iván voló del nido y yo me quedé por poco tiempo más, porque regresé a estudiar a Estados Unidos. La diferencia era que ahora tenía un hermano grande, un hermano cariñoso, no como los que admiraba ver en las películas, los que defienden a sus hermanas de los matones del colegio. No, gané más, ahora tenía un compañero, un camarada.

Parte II

Suya

Tenía trece
Y pensé
Que el dolor
Fue solo mío
Y suyo
Pero fue tuyo
También
Y tú querías
Que fuese nuestro
Te pesa
Se te desborda
Préstamelo
Lo digerimos
Lo compartimos y
juntos
lo sanamos
No estoy sola
No estás solo
Solo
Parecía
Mientras
Callábamos.

21

Ahora

Martes 13 de octubre de 2020

Hoy cumple mi mamá veintidós años de haber fallecido. Le pedí a Alfonso, mi esposo, que guardara el fuerte para escaparme por una noche y dos días completos, y venir sola a este lugar, en la mitad de la selva en Gamboa. Siempre me ha gustado desconectarme en el aniversario de la muerte de mi mamá, para abrirle un espacio al sentir, porque la alternativa es que se me pase el día como todos los demás, y no es como todos los demás.

Esta escapada la agradezco más que la de cualquier otro año, porque llega luego del encierro debido a la pandemia. Cuando vi un árbol por primera vez, después de seis meses encerrada en mi apartamento, mi alma y mis ojos lloraron. Haciendo cuentas, no he estado sola ni he dormido completo desde unos meses antes de que naciera mi segundo hijo, Vicente, en junio del año pasado. Necesitaba un respiro, no me aguanto ni a mí misma. Sí, estoy aún más agradecida que cualquier otro año. Además, tendré tiempo y silencio para escribir. Esta historia no conoce todavía el aullar de los monos, el cantar de los pájaros ni el murmullo de las hojas en los árboles.

Cuando inicié aquella noche, halada de los cabellos desde el limbo entre almohada y sueño hasta mi computadora, me senté a plasmar en papel lo que llegaba a borbotones. Ya me había pasado antes. Hace más de diez años me llegaron las líneas de la escena de nuestro último desayuno. Era una mañana rutinaria en nuestro último hogar juntos, hecha memorable por una discusión entre mi mamá e Iván, mientras mi papá estaba ajeno a todo, tintineando en la cocina con los últimos detalles, y Jan Petter, casi de cabeza en el cereal. Yo, por el contrario, muy atenta al drama. Con esta memoria como inicio de la historia, se enfilaban las palabras en mi mente pidiendo salida, pero no abrí las represas. Hace poco aprendí, leyendo *Big Magic,* de Elizabeth Gilbert, que cuando los espíritus de la creatividad te tocan la puerta, se les debe honrar, y si no, se dan la media vuelta y se van en busca de quien sí le quiera dar vida a aquello que quiere nacer. Leyendo esto me prometí que si algún día regresaba aquella historia, la agradecería y abriría la puerta, de manera que esta vez sí me senté a escribir. Firmé un pacto con mi alma de honrar mi deseo viejo de compartir esta historia que llevo atravesada, y con esta musa que pedía nacer, negocié disciplina a cambio de que me tuviese paciencia; le garanticé que sí haría la tarea, pero a ritmo de mamá encerrada con sus hijos, solicitando con amor que por favor esta vez no me abandonara.

Así empecé a escribir mis recuerdos, lo que me narré a mí misma a partir de los hechos y el sentir creado desde mi imaginario. En cambio, en todo lo relacionado con el asesinato y los datos a su alrededor, sí quise ser más fiel a la realidad. Decidí desarrollar una pequeña investigación, entrevistando y desempolvando la memoria de algunos que fueron parte de esta historia, para cruzar y comparar recuerdos. Entre tanto dolor colectivo, algunas cosas se agrandan y otras se deforman, por eso necesitaba alinear la narrativa grupal con noticias e informes legales. No soy experta, de manera que mi brújula será mi curiosidad.

Hasta ahora he hablado con tía Mery, una prima muy cercana a mi mamá, con mis hermanos Manuel e Iván y con mi papá. Estas tres últimas entrevistas fueron casi nulas, porque ellos ya formatearon el disco en todo lo relacionado con los hechos de su muerte. Aunque, conociendo la memoria de mi papá, yo solo esperaba un nombre de su parte.

Durante los días después de que encontraron su cuerpo y se emprendió la cacería del asesino, mi papá me contaba que hablaba con alguien en específico que lo mantenía al tanto de todo. Y esta comunicación continuó hasta años después, ya que también le informó de los intentos que ocurrían en la cárcel por parte de los reos de acabar con la vida del asesino, sin lograrlo porque él es un karateca cinta negra y se sabía defender. Y años después, cuando se escapó de la cárcel y la última conversación cuando lo volvieron a atrapar en Venezuela.

—Ay, hija, yo perdí contacto con él hace tiempo y... ¡qué chance de que me acuerde de su nombre! Tengo que nacer de nuevo, a ver si esta vez me toca algo más de memoria.

Y le creo. No se acuerda de nada. Cualquiera sospecharía de alzhéimer si no fuese idéntico desde hace treinta años, pero sí se acordaba de que eran llamadas llenas de aprecio mutuo. Esta persona se acordaría de los detalles y así podría corroborar lo que me contó mi papá en aquel momento. Sé que mi papá me dio más información de la que el adulto común le daría a una niña de trece años, pero algo me dice que hay más. Mi mente vuela a variadas escenas de terror y por ello quisiera confirmar que, en efecto, no hay más. En las sombras se me esconden los monstruos y le quiero dar luz a todo. Quiero tener detalles sin imágenes; con la información basta. Tal vez, si logro un bosquejo de la realidad, después pueda mirar, observar, doler, y volver a guardar la caja organizada en el depósito de la memoria, pero ya sin basura ni los bichos de la duda que se multiplican en el inconsciente mientras están guardados.

Y para lograrlo decidí que solo necesito a un ser humano con el recuerdo, seguramente inolvidable, que pueda contestar únicamente a mis preguntas, nada más ni nada menos, pero busqué y busqué y no fue fácil. Ahora sí creo que lo encontré.

A los diecinueve años, mi amiga me presentó un amigo, y este amigo me presentó a su papá, un día muy casual en el bar donde habíamos llegado a tomarnos algo a las tres de la tarde un miércoles, porque ¿por qué no?

Luego de unos veinte minutos de conversación, el papá de mi nuevo amigo me dijo:

—Anamari, yo te quería contar algo; yo fui el abogado del asesino de tu mamá.

Esto me dejó aclimatada con la cerveza que sostenía en mi mano. No era lo que esperaba del señor, a las tres en una tarde amena, fugados de las responsabilidades de un día hábil. Luego de mi cara de *shock* se le aceleró la voz; parecía que le alboroté la culpa:

—Yo no quería ser su abogado, pero era su derecho por ley y yo era defensor de oficio. El asesino ya se sabía culpable, de hecho, él había confesado todos los detalles en la indagatoria antes de que me designaran como su abogado. Fue tan obvio mi desgano por defenderlo, que a la mitad del juicio él le solicitó al juez defenderse solo y nos rellenó a todos con una retahíla de barbaridades y recuentos de conspiraciones en su contra.

El nerviosismo presente en su voz parecía buscar absolución con esta confesión, y mi expresión de pánico le comunicó lo contrario. Cuando caí en la cuenta, le hablé:

—No, no, tranquilo. No me alcanzo a imaginar lo que debió suponer para ti esa responsabilidad.

Hoy deseo haber tenido la rapidez mental para haberle hecho algunas preguntas, pero no logré salir de la sacudida a tiempo para abrir el archivo de mis dudas. Conversamos un poco más del tema, él quedó tranquilo con haberlo sacado del pecho y nos reintegramos a la conversación con los demás.

Ahora, unos diecisiete años después, queriendo rescatar el nombre del encargado de la investigación policíaca, traté de tirar de ese hilo llamando a mi amigo para pedirle el contacto de su papá, pero me dijo que había fallecido hacía pocos años.

—Sí, yo también recuerdo ese día. A mi papá le hubiese dado muchísimo gusto ayudarte, pero quizás yo pueda hacer algo por ti. Soy abogado y también tengo contactos en el registro. Podría conseguir el expediente porque el nombre seguro está ahí dentro. No lo tienes que abrir tú, puedo revisar y simplemente darte el nombre.

—Eso sería increíble, te lo agradecería un mundo.

—Claro, con mucho gusto. Me pongo en eso y te aviso apenas tenga algo.

Pasó más de un mes en estas, con intermedios semanales en los que me escribía para tocar base y avisarme que no se había olvidado de la tarea, pero que estas solicitudes burocráticas llevaban su tiempo.

Cuando entrevisté a mi tío Camilo, el hermano de mi mamá, sobre su experiencia de ese día, me confirmó rápidamente el nombre del señor encargado del caso:

—Efraín Mendieta —me dijo—. Lo recuerdo clarito. Un tipo enorme, lo tengo tatuado en la memoria. Lo recuerdo ese día en la casa donde apareció el cuerpo de tu mamá y toda esa semana. Ese tipo sí sabe lo suyo, es estudiadísimo: leyes, criminología, vaina, vaina... Me lo dijeron en ese momento y se le notaba. Tenía control absoluto de todo, movió a la policía de frontera a frontera; nadie le echaba cuento. El nombre sí se me había olvidado, pero hace poco estuvo expuesto en las noticias por ser abogado de un caso político de alto perfil. Me causó mucha impresión porque está igualito... ¡El hijueputa no envejece!

Lo busqué en línea, pero no encontré su contacto. Regresé a mi hilo, porque quizás como abogado le sería más fácil conseguir sus datos dentro del gremio.

—¡Ah, buenísimo que conseguiste el nombre! Sí, lo mío se estaba demorando mucho. Ya con nombre lo consigo rápido. Me suena mucho...

Se tardó unas semanas más y finalmente me compartió su contacto. Cuando le escribí al señor Mendieta, él se demostró muy dispuesto. Yo, por el contrario, estaba teniendo una semana fuerte de trabajo y le pedí reunirnos la semana siguiente, a lo que él propuso: "¿Le parece el martes 13?".

Me tomó por sorpresa la fecha, y acepté. ¿Sería esta la señal de autorización que había estado pidiendo?

Me come el remordimiento por el deseo de desempolvar esta historia, recordarla, y sobre todo, por querer escribirla. ¿Mi mamá me aprobaría estar escribiendo los detalles del horror de su última hora de vida? En varias cartas le he pedido permiso para contar esa parte de su historia. Un momento de terror en su vida que, sin duda, muchos quisieran olvidar. Omití estos detalles en mi proceso de duelo porque no podía con tanto. Su sola partida era material suficiente para trabajar en mi sanación. Ahora, veintidós años después, siento curiosidad y he aprendido que la curiosidad, como las emociones, no se ignoran.

Y así agendé mi cita con el señor Mendieta, a pesar de la culpa, pero después de meses buscando esta reunión, interpreté la fecha como señal de un permiso cósmico, o de ella misma. Da igual.

En 1998, Efraín Mendieta tenía un cargo muy alto en la Policía Técnica Judicial (PTJ). No era su trabajo encargarse directamente de una investigación de homicidio, pero le llamó el jefe del Consejo de Seguridad para pedirle que llevara el liderazgo del caso personalmente. Tenía una hoja de vida voluminosa, sumada a su experiencia.

¿Sería él con quien mi papá habló durante años? ¿Qué tan diferente será su versión a la que mi papá me contó a mis trece años?

Camino al funeral, mi papá nos dijo a mí y a mis hermanos que tenían algunas novedades sobre el caso:

—Un hombre, posiblemente ya con sus intenciones claras, sacó una cita con su mamá, supuestamente en busca de una casa para alquilar. Él la trató de violar y ella se defendió como una leona. Fue tal, que él, en el esfuerzo de dominarla, le dio un golpe y ella cayó contra el quicio del baño y se abrió la cabeza. Esto fue lo que la mató, pero posiblemente él, en el pánico del momento, quiso asegurarse de que estuviese muerta y le cortó la garganta, pero ella ni se enteró. Su mamá no sufrió.

Recuerdo el silencio profundo en el carro. No sé si producido por la real falta de ruido o porque mis sentidos entraron en pausa, como el Nintendo. Recuerdo preguntarme sobre el concepto de la violación; no lo entendía. A mis trece años no sabía mucho de sexo, pero sí me habían asegurado que se disfrutaba, y las violaciones eran algo como sexo forzado, no tenía sentido. ¿Por qué alguien quisiera eso? Pero tampoco iba a consultarles. Ni a él en ese momento ni a nadie después.

—La autopsia confirmó que no fue violada. Su mamá murió en el intento de defender su dignidad y lo logró —concluyó.

No lloró mientras nos lo decía y, sorprendentemente, después de dos días con la llave abierta, yo tampoco. El horror de sus palabras confirmaba la pesadilla en la que estábamos metidos. Estas palabras me las repetí millones de veces por días, meses y años, y una voz dentro de mí, unas veces más susurrada que otras, se preguntaba: ¿será verdad que no fue violada? ¿Será todo una conspiración para que yo no me entere? Con el tiempo hice paz consciente con la verdad de mi papá, porque entendí que hubiese sido imposible ocultarnos la verdad. La noticia estaba hasta en la sopa.

La culpa generada por buscar al encargado del caso durante meses para citarlo e indagar más, me mantuvo dudosa de lo que estaba haciendo y el porqué, pero una vez recibido el mensaje cósmico y la cita registrada, acepté. Ahora, la duda se transformó en miedo por lo que pudiese resultar de este encuentro. Siempre me creo tan dura, llevándome al límite de mis emociones, pero ahora, aquí, esperando que se conecte a la videollamada, siento el corazón palpitando de susto en mi garganta. ¿Será que él tiene información nueva para mí? ¿Será que me voy a desarmar en pedacitos frente a este desconocido? Y si hay algo nuevo, ¿estaría lista para escucharlo? Mi mente da vueltas y vueltas mientras espero la hora exacta de nuestra reunión.

22

Kathia

Tenía una bolita en el ojo que me perturbaba; cómo se combinaba toda la ropa, moño, cartera, pantalón, el diseño en la tela de su camisa, sus zapatos, me perturbaba; cómo hablaba como si todo lo supiera, me perturbaba; pero lo que más me sacaba de mis casillas era cuando llamaba a mi papá: "Chocolate", con su tonito tierno de adolescente enamorada.

Nuestro primer encuentro fue un desastre. Tuvieron la brillante idea de invitarme a mí con dos amigas a un concierto de Shakira. Quise rechazar esta oferta, pero cometí el error de comentarlo con Mafa y Carolina. Ellas pusieron mis emociones a un lado y saltaron en una pata al ritmo de *Dónde están los ladrones*, y la oferta fue aceptada.

Salimos mi papá y yo en su auto desde nuestro edificio, recogimos a Carolina y luego a Mafa. Kathia, de último, ya que vivía más cerca del hipódromo, donde se celebraría el concierto. Yo venía, como de costumbre, en el asiento del pasajero, siempre a su lado. Cuando llegamos por ella, mi papá me miró con ojos de: "Por favor, no me hagas pedírtelo, pero te agradezco si te vas al asiento de atrás". Entendí y me pasé por dentro, sin bajarme del auto, y me senté entre mis amigas.

Cuando entró al auto, muy sonreída, se manifestó mi cuerpo: se me calentaron las orejas, se empañaron mis ojos, se me anudó la garganta y se me volteó el estómago, tanto, que casi vomito. Mis sentimientos para nada congruentes con el "bruta, ciega, sordomuda" que venían cantando mis amigas a voces.

Mantener una fachada frente a semejante corazón roto supuso un esfuerzo energético que provenía desde el ano hasta el cabello.

Mi papá bajó un poco el volumen para que pudiésemos entablar un poco de charla superficial, pero no pude. El esfuerzo por no llorar no me alcanzaba para hablar. Logré algunas sonrisas de medio lado y tampoco pude mirarla a los ojos.

En algún momento, Mafa y Carolina se pusieron al tanto de mi estado emocional y se les acabó la sesión de karaoke. Esto me generó más incomodidad, ya que se me hizo evidente cuán obvio era mi enredo intestinal.

Años después, un sueño me daría a entender lo que supuso para mí ceder el puesto que le guardaba calientito a mi madre, pero en ese momento yo no podía entender por qué mi rechazo hacia esa mujer era visceral y cómo realmente no tenía nada que ver con ella.

En el camino hacia el concierto, con ellos concentrados en la conversación y en la vía, yo la critiqué toda completa. Su ropa, su cuerpo, su cabello, su maquillaje... no quedó nada pendiente. En cuestión de segundos la etiqueté de indigna de mi papá y de mi interés. Y para suprimir las arcadas, volqué mi atención sobre mis amigas y Shakira. Esta tarea no fue fácil, ya que con el rabo del ojo les espiaba cualquier contacto físico entre ellos: si se tomaron de las manos, cómo se trataban y el destello en sus ojos al mirarse. También me dediqué a rezarle a Dios con mi corazón completo que, por favor, no se diesen un beso frente a mí, porque sería posible que me matara, o la matara con mis manos.

Después de la velada, mi papá tomó la ruta larga para dejarnos a las tres adolescentes en nuestros respectivos hogares y se fue con ella.

Llegué a mi casa sola y con el corazón roto a llorar como la desconsolada que fui. Los odié a ambos con cada lágrima derramada. Lloré por mí, por mi mamá, por la traición, por su muerte, por la frescura de las heridas y por cualquier otra razón. Lloré todo lo que tenía dentro para llorar, suficiente como para pretender, a la mañana siguiente, que no había pasado nada.

Después de esto, ambos entendieron la magnitud de la embarrada y no se volvió a mencionar la velada ni la relación por unos cinco meses más, pero la tenacidad de Kathia volvió a florecer. Aprovechó mi cumpleaños número quince para presentarse de la manera más glamurosa posible. Me envió una carta y un regalo. La caja contenía un kit exagerado de maquillaje Chanel.

Claramente sabía el camino directo al corazón de una adolescente. Consideré tirarlo inmediatamente a la basura, pero me ganó la curiosidad y al abrirlo ganó el materialismo. Y como me iba a quedar con dicha caja de tesoros finísimos, sentí que debía abrir la carta también, la cual llegó directo a mi corazón.

Inició con empatía: me contó cómo ella había perdido a su papá a los dieciséis años, también de manera inesperada, también asesinado. Esto, en particular, me sacudió y abrió una puerta. Me contó cómo creía que nada era casualidad y que por las bellezas que mi papá le había hablado de mí, tenía muchas ganas de conocerme. También me dijo que si yo elegía no conocerla, lo entendería por completo, ya que ella le hizo la vida de cuadritos a su mamá y a sus respectivos pretendientes, y si la vida le daba un poco de su propia medicina, lo aceptaría, pero si, en cambio, le daba la oportunidad, le gustaría ir conociéndome poco a poco, y proponía comenzar con un plan semanal de hacernos las uñas juntas.

Más vanidad. Imposible negarle la propuesta. Se me hacía más difícil también porque mi convivencia de los últimos años se limitaba a una entre hombres con calzoncillos rotos, y un poco de feminidad me halaba de la nariz.

Hice lo que juré no hacer, acepté el plan semanal, y así comenzó nuestra relación. Al abrirle una ventana ya se fue colando por las rendijas de toda la casa... comenzó a venir a la playa todos los fines de semana, y consigo, su hijo y su perro.

Con este cambio, siempre iba a la casa de la playa blindada con una amiga. No había otra manera de soportar un "Chocolate" por aquí, otro "Chiqui" por allá. Y si se daban un beso, hacía un esfuerzo monumental por no mirar.

En nuestras citas semanales yo hablaba hasta hacer que me doliera la garganta: "Carolina dice, Mafa hace, Julián me gusta, Julián no me para, Julio gusta de mí, no sé qué decirle, los profesores de química y física me detestan". Ella escuchaba con atención e incluso me hacía sentir chistosa con carcajadas generosas. En este espacio con olor a quitaesmalte se fue ganando mi corazón. Mis amigas apostarían que estaba dopada en gases, pero fue el conocerla sola, sin el corrientazo de celos por tener a mi papá a su lado, que me permitió conectar con ella como ser humano y me hizo más difícil pintarla de bruja y odiarla en el fin de semana. Igual no hubiese sido fácil; a falta de comida se convirtió rápidamente en la anfitriona y nos conquistó desde la panza.

Pero sí intuí que tenía espuelas. De lo poco que la dejé hablar, pude percibir su fuerza de depredador: sus logros como emprendedora, madre soltera, y cómo se presentaba siempre impecable, hecha y derecha. Perfecta, nunca un pelo parado. Con el olfato supe que tenía a una hembra alfa enfrente, y de enfrentármele, saldría arañada. Su hijo, por el contrario, sí me olía a corderito.

Mi dolor disfrazado de ira y resentimiento se lo llevó su hijo. En cambio, él me idolatraba, con raíz de ídola, y entre peor lo trataba, más me buscaba.

En alguna ocasión, yo de dieciséis años y Eric de seis, tuvo unos amiguitos de visita. Lo escuché a lo lejos diciéndoles:

—¡Sí, es mi hermana!

—Claro que no, no te creo.

—¡Sí, sí es mi hermana! Vengan y yo le pregunto para que vean.

Llegó a la terraza donde estaba yo, con saltos en sus pasos y el pecho inflado. Los amiguitos, a la retaguardia como testigos. Los miró antes de preguntar con sonrisa de "¡van a ver!", y me preguntó con ojos destellantes:

—Ani, ¿verdad que tú eres mi hermana?

A lo que yo me cargué de bilis y le respondí con una risa entre dientes:

—Ehh... ¡no!

Desde fuera pude ver cómo el corazón se le partió en dos, se le desinfló el pecho como un globo y se quedó ahí parado, incrédulo. No entendía ni tampoco podía voltear a ver a sus amigos.

Yo, impactada también, no me podía quedar a mirar los estragos; di media vuelta y me fui.

Por esa época lo diagnosticaron con inteligencia limítrofe. Kathia le entregó su alma, corazón y todos sus recursos de tiempo y dinero para que tuviese lo mejor en terapias y adecuaciones. Kathia sufría también por el *bullying* que padecía con frecuencia por ser presa fácil. No tenía la capacidad mental para defenderse. La física no le faltaba, siempre fue el mejor en deportes y aptitudes musicales, pero difícil para la lectura social y cultivar relaciones con sus pares. Tenía, y tiene, el corazón enorme, de manera que sufría de cuerpo entero, y Kathia por cien. Fui testigo de cómo peleó la inclusión de su hijo como una leona, dejando los huesos en el camino. Se habla de las madres que levantan carros, pues esta movió mares.

Y entre más presenciaba su lucha por su hijo, más celos le tenía. La pura existencia de Eric bailaba tap sobre mis llagas, con zapatos de chuzo. Y por ello le hacía pagar: jugaba con él un rato en la piscina para luego hacerle burla por invitarme a ver una película; lo ignoraba, para luego burlarme por el comentario absurdo que había aparentado no escuchar. Había tenido entrenamiento de sobra de parte de Iván sobre el sutil arte de ser odiosa sin evidencia.

Sentía un pequeño resentimiento por parte de Kathia, pero ella no veía lo peor y su relación no era lo suficiente sólida todavía para sacar sus garras. Seguíamos siendo compañeras de *manicure, pedicure,* cejas, mientras yo usaba a su hijo de alfombra.

Debería acordarme, pero no me acuerdo. La razón principal de nuestras discusiones podrían tener un título preciso, a la medida, como: Cualquier Estupidez. Algo como que no entregué una cédula que tenía que mandarles por algo logístico, o alguna conversación sobre la letra de la canción de Jorge Drexler que salió al revés; algún comentario a favor de la legalización de las drogas... cualquier cosa. Al final, todas superficiales e irrelevantes a lo que no se hablaba.

Cualquier Estupidez se convertía en una pelea para los libros de historia. No había discusiones pequeñas como las que, supongo, hubiese tenido con mi mamá, de ladridos y groserías aquí y allá. Con Kathia he tenido cuatro grandes peleas: la primera, la más memorable de todas y la que estaré detallando; la segunda, que sé que existió, pero quedó inmemorable entre la primera y tercera; la tercera fue de hecatombe mundial con estragos similares a que Rusia o Estados Unidos hubiesen decidido tocar el gran botón rojo y acabar con todos, sacándome de casa y antagonizando con media humanidad en su contra; y la cuarta solo fue memorable porque se atravesó en los planes de mi novio de pedirme la mano en matrimonio. Esta última es solo chistosa porque me dejó con una excelente historia de cuando nos comprometimos.

Pero de las cuatro, la primera a los dieciséis años fue la que me dolió, la que me dejó una herida profunda que no sanaría sin ayuda.

A alguien ofendí, probablemente a Eric, porque ella siempre tuvo piel gruesa para todo, excepto para el dolor de su hijo. Sorprendentemente gruesa para su edad: treinta y dos, tres años menos que mi edad actual mientras escribo estas palabras. Algo terrible hice que me merecí un llamado a capítulo de su parte. Una llamada después de haberme guardado dentro del congelador durante algún tiempo posterior al incidente:

—Hola, Ani.

—Hola, Kathia

—Te llamo porque me gustaría hablar contigo. ¿Puedes mañana a las 3:00 p.m. en el restaurante de los papás de Mafa?

—Sí, claro, te veo allá.

Manejaba el Nissan Sentra de vidrios ahumados morados de Iván desde los dieciséis años mientras él estudiaba afuera. Esto me ahorró el engorro de un viaje muy incómodo en el BMW de ella. Igual, tocó entablar algo de conversación banal mientras nos hacían el pedido. Yo llenaba el vacío incómodo con un comentario sobre la chica que nos atendió:

—Es madre soltera, con tres hijos, y además cuida a sus padres que también viven con ella. Trabaja aquí con una sonrisa permanente y luego llega a su casa a las once de la noche. Cae liquidada y madruga para prepararles la comida a todos para que les dure el día completo. ¡Es una dura! Y la mayoría de las mujeres que trabajan aquí tienen historias parecidas, porque tienen la política de solo contratar a mujeres cabeza de familia. Me contó el papá de Mafa.

Ella me contestaba con monosílabos y onomatopeyas: mmm, sí, mjmm. Yo sabía que venía un reclamo y estaba posponiéndolo. Como quien ve el pronóstico de un día lluvioso, decide salir en alpargatas y le llega un huracán.

—Ani, yo quería hablar contigo. Me demoré un poco en llamarte porque necesitaba calmarme, estaba demasiado molesta para hablar y cuando estoy así no confío en lo que vaya a decir. Tú no me conoces y no tienes por qué. Yo estoy enamorada de tu papá y creo que él también de mí.

En este momento se me cruzó la duda: "ya me confesó que nunca estuvo enamorado de mi mamá". O sí se enamoró de ella o la tiene engañada.

—Ustedes han pasado por algo terrible que no alcanzo a imaginar. Y, claramente, tú no estás bien.

—Kathia, yo…

—Déjame terminar, por favor.

Hablaba en un tono que, si lo fuese a repetir, me daría escalofríos a cualquier edad. Monótono, bajito, de boca casi cerrada y la musculatura de la cara congelada, como usando toda su energía para contener la ira adentro y solo dejarla salir en suspiros miedosos.

—Ustedes han sufrido mucho y eso lo puedo entender. Y a ti se te nota que te vendría muy bien una terapia para trabajar todo lo que tienes dentro, pero no quieres y me toca respetarlo. Lo que sí no voy a tolerar es que nos uses para desahogar tus asuntos pendientes por trabajar. A mí me vas a respetar mientras esté en tu vida. A mí y a mi hijo, quien no está en capacidad de defenderse. Hasta ahora he estado tratando de llevarme bien contigo. Con tus hermanos también, pero los veo mucho menos; en realidad contigo es que he ido formando una relación, pero al final del día, la realidad es que yo tengo una relación con tu papá. Y vuelvo a decirte, tú no me conoces. Hasta ahora solo has visto la cara de quien se abre tratando de cultivar una relación, pero conmigo no te metas, y si me buscas… me encuentras.

—…

No me había amenazado nadie nunca como para entender que me estaban amenazando. Solo sentí un susto terrible. Siempre supe que ella no era presa fácil ni víctima, pero tampoco me imaginé el león que llevaba dentro. Me quedé fría, congelada y muda. Hasta que recuperé mi voz y columna vertebral:

—Kathia, no es la primera vez que me dices que yo no estoy bien; la verdad ya me aburre un poco. Nadie te ha preguntado. En cuanto a nosotras, gracias por tratar, realmente fue lindo y en algún momento creí que tenía potencial esta relación, pero creo que lo mejor es no tenerla y punto. Claramente no va a funcionar. Nosotras no tenemos que tener una relación, no es obligatoria. Mejor tú tienes tu relación con mi papá y yo la mía... ¡y listo!

Normalmente hubiese llenado el espacio con más verborrea, pero me contuve. Esta era una lucha de poder y los nervios de hablar de más es claro signo de debilidad. Nos quedamos en silencio hasta que Kathia decretó:

—Ok, si así lo quieres, está bien conmigo.

Ambas sostuvimos el silencio incómodo hasta que llegó la cuenta, yo abrazada de mi orgullo y del hilo de fuerza que me quedaba.

Cuando llegué a casa me solté, llamé a Mafa, a Carolina, a Manuel, a tía Mechi. Lloré y conté la historia una y otra vez, con especial hincapié en su amenaza. Y todos reaccionaron igual:

—¿Te amenazó? ¡Es que es una arpía! Tienes que hablar con tu papá.

Y eso hice. Me sentía tranquila. Kathia me había amenazado y había pelado el cobre. Se le acabó el *show* y me había mostrado sus verdaderos colores.

Cuando llegó mi papá tarde de la oficina, o de estar con ella, me saludó sumamente parco, con la grieta en su entrecejo más pronunciada y sus ojos más oscuros. Me puse la pijama y fui a buscarlo a la cocina. Lo encontré picando su dosis nocturna de manzana verde:

—Hola, papi.

—Hola.

—Me imagino que ya te contó Kathia de nuestra reunión. Ella me llamó para pedirme…

—Sí, yo sé, ella me había dicho.

—Claro, claro. Bueno, si ya te dijo ya sabes, quedamos en que ella es tu novia y tú eres mi papá. No es necesario que ella y yo tengamos una relación. La verdad, para mí es demasiado difícil tener una relación con ella. Es mejor así.

—No, no es mejor así. No es posible así.

—¿Cómo así?

—Que no es posible. Ella es mi pareja y tú te tienes que llevar con ella. Tienes que tener una relación con ella.

—¡¿Pero, cómo así?! ¡Yo no quiero! ¡Es una arpía! ¡Me amenazó, eso no te contó, claro!

—Ella me contó todo y no tengo nada más que tenga que saber. Ella es la pareja que yo he elegido y ustedes, como mis hijos, tienen que tener una relación con ella, y punto.

—¿Yo no puedo tener una relación contigo sin ella atravesada?

—Exacto, así mismo.

—¿Papi, tú estás consciente de lo que me estás diciendo? Tú eres mi papá.

—Sí, estoy claro. Te estoy diciendo que para tener una relación conmigo, tienes que tener una relación con ella.

Lo miré tratando de que mis ojos comunicaran lo que mi corazón estaba sintiendo. El abandono, el dolor. Antes sentía enojo y lucha de poder con Kathia. Me sentía fuerte y empoderada llamándolos a todos para contarles sobre la conversación con ella.

Esto ahora era demasiado grande para disfrazarlo de enojo, era un abandono voluntario, no como el de mi mamá que fue forzado.

Llegué a mi cuarto, recientemente decorado de colores escandalosos, a llorar en la oscuridad del túnel al que no veía salida. No sabía a quién llamar para desahogar lo que sentía. No podía ser a ninguna de mis anteriores escuchas; no necesitaba audiencia para mi vergüenza; necesitaba quién me sacara del hueco por el que estaba cayendo.

Se me ocurrió llamar a mi tía Lucía, quien tiene el don de la escucha sin tintes de juicio. Ella fue siempre un polo a tierra, no nos veíamos ni hablábamos con frecuencia pero supe dentro de mí que ella me hablaría con claridad y objetividad.

Me contestó el teléfono, primero tranquila y luego alarmada por mi voz que no hilaba palabras entre hipos por el llanto, pero hizo su mejor esfuerzo por escuchar toda mi historia, sin interrumpir.

No reaccionó con la historia de Kathia, no reaccionó con su amenaza como habían hecho los otros, solo me prestó oídos. Yo quería que me dijera lo terribles que eran ellos, que aprobara mi lucha, que estuviese de mi lado, pero no lo hizo.

Cuando terminé mi relato, suspiró profundo y me dijo:

—Ay, mi amor, qué difícil. Lo siento mucho. Aunque no sé si yo soy la persona que te va a decir lo que quieres escuchar.

—Tran - qui - la, tía. Tú, di.

Tomó un respiro para armarse de valor, como si me fuese a dar la puñalada final.

—Yo no te recomiendo pelear esa batalla. Tu papá parece haber elegido a su pareja. Y si por alguna razón no funciona, no quieras que sea por ti. No pelees esa batalla, y nunca te olvides que "dos tetas halan más que mil carretas".

Me quedé sin palabras. Casi me atoro. No sabía si reírme o seguir llorando. Nunca había escuchado tanta verdad: "Dos tetas halan más que mil carretas".

—Pero ¿qué significa eso? Digo, entiendo lo que me quieres decir, pero ¿me rindo y ya? Yo necesito a mi papá. ¿Cómo así?

—Bueno, mi amor, capaz ese es otro luto que tienes que hacer. Tu papá consiguió a su pareja y va a seguir lo que decidan juntos. Él va a estar ahí para ti siempre, yo lo conozco, a ti no te va a faltar nada, pero la última palabra la va a tener ella. Ya te lo dejó muy claro. Y si te puedo dar otro consejo, deja de buscar eco en otros, porque lo único que haces es posponer tu luto y resistir lo que es. Mira, tu papá es así, y era así con tu mamá también. A veces era medio rebelde y le mandaba plata a su mamá sin que tu mamá supiera, pero al final del día él necesita y busca a mujeres fuertes como tu mamá y Kathia. Así es y punto. Y tu mamá era así, igualiiita; no creas. Controladora.

»Nuestros padres nos los da la vida y los aprendemos a querer como son. De chiquita los idealizas, después ves la realidad y los aborreces, y un buen día maduras y los amas tal cual. Y bueno, a ti te tocó más temprano. Haz tu luto y sigue adelante, que tú también eres esa mujer fuerte, pero déjale a él la suya.

No había nada más que decir. Nos despedimos de la manera más sentida, verbalmente, sin el abrazo que yo necesitaba.

Lloré un rato y ya más tranquila me acosté a dormir. No estaba en mí rendirme. Nunca había dejado pasar una lucha. Todo era una causa para mí, especialmente en el colegio. Como cuando emprendí una campaña abierta argumentando que nos ponían el aire acondicionado congelado para que tuviésemos que comprar el abrigo del uniforme. Esto de simplemente entregarme a lo que es y hacer el luto era nuevo para mí. Ya no me quedaban más lágrimas para llorar, solo el *shock* de saber que ahora debía dejar ir a mi papá también.

Lo más difícil sería pensar en que él me condicionó su amor. ¿Me tengo que llevar con Kathia para tener a mi papá? Eso me quita las ganas con los dos. En ese momento los odié, y eso formó parte del duelo también. Me permití volver a llorar la ira e impotencia, el primer paso hacia la aceptación.

23

Entrevista #6

Respiro la paz de este lugar. Estar sola me recarga; siempre lo ha hecho. Además, desde esta antigua torre de radar de la Zona del Canal, operada por los estadounidenses hasta 1999, en el punto más alto de Gamboa, usada estratégicamente en la Segunda Guerra Mundial y ahora convertida en un hotel pintoresco para aficionados al avistamiento de aves, me siento energizada por la madre naturaleza.

Este día ha sido mágico desde el inicio. Estoy leyendo y escuchando una novela, que es la autobiografía ficcionada de Ana, la esposa de Jesús. Ha sido uno de esos libros para leer despacito, como quien le hace el amor a un helado, lo suficientemente rápido como para que no se te derrita, y despacio para que no se te acabe sin saborearlo como se merece. Se llama *Libro de los anhelos*, de Sue Monk Kidd.

Aproveché el camino largo hasta el sitio que había elegido para mi caminata para escucharlo, y justo cuando atravesé el tramo de jungla que se hace en auto, era la narración del viacrucis y muerte de Jesús. Un personaje construido a través del libro, lejano al crucificado de la Iglesia. Este es más cercano, entrañable, tierno, enamoradizo y chistoso.

Y justo hoy, así como estoy, con las emociones rebozando el vaso, me toca el clímax de su muerte, sumado a la impotencia de Ana observando la tortura de su viacrucis como una más entre el público. Fue absolutamente poético, hermoso y desgarrador. Venía en el carro llorando y llegué a mi destino justo cuando estaban las mujeres, Ana, María Magdalena, María, entre otras, alrededor de una fogata sosteniendo un silencio de duelo.

Cuando inicié mi caminata comenzó a llover. Sentí que el agua del cielo disfrazaba mis lágrimas y me invitaba a bautizarme con ella. Todos estos aniversarios son invitaciones a sentir, pero este ha sido diferente, como que estoy de pie en el portal de algo grande. Hay una energía fuerte rodeando el proceso de adentrarme en esta historia.

Al regreso de mi caminata, calculando el tiempo para almorzar y llegar a tiempo para mi cita con el señor Mendieta, me sobraron algunos minutos para sentarme en el puente sobre el río, justo a la salida del trillo. Me quité los zapatos, porque me gusta, y sentada ahí con los pies colgando sobre el agua que corría, se intensificó la lluvia. También bajó un grupo de alrededor de ocho aulladores a un árbol cercano para observarme. Primero llegó uno y poco a poco el resto, como si fuese yo la bestia digna de admirar en el zoológico. Nos observamos un rato mientras sentía la lluvia caer y la intensidad de mi corazón.

Y así, repentinamente, se acabó el agua de las nubes, vi que estaba sobre la hora, me calcé y emprendí mi camino al carro.

Ya en el hotel, me cambié a ropa seca sin ducharme, almorcé en paz, sola en mi mesa, mirando por la ventana, y bajé con el tiempo justo para mi reunión.

Desde este pequeño escritorio en la ventana con vista a la jungla viva, puedo observar mis emociones polarizadas sin guerra. Me puedo conectar con mi cuerpo y ver cómo en un área habita la seguridad de saberme guiada y honrando un proceso al que me he sentido llamada, y por otra, el terror por lo que pueda surgir y las emociones desconocidas que quizás afloren. O que afloren en un espectáculo de lágrimas frente a este señor a quien no conozco.

Me trago mis miedos e iniciamos la llamada. No hubo conversación trivial. Luego de los saludos, abro el tema contándole sobre mi investigación y la intención de ella:

—Es extraño y siento un poco de vergüenza, pero la realidad es que estoy investigando el crimen de mi mamá. Así, sin más. Hasta ahora solo sé la versión que me contó mi padre a mis trece años, y ahora, a mis treinta y cinco, me siento capaz de saber más. También es parte de mi proceso de sanar algunas heridas que han quedado, de manera que le pido que me disculpe si lloro, tómelo como simple parte del proceso, por favor. Yo no le tengo miedo a llorar, no se vaya a preocupar si pasa. Y, sobre todo, le pido que me cuente todo lo que recuerde, sin miedos ni filtros.

—Claro, como usted desee. Yo recuerdo ese caso muy bien y creo que lo recordaré siempre. Estoy a su orden.

—¿Sabe que hoy es el aniversario veintidós de su muerte, y martes, igual que aquel día?

—¡No puede ser! ¡Mire, no lo había notado! Qué casualidad. Sinceramente no sabía.

—Sí, es una gran casualidad.

Presumo que está en su despacho porque está rodeado de papeles, impresora y algunos libros gruesos de esos que solo ellos entienden. Después me cuenta que está en su casa, que mudó su oficina al inicio de la pandemia y desde entonces se quedó ahí.

Ya conocía su físico por la cantidad de fotos que salieron cuando busqué su contacto en internet. Entre tantas noticias y fotos, no pude encontrar su información.

Inmediatamente cambió su tono de voz a uno monótono, exclusivo para relatos de hechos fidedignos:

—Yo trabajaba en la PTJ. Esa mañana me llamó el jefe del Consejo de Seguridad y director de la Policía y me informó de la situación. Un homicidio de primer grado. Había sido asesinada. Yo llegué poco después con el cuerpo de investigación. Se me pidió que tomara control de la investigación. Ubicamos después el vehículo en...

Parecía que estuviese hablando con el micrófono del noticiero, excepto por algunas partes que lo hacen flaquear y titubear. El miedo a herirme, supongo.

—Cuandolleguéallugardeloshechos,desafortunadamente, pude ver el cuerpo de su madre. Discúlpenme que hable en esos términos.

—¡No, por favor, cuénteme sin preocupaciones, que yo llegué aquí voluntariamente!

—Ya de ahí en adelante comenzamos la investigación. Importante para mí aclararle que ahí no hubo ningún tipo de acción sexual, eso fue comprobado con la autopsia y otras pistas de la escena.

—Gracias. Gracias por la aclaración.

Sí, realmente lo agradezco.

—Después nos enteramos de que el asesino era una persona que buscaba una solución habitacional, para alquilar o comprar. Y la señora salió de la oficina con ese objetivo, de mostrarle a esta persona la casa.

—Y dio un nombre falso, ¿verdad?

—Sí, usó un nombre falso. Una vez en la casa, me imagino que trató de acceder a ella, y ella se resistió y terminó entonces con esta situación lamentable.

—Era una casa en Altos del Golf, creo.

—Un dúplex, sí. Este hombre llegó con esa excusa. Ese era el *modus operandi* de él. Voy a omitir su nombre —dice negando con la cabeza y con algo de ira atravesada—. Habíamos identificado que tenía una cola de caballo por parte de los encargados de la panadería donde abandonó el auto de su mamá. También hubo alguien más que lo vio de lejos y nos pudo aportar algo adicional, pero se me escapa el detalle de quién fue exactamente. Lo que sí recuerdo, fue hacer énfasis al solicitar un retrato hablado con lo poco que nos pudieron compartir estos dos testigos lejanos, y con estos aportes se hizo un retrato hablado. Y la verdad que fue bueno, porque luego de que lo anunciamos en los noticieros, nos llamaron de una empresa de bienes raíces; la gerente, angustiada, contó que ella había sido citada para buscar una casa por una persona igual a la del retrato en las noticias. Nos dijo también que ella se parecía un poco, en rasgos generales, a la víctima. El sujeto del dibujo había ido a sus oficinas a pedir una cita para ver casas para montar una escuela de baile, pero el día de la cita algo pasó a último momento y ella no pudo ir. De manera que envió a alguien más de su oficina en su lugar.

»Y él mismo luego nos contó esto en la indagatoria, que la otra mujer no era con quien él se había citado y que además estaban haciéndole unos trabajos a la casa que fueron a ver.

»Para que vea lo psicópata que es, explicó sus intenciones y cómo cambió de opinión, decidiendo no atacar a la mujer, sin señal alguna de remordimiento.

—¿Y usted se acuerda del nombre de esta señora? Me encantaría conversar con ella.

No sé el porqué de este deseo. Me imagino en ella algo de culpa de sobreviviente y creo que sería sanador para ambas.

—No me acuerdo, disculpe. Con ella pudimos afinar el retrato hablado, y con este surgió otra señora que había reportado una violación, alguien que no había puesto una denuncia antes. Y ella sabía dónde trabajaba, y así fue como aprendimos su verdadero nombre y lugar de trabajo de bailes para adultos. Una vez ahí, nos facilitaron su identidad y nacionalidad. Ya con eso pudimos atar cabos a las otras dos denuncias por violación que habían sido puestas antes en su contra, las cuales sí tenían más información de vivienda, etc.

—Pero él no tenía historial de asesinatos.

Ya sé las respuestas de estas preguntas, pero quiero estar segura.

—No, él no tenía historia de asesinatos. Los reportes eran de violaciones. Tenía muchos de Costa Rica también y todos por violación. Tomó varios días la búsqueda, porque se había movido del lugar reportado como su vivienda donde habitaba con su pareja. Luego, nos llegó una pista de que estaba ubicado en un apartamento pequeño con otra pareja. Inmediatamente organizamos la redada y lo conseguimos casi listo para la escapada que tenía preparada hacia Colombia. En la indagatoria, primero negó todo, pero inmediatamente después aceptó haber cometido el delito y nos hizo el relato del crimen con mucho detalle.

Todo esto coincide exactamente con lo que mi papá me contó en aquel momento. Parece haberme repetido exactamente lo que le informó el señor Mendieta.

—Ustedes también llevaron a mi papá a una indagatoria en aquel momento, ¿verdad? Él me contó que sí.

Esto causó estragos en mi psique cuando mi papá me lo contó en aquel momento. Me desencadenó una serie de pesadillas, con unos dramas policíacos de tramas variadas en las que mi papá era la mente maquiavélica detrás de todo. Solo para ahogarme en culpa después al despertar, producto del amor y confianza ciega que siento por él; de culpa por permitir esas ideas en mi mente y sueños. Logré atrapar a este roedor del inconsciente cuando Ana María, mi psicóloga, me permitió el espacio seguro para hablar de todo aquello que nunca quise poner en palabras por miedo a ser juzgada, por mí misma, en realidad, pero en cuanto le permití salida, atrapé a la rata por la cola y a toda la culpa que ocasionó por acunarla durante tantos años.

—Sí, pero solo por procedimiento. Después de analizar la escena del crimen se nos hizo obvio que estábamos frente a alguien con características de depredador. Supimos que el autor y ejecutor del crimen eran la misma persona. También supe que se trataba de alguien que no estaba relacionado con la víctima. Esos conocimientos me los da la experiencia con la simple lectura de la escena. Por eso fue que insistí tanto en un retrato hablado, por más mediocre que fuese, así solamente incluyese que tenía una colita de caballo. Porque tenía la certeza de que rápidamente surgirían otras víctimas con más información. Y así fue. Otra cosa que me quedó clara al detallar la escena, fue que estábamos frente a un criminal altamente peligroso, que debíamos apresar lo antes posible. Nos sirvió que ya tuviera un antecedente. Y luego no fue difícil probar su culpabilidad porque su confesión fue muy amplia.

—Y otra pregunta. Cuando ustedes lo estaban buscando, ¿qué medidas se tomaron? Porque recuerdo que demoró. Algo como una semana, creo.

—Sí, hubo mucho trabajo de fronteras, pero él no hizo ningún esfuerzo por irse. En eso también nos ayudó la calidad del retrato hablado. Eso lo encerró más, porque sabía el riesgo de ser reconocido.

—Otra pregunta, ¿usted entrevistó a la mujer que lo tenía escondido?

—No, personalmente no.

—Me produce curiosidad por qué lo ayudó. Entiendo que era una mujer educada, con un excelente trabajo como psicóloga en un colegio prestigioso, y habiendo tanta información en las noticias, no entiendo cómo se dejó convencer. No juzgo, solo pregunto porque no entiendo.

—Sí, parece descabellado, pero eso pasa mucho, que las personas se dejen convencer, digo. Y hay que entender algo importante, este es un hombre manipulador, habilidoso. Le cuento un ejemplo, sin decir nombres por respeto, pero le cuento aquí en confianza que por el tiempo que lo tuvimos preso, durante la indagatoria y todo eso, nosotros lo manteníamos siempre esposado, porque sabíamos lo peligroso que era. Y recuerdo que un día, un alto funcionario que lo había entrevistado llegó donde nosotros a decir: "Ay, pobre ese muchacho, quítenle las esposas, cómo lo tienen así". ¡Imagínese, un hombre tan peligroso! Y es que él era tan hábil que sabía inspirar lástima y pena. Es que las personas así saben identificar a las personas que son vulnerables a su manipulación.

—Guao, qué fuerte, todo esto suena como una película.

Asintió y guardó silencio unos segundos antes de hablar:

—Usted disculpe que le pregunte.

—Por favor, con confianza.

—¿A usted a esa edad le informaron de todos estos sucesos?

—Sí, de casi todo. La verdad, antes de esta reunión estaba muy nerviosa de que me fuera a decir algo nuevo que me hubiesen omitido, pero hasta ahora no me ha dicho nada que mi papá no me contara en aquel momento. Cada día me sorprendo más de lo honesto y claro que fue conmigo.

—La verdad me da mucha pena que su familia haya tenido que pasar por eso. A mí me pone a pensar, ojalá hubiésemos… no sé. Pienso qué hubiésemos podido hacer para evitar que se diera todo esto. Yo siento que... no sé. Le repito, no sé si quizás con los otros casos. Yo a veces soy más crítico, pero no puedo evitar pensar si… si hubiese habido más empuje en la investigación con las denuncias anteriores. Las cosas no son perfectas, pero ojalá hubiésemos podido tener la información para detenerlo antes. Y sí, son cosas que lamentablemente no controlamos. No tengo palabras, no me imagino lo que ustedes deben haber vivido.

Una parte de mí quiere interrumpirlo y tranquilizarlo, y otra me dice que calle, que le deje hablar. Este también es su espacio de catarsis y conciliación.

—Mire, yo le juro que no tenía idea que coincidentemente hoy se cumplía un año más de este lamentable hecho.

—Sí, es una gran casualidad.

—Pero yo le recomendaría no enfocarse tanto en este señor. Digo yo…

—No, no. Por muchos años lo borré y me enfoqué en el duelo de haberla perdido a ella, pero ahora estoy sintiendo esta necesidad de enfrentarme a su miedo, a lo que vivió.

Se quiebra mi voz. Justo el miedo que tenía. Mis emociones llegan como una avalancha y se me escapan las lágrimas pese a mi esfuerzo y, por querer controlarme, me cuesta hablar:

—Más que en él... siento... siento la necesidad de enfrentarme al terror que ella... vivió en sus últimos momentos... —hago pausa en el intento de no desbordarme, pero caigo en la cuenta de que él no me interrumpe y me deja sentir, y eso me da paz—. Quiero honrar esta curiosidad por entender lo que ella vivió... porque hasta ahora ha sido una película de miedo en mi mente, basada en detalles de aquí y de allá, donde yo he rellenado los huecos. Por eso ahora quiero saber todo el detalle para así eliminar cualquier espacio para la creatividad cruel. Entre más sé, más callo las dudas y la ficción que se crea dentro.

—Claro, haga lo que tenga que hacer. Y yo estoy a su orden para lo que usted necesite.

—Muchas gracias, en serio. Y, sí... tengo una pregunta más. Mis tías, para mí ellas son únicas, las hermanas de mi mamá. Son como Sherlock Holmes.

—Sí, sí, sus tías —parece electrificado por un corrientazo de alegría y se acomoda en su silla—. Las recuerdo perfectamente. Ellas me llamaban bastante durante esos días, pero no crea que eran una molestia. En dos ocasiones recuerdo que tuvieron aportes de valor para la investigación. No recuerdo ya el detalle, pero sí tengo claro que sus llamadas eran valiosas. Porque nosotros sí nos llegamos a preocupar, especialmente cuando ya teníamos su nombre verdadero, e igual no aparecía ni había más pistas. Y sabíamos que debíamos resolver, y resolver rápido, pero sí nos llegamos a preocupar, porque hay un eslogan que tenemos nosotros que dice que "en toda pesquisa criminal, el tiempo que pasa es la verdad que huye". Y bueno, le pusimos todo nuestro esfuerzo a eso, y afortunadamente logramos la justicia. Y eso no le va a regresar a su mamá, pero sí me enorgullece de que por lo menos eso se logró.

Inmediatamente imagino una realidad en la que no hubiesen apresado al asesino. Nunca había visualizado esa posibilidad. La que tuve ya era bastante terrible y no imaginé un escenario peor. ¡Qué terrible! Sumarle al huracán de emociones de esas semanas miedo por la seguridad de la familia y futuras víctimas.

—La verdad es que es algo que he dado por sentado, pero que agradezco infinitamente. Especialmente porque ahora se me hace evidente el reto que fue.

—Sí, no fue fácil, pero la mejor satisfacción para mí fue poder decirle a su familia que ya habíamos conseguido al asesino.

Hace una pausa y su cara se transforma en pregunta.

—Lo que no recuerdo exactamente fue si el asesino pidió la cita por teléfono o si se presentó en sus oficinas a pedirla en persona. Me tiene dudoso quién nos dio la información para aquel retrato hablado que fue de tanto valor. Sé que obtuvimos alguna información de la panadería, pero hubo alguien más. Y al otro bienes raíces sí fue, pero no sé si se presentó en la oficina de su mamá también. No lo recuerdo.

—Eso yo lo puedo averiguar fácilmente. Conozco a quienes eran sus jefes porque, en pandemia, me hice amiga de su hija, otra de esas casualidades. Y tengo la confianza plena para llamarlos.

Nos despedimos tal y como abrimos la llamada, con estima y disposición aparente, pero breve. Él se puso a mi orden para cualquier otra pregunta, y yo le prometí aceptar esa oferta.

Quiero llamar a uno de los padres de mi amiga Vanessa de una vez y cerrar el espacio que le abrí a este proyecto, para volver a mi presente, a mi presencia absoluta y a la magia de este lugar.

24

Alfonso

Pedí quedar bruta de amor, sí, pero nunca me imaginé lo que podían producir en mí aquellos niveles de afecto. Me sacudió que me tomara de la mano todo el tiempo, me acariciara la piel, el cabello, y sobre todo sus besos suaves, lentos, de tiempo en pausa. También con revolcadas violentas, por supuesto, pero la ternura del tiempo neutro no la conocía ni en las películas. ¿Cómo iba a pedir lo que no sabía que existía? Esto me tomó desprevenida y perdí la cabeza, el corazón y la conciencia de mis extremidades. Me perdí toda, completa, en este amor de cachorros.

Mientras estudiábamos, me pisaba un pie para poder tener contacto físico mientras estaban ocupadas nuestras manos con la tarea. Nos besábamos en público hasta ahuyentar a nuestros amigos, quienes también comentaban sobre las caras de idiotas con las que nos mirábamos.

También me dio tribu. Ellos vivían en una casa cerca de la universidad. El "ellos" era ambiguo, porque me costó varios meses entender quiénes realmente vivían ahí, porque eran las mismas caras a toda hora. Ebrios en la noche y engomados al despertar. Alfonso me introdujo como un nuevo miembro de la manada y me recibieron con hermandad de culto. Sus dos mejores amigos, los mellos Lastra, me abrazaban y acariciaban con el cariño que no soñaría jamás recibir de mis hermanos. Al inicio no entendía qué estaba pasando: ¿será que son descaradamente coquetos? Me tomó un rato entender que sí lo eran, pero no conmigo. Simplemente eran otra especie de gente afectuosa, con el tacto, con "te quieros", con atenciones de vaso de agua por aquí y cerveza fría por allá.

Entre Alfonso y su manada me enseñaron a querer como quise querer por el resto de mi vida. Todo me parecía muy lindo y atractivo hasta que lo acompañé a Cali a conocer a su familia.

Su mamá se acostaba en su regazo mientras él le hacía cariños en el cabello. A su papá le apodaba "Gordo" cariñosamente. Lo abrazaba mientras participaba en la conversación a su lado.

Me costaba entender que estaba todavía en mi cultura, en mi idioma, no en otro continente, no en otro planeta. Hasta entonces no había caído en la cuenta de que en mi familia nadie se toca. Si trataba de abrazar a Jan Petter, me miraba con extrañeza: "¿Te pasa algo?". Y si en una llamada con mi papá alcancé a despedirme antes de que me cerrara el teléfono porque terminó la conversación (porque la vida es corta, se pasa de prisa), y alcancé a colar un "te quiero, papi", me respondía:

—Gracias, mi amor. —Seguido del "tut, tut, tut".

Y no porque fuera malo, porque me adora; simplemente porque no conocíamos nada más.

Por supuesto, como niña latina de hogar tradicional, todas las noches debía llegar a casa de mi papá. Casi toda la tribu estaba lejos de sus padres, fuera de sus respectivos países exclusivamente para estudiar en FSU Panamá. Yo no, y con respecto a la hora de llegada, mi papá se puso alerta y vigilante, pero el resto de las horas las pasaba con ellos. Huí de la soledad de casa y me refugié en esta nueva comuna de gente alegre y afectuosa. Y algunas veces, con la excusa de los estudios nocturnos, no llegaba a casa. ¡Y siempre fue cierto! Aunque estudiando juntos y pisoteándonos para sostener la corriente eléctrica.

Esta fascinación me funcionaba a pesar de, o quizás a causa de que tenía fecha de caducidad. Él continuaría sus estudios en FSU Tallahassee y yo en la nueva universidad de mis sueños, University of Texas. Nos amamos intensamente como Romeo y Julieta porque nuestro destino no era amarnos más allá del ahora. Y siempre pensé que, pase lo que pase, yo quiero un amor como este para el resto de mi vida. Quiero querer así, abrazar a todos, acariciar a todos y expresarles afecto de esta manera y por siempre. Mientras que durara el amor universitario, tomaría apuntes.

Pero la economía en casa y mi deseo por continuar este amor de comedia romántica me obligó a considerar seguir mis estudios en FSU Tallahassee. Estaba claro: costaba un tercio, la calidad educativa se resumiría a las ganas que le pusiera en cualquier lado, ya tenía a mis amigos, amigas y enamorado.

Alfonso se fue seis meses antes, y como buena trama que necesita complicarse, él solicitó separarnos para evitar el dolor de una relación a distancia. Decretó que era mejor el dolor voluntario que hacernos daño, y con esto se me partió el corazón.

Lo lloré en el aeropuerto y por tres días continuos en mi cama, arropada con su cubrelecho aromatizado de estudiante universitario que no lava sus cobijas. Tenía hambre de su aroma fuerte, como los perros cuando se quedan solos en casa.

En algún momento de la "llorimba", entendí que esto era lo que yo quería: la seguridad de una relación con fecha de caducidad, sin sorpresas. Al comprender que si me iba a Tallahassee sería una relación con la vulnerabilidad de la incertidumbre, apareció el miedo por esta relación y me dispuse a ser feliz sin él.

Bailé, coqueteé, salí en citas, paseos, aventuras, conocí tribus nuevas, me abrí a la vida más allá de Alfonso. De manera que al llegar a Tallahassee, seis meses después, me creí a mí misma no dependiente del amor. Regresamos y tuvimos nuestra relación soñada de jóvenes amantes sin toque de queda. Y lo viví; viví la relación entregada por fuera y saboteada por dentro. Me duró cinco meses el concubinato hasta encontrar suficientes razones creíbles para acabarlo. Los resultados fueron desastrosos: Alfonso quedó sumido en una tristeza enclosetada, y yo, empoderada en mi soledad con intención, pero nuevamente a la deriva y sin familia.

25

Entrevista #7

Permanezco sentada en esta mesita frente a la ventana; hay una iguana gigante postrada sobre una rama, inamovible como una escultura, en presencia y paz absoluta. Quiero usarla de espejo. La realidad es que mi ahora es creación mía, voluntad mía. Me recuerdo que estoy aquí, en este lugar soñado llena de intención y sostengo el hilo de mi curiosidad un rato más.

Le escribo a Vanessa para preguntarle si puedo llamar a uno de sus padres. Su papá era el jefe directo de mi mamá y dueño de la empresa. Me dice que, casualmente, tiene a su mamá a su lado y que justo tiene el tiempo y la privacidad perfecta para hablar. Me comparte su contacto y le hago una videollamada, porque prefiero conversar cara a cara. Mantengo el ritmo de la conversación con Efraín Mendieta; agradezco su disposición y salto directo al grano:

—Mil gracias por tu tiempo y por permitirme revolver la memoria de unos días que seguramente fueron muy difíciles.

—Sí, lo fueron, pero con mucho gusto. A veces es sano revolver. ¿Qué pregunta tienes, o cómo te puedo ayudar?

Ella opera desde el mismo mundo ejecutivo del hacer de Mendieta y "el grano" es su elemento.

—En realidad, solo quiero resolver una duda. Quería saber si el asesino de mi mamá hizo su cita con ella por teléfono o en persona.

—Por teléfono, definitivamente por teléfono. En ese momento Rogelio y yo estábamos casados y yo estaba involucrada en la empresa. Creo que tu mamá no debió trabajar ni un mes con nosotros porque yo participaba de la junta directiva mensual, en la que participaban todos los corredores, y nunca la vi. Ella trabajó máximo tres semanas con nosotros.

—¡Ah, guao! Eso yo no lo sabía, pensé que había sido mucho más. Tenía la sensación, por los recuentos que recibí, de que ella estaba frustrada por no haber hecho una venta, y presumí que era debido a que había estado en el trabajo sin vender por mucho tiempo.

—No, para nada. Te digo que máximo tres semanas. Si tenía esa sensación de querer hacer la venta, sería por competitiva, no por demorada. A nosotros nos afectó muchísimo. Me imagino que está de más decirlo, pero no sé, lo saco aquí hablando contigo. Rogelio estaba descompuesto. No entendía nada, no paraba de llorar. No entendía por qué no le había avisado para acompañarla a esa cita cuando era política acompañarlas a todas.

»Cuando nos enteramos, fue cuando apareció el cuerpo y llegamos al dúplex ese. Lo tengo grabado en la memoria. Cada vez que paso por ahí, revivo todo. Sentíamos mucha culpa e impotencia. Nos pusimos a la orden con la policía, y fue aún más frustrante porque no teníamos nada de valor que aportar. Como te digo, ni un retrato, nada. Después de la misa, nos presentamos en la casa de ustedes y nos sentíamos fuera de lugar. Como que queríamos remediar algo, pero era imposible. Simplemente vivimos nuestro duelo aparte, procesando toda esa frustración y culpa.

Todavía me impacta la cantidad de gente que sufrió su propia historia como secuela de este suceso. Yo inmersa en mi dolor y recibiendo tanta atención, me sentí única, pero había un mundo afectado fuera de mi burbuja.

—Qué duro vivir eso.

—Sí, perdón, me da hasta culpa decírtelo porque no se compara a lo que vivieron ustedes.

—No invalides lo que sentiste. No es competencia de a quién dolió más. Cada experiencia es única, digna de ser sentida y compartida.

—Gracias, y gracias por llamarme. Así hayan pasado tantos años, se siente bien hablar de esto, y más contigo. Cuentas conmigo para lo que necesites. Qué pena que sigo sin poder ser de mucha ayuda —dice mientras ríe un poco y yo también.

Denise fue mi jefa lejana cuando llegué de un viaje de India, directamente a un trabajo en un colegio nuevo. Era una de los seis fundadores, el resto hombres, y siempre fue una figura femenina admirable para mí. Una mujer trabajadora, con una energía de poder y seguridad. Tenerla así, cara a cara, compartiendo nuestro pedacito de sentir dentro de esta historia, la acerca a mí. Me conecta al corazón de esta mujer que admiro.

—Seguro te llamo si surge algo más, pero me has resuelto un par de dudas. Mil gracias por tu tiempo.

—A la orden, Anamari, siempre a la orden.

Y cerramos la llamada. Me sostengo un rato más aquí en este limbo de respuestas que acarrean más preguntas.

Entrada en mi cuaderno:

Hoy tuve dos conversas, la entrevista a Efraín Mendieta y con Denise Eisenmann. En la de E.M. estuve sorprendentemente tranquila. Con Denise me solté un poco más. Los temas que parecen siempre romperme al hablarlos son: 1. El momento en que mi mamá cayó en la cuenta de que estaba en peligro y, 2. El momento de saberse muerta, el entender que se perdería de sus sueños y de ver a sus hijos crecer.

Éste último es recurrente. Me parte en dos.

Me paso a la cama y le doy rienda a mi sentir. Repaso esto en mi mente; nosotros, todos, por separado, la lloramos, pero ella se desprendió de nosotros, de todos a la vez, del sueño de vernos crecer, del sueño de ser abuela. Y luego ni hablamos de ella. Nunca. Hubo y hay tanto dolor alojado en nuestro cuerpo que hablar de cualquier tema en torno a ella, hasta de los momentos más felices, presenta el peligro de la vulnerabilidad. Creo que esta ya no es mi realidad.

No sé si lloro por ella o por mí. Me abrazo en este estado un rato y permito a las lágrimas fluir. Es verdad que las emociones se atraviesan como un túnel. Son finitas, hay un otro lado.

Mi mente luego me lleva a extrañar. El deseo profundo de tenerla cerca, olerla, tocarla. Este deseo nace desde el anhelo de la niña dentro de mí. Aprieto los ojos y nos imagino acostadas en la cama, frente a frente, tomadas de las manos, las cuatro manos juntas en una bola y los cuerpos muy cerca. La textura familiar de aquella pijama rosa de algodón cubierta de bolitas rozando mi piel.

Me sostengo en la intensidad del extrañar y el placer por la cercanía imaginada. Me siento pequeña, vulnerable, sola y a la vez consolada por la habilidad de tenerla cerca con facilidad. Me sostengo ahí, llorando, hipando, y luego se interrumpe mi imaginario de golpe. Como si fuese un cambio en la programación, como en la televisión en los tiempos de antes, brusco e inesperado. Se reemplaza todo por la imagen de mi hijo Camilo pidiéndome dormir conmigo: "Quiero estar contigo, mamá".

Esta imagen no incluye cómo lo rechazo, porque debe dormir solo en su cama, porque tanto nos costó entrenarlo y no debemos echar para atrás. No, eso no está aquí ahora. Solo imagino su cuerpo caliente, pequeño, impulsándose para estar lo más pegado posible al mío, sus rulos suaves invadiendo mi nariz y mis labios, sus manos tomadas de las mías, el ritmo de su respiración tranquila por tener a mamá cerca.

Me permito sentir este cambio, le doy la bienvenida y siento una risa de gozo en mis adentros. Agradezco a quienes hayan cambiado la programación por esta revelación y me permito disfrutarla. Y la gozo aún más porque sé que mañana volveré a casa y lo repetiré en persona hasta que se aburran mis hijos de mí. Me quedo un rato más en mi imaginario hasta que se desvanece todo.

Ya no hay lágrimas y me permito abrir los ojos al ahora de mi habitación, al ruido de las chicharras y toda la sinfonía nocturna de la jungla. Tengo una sonrisa de oreja a oreja por el regalo que acabo de recibir. El entender que el amor de hija que ansío vibra a la misma frecuencia del gozo de madre del que me estaba privando. Hago la nota mental de no hacerlo más, de entregarme al afecto que me está pidiendo mi alma y mis hijos. Siento plenitud absoluta. ¡Cuánto amor! El que recibí que me enseñó a amar y ahora este que me enseña a transformarme y sanar.

Veo la hora, son las nueve de la noche. No quiero que se acabe este día. Tomo mi libro y me entrego al placer de leer sin interrupción hasta que se me funda el cerebro.

26

Panamá, la idea

En Estados Unidos, en 2008, la bolsa se fue al diablo, la bancarrota de Lehman Brothers forzó una fuerte recesión económica, el mercado de créditos se congeló y 3.5 millones de personas perdieron su trabajo.

Mientras, yo soñaba con un trabajo en comunicaciones en alguna oenegé con enfoque en la infancia, en Estados Unidos o cualquier otro país que no fuese Panamá. Mi limitante fue la recesión gringa, porque arrastró al planeta entero como consecuencia de su avaricia, menos a Panamá, que salió ilesa de aquel huracán.

Me gradué en Tallahassee, Florida, en agosto; saqué un permiso de trabajo por un año, me mudé a la lavandería de Mafa y tomé un trabajo en una pizzería mientras conseguía el puesto de mis sueños. Mis días de agosto a octubre fueron todos iguales:

7:30 a.m. - Ritual del café y desayuno con Mafa.

8:30 a.m. - Ir a Cosi por un té, investigar vacantes y redactar las mejores cartas de presentación de la existencia.

12:00 p.m. - Regresar en bici para almorzar con quien estuviese en casa.

1:00 p.m. - Sentarme al pie de mi colchón a dar seguimiento intenso a las hojas de vida enviadas hasta la fecha.

3:00 p.m. - Turno de trabajo atendiendo mesas en la pizzería.

10:00 p.m. - Salida de la pizzería y un delicioso vino con quien me quisiera acompañar en casa.

Todos iguales, con la misma imagen mental como mi motor: yo trabajando para algún organismo no gubernamental internacional, conquistando retos nuevos creativos en el trabajo todos los días, perdida explorando una nueva ciudad, compartiendo un pícnic en un parque con nuevos amigos, un vino en un bar con una nueva amiga del trabajo y un apartamento minúsculo lleno de sueños.

En Panamá esto no podía ser. Me contaba historias de todo tipo de por qué en Panamá no: allá la gente es cerrada, me ahogo, es difícil conocer gente, qué pereza Panamá, si me voy para allá no voy a salir jamás, quiero ser como aquellos que trabajan en las multinacionales y conocen el mundo a través de sus trabajos, pero nunca en Panamá, eso allá no se puede. Panamá equivale a estancamiento y ahogo.

Tía Mechi me llamaba:

—Ani, pero ¿por qué no aplicas en Panamá también?

—No, tía, estoy buscando en cualquier otro lado menos allá.

—Yo creo que es porque no quieres regresar a la casa de tu papá y Kathia. Si quieres te puedes mudar a mi casa. Tengo un cuarto extra y lo puedes deco...

—Qué bella, tía, pero no, gracias. No tiene nada que ver con ellos. Es Panamá, me parece mi peor pesadilla. Y no solo eso, sueño con trabajar en otro lado, conocer otros lugares, gente nueva.

Esto decían mis palabras, pero mi inconsciente soñaba con lugares imaginados donde nadie conocería mi historia ni me vería con ojos de "pobrecita". En cualquier otro lado podría ser quien yo quisiera ser. Si trataba de reconciliarme con la idea de regresar, sentía que se me apretaba el pecho, se me hacía corta la respiración y me faltaba el aire. No era una opción.

Un día, llamé a un jefe que tuve en una pasantía en la oficina regional de una oenegé mientras estudiaba en FSU Panamá, para pedirle una carta de recomendación. Nos pusimos al día, le conté del trabajo de mis sueños y los lugares a los que estaba enviando solicitudes. Sobre todo de una oportunidad que estaba progresando, lento, pero era la única con suficiente movimiento para pedirme algo de documentación.

Él me contó que estaba actuando como representante interino de la oficina de Panamá, disfrutando mucho su puesto con unos proyectos nuevos e interesantes en camino. De hecho, uno de ellos era una vacante que sería perfecta para mí. Era una consultoría de seis meses con dos responsabilidades: manejar un proyecto llamado Art in a Bag, implementado originalmente en Banda Aceh, Indonesia, después del tsunami, y ahora en la provincia de Darién, la más grande e inhóspita de Panamá, que tiene números de pobreza y mortalidad infantil de terror. Este involucraría pasar la mitad del tiempo en Darién; y la segunda, acompañar una visita puntual de MTV con una banda pop juvenil a la comarca indígena de Guna Yala, con el objetivo de poner en evidencia la exclusión social que viven nuestras naciones indígenas a través de un especial televisado. La consultoría ofrecía el doble de salario que yo aspiraba ganar en mi primer trabajo después de la universidad.

Cerré la llamada con el corazón alborotado y pasé la noche en vela. O me mantenía fiel al sueño de ser una nómada global de oenegé en oenegé, o aceptaba esta oferta de trabajo, que en papel sonaba como algo que no podía soñar porque no sabía que se podía pedir tanto. Sumada a la emoción de descubrir lugares, porque nunca había estado en Darién ni en Guna Yala, dos lugares de naturaleza exuberante y con patrimonios culturales únicos.

La vida me quería tanto de regreso a mi tierrita que me estaba ofreciendo más allá de mi capacidad de soñar. De manera que comencé a sanar la idea de regresar a Panamá, narrándome una nueva historia: la verdad, un país puede ser lo que tú quieres que sea, solo vas a estar la mitad del tiempo en la ciudad, puedes vivir la vida que tienen los extranjeros en Panamá, una turista en tu país, puedes hacer un excelente trabajo y así lograr entrar en la base de datos internacional de contratación y luego te postulas para otros puestos en otros países... todo mientras ahorras.

Y así quedó decidido. Empaqué mi cuarto de lavandería, me despedí de mis anfitrionas y abordé un vuelo hacia Panamá el 10 de octubre de 2008. Nerviosa de estar caminando hacia una trampa de caza, tras un delicioso bocado, perfecto y bien situado. De haber sabido la manera en la que el destino me obligaría a sanar las heridas que vivían en el trópico, me hubiese quedado sirviendo *pizzas* feliz para toda la vida.

27

El periódico

Una vez recuperada del alivio de no aprender nada nuevo sobre el momento de la muerte de mi mamá, regresé a mi estado de curiosidad. Sé que hay más, pero no sé cuál camino seguir.

En mi lista de tareas tengo que ir a la hemeroteca de algún periódico local, siguiendo el consejo de un amigo escritor que me dijo:

—Te recomiendo ver los periódicos de esos días. No importa si no encuentras algo puntual, pero te va a agregar valor ponerte en ese espacio de tiempo. Quizás hasta te refresca la memoria de algunas cosas. No pierdes nada.

Comencé por Google con una búsqueda del nombre de mi mamá. Primera noticia en la lista de resultados: "Sádico y despiadado asesino tico".

No, esta no es la ruta.

Llamo a mi amiga Paola que trabajó como periodista, en un diario serio, no amarillista, donde podré encontrar noticias de verdad y no el sensacionalismo de esos días que me produce dolor de estómago.

La llamada dio frutos; me puso en contacto directo con la directora del periódico quien se ofreció a ayudarme como pudiese:

—Anamari, les comenté a algunos miembros del equipo sobre tu investigación y surgieron recuerdos fuertes de esos días. La verdad que todos quedamos muy impactados con esa historia en aquel momento; es imposible olvidarla. Nos parece admirable que lo estés volviendo a abrir; cuenta con nuestra ayuda para lo que necesites. Te estoy compartiendo el contacto de Mariela, la encargada de la hemeroteca. El periódico está cerrado por la pandemia, pero ella va una vez por semana y pueden coordinar. También te paso el contacto del Dr. Guillermo Márquez. Él fue el abogado de parte de tu familia y seguro te ayuda con gusto; escríbele. Como te dije, quedo a la orden. Me avisas si necesitas ayuda encontrando el expediente, aunque no te lo recomiendo. A lo sumo contratar a algún pasante que lo revise por ti y te pase lo que necesites.

—¡Vaya, muchísimas gracias! Les escribiré a ambos y te aviso si llego a necesitar tu ayuda nuevamente. Gracias por todo el apoyo. Y buena idea lo del pasante, porque estoy clara, yo tampoco quiero abrir ese expediente.

—Buenísimo, de acuerdo. ¡Estoy a la orden, suerte con eso!

Me tomó unas semanas lograr la visita, pero aquí estoy. Es surrealista una empresa de esta magnitud, con sus tantos departamentos, revistas, diferentes periódicos, área de máquinas, casi toda vacía. Es sorprendente todo lo necesario para sacar un periódico adelante.

Atravesamos un laberinto de pasillos, algunos formales, corporativos, templados, y otros como sacados de una época industrial, húmedos, oscuros y acalorados, para luego regresar a la corporación de vidrio y aire acondicionado. Mariela, la encargada, liderando el camino, abriendo puerta tras puerta con su llave electrónica, hacia el pasado que busco consultar.

Cuando finalmente llegamos a la antesala de la hemeroteca, el olor me da la bienvenida a otro tiempo. Me recibe a mi derecha la imagen de un cómic enmarcado en la pared, de una sola imagen con los tres líderes políticos después de la invasión a Panamá y el final de la dictadura del general Manuel Antonio Noriega: Guillermo Endara, Ricardo Arias Calderón y Guillermo *Billy* Ford, alegres sacando a la justicia de la cárcel: la mujer en toga griega que conocemos, pero en harapos, con sus ojos vendados, las leyes en una mano y la balanza en la otra. Esta imagen me pone la piel de gallina, me acelera el corazón y por alguna razón me empaña los ojos. Me hace consciente de la historia que guardan estas paredes y el esfuerzo clandestino de quienes lo fundaron durante la dictadura. El cuarto contiguo guarda muchas de las crónicas de nuestra política y noticias del mundo a través del tiempo.

Mariela me pregunta por las fechas que necesito:

—El 13 de octubre de 1998 y los catorce días siguientes.

Mi objetivo es saber exactamente cuánto tiempo les demoró encontrar al asesino y cualquier otro detalle que pueda surgir que no sepa hasta ahora. También quisiera viajar a esos días, ver la publicidad y las noticias relevantes del momento.

Hay dos escritorios con montañas de papeles y computadoras antiguas con pantallas en forma de cubo, ya amarillentas. Me siento en uno de ellos a esperar. Mariela me trae dos tomos gigantescos:

—Cada uno de estos tiene cinco días partiendo del 10 de octubre. Ya te traigo los otros.

—¡Gracias, gracias! ¿Te ayudo?

—No, tranquila. Ponte cómoda. Recuerda que vas a ver las noticias de lo que buscas, como mínimo, al día siguiente del suceso.

—¡Ah, sí, claro! Gracias, lo tomaré en cuenta.

No me puedo poner muy cómoda porque estos libros son larguísimos y necesito estar de pie para leer bien.

Abrirlo es un viaje en el tiempo inmediato. Todos los políticos de hoy día están en sus primeras movidas luciendo jóvenes y llenos de ilusión. Me cautiva el colorido de la publicidad, los artículos de interés, las películas, las noticias de farándula, la ropa, etc.

Me salta la noticia de: "Chávez fue electo senador en Táchira. Alianza de Chávez gana las elecciones". Me provoca gritales por un portal a través del periódico: "¡no lo hagan, no lo hagan!"

Leo en detalle el día del 13 de octubre a pesar de que sé que no encontraré nada sobre lo que supuestamente busco. Tocar este periódico me lleva a aquella mañana mientras desayunábamos. Esta edición estaba sobre la mesa del desayunador en esa última mañana, mientras mi mamá regañaba a Iván por no ponerle el aparatejo Multilock al carro.

En el 14 de octubre tampoco hay noticia. Claro, ella murió el 13, pero su cuerpo apareció la mañana del miércoles 14. El jueves sí encuentro algo, pero no es una noticia; es un aviso de 5 x 8 centímetros, en blanco y negro, de la Internacional de Seguros (I.S.), empresa que gerenciaba mi papá:

Ha muerto la Sra. Lolita Alfaro de Eskildsen

La junta directiva de la Cía. Internacional de Seguros, S.A.

Invita por este medio a las honras fúnebres que se efectuarán en la Iglesia del Carmen a las 3:00 p.m. del día de hoy, en el cual se le dará cristiana sepultura.

Se solicita no enviar ofrendas florales, en su lugar se agradece enviar donaciones al Asilo Bolívar.

Le comento a Mariela sobre lo extraño que me parece este texto y me explica que el periódico no publica noticias sobre muertes de civiles. Eso es noticia en diarios con otro enfoque.

¡Claro! Tiene muchísimo sentido. Ahora me siento ridícula de pensar que la muerte de mi madre sería noticia.

Sigo pasando, llego al día siguiente y encuentro un anuncio aún más extraño. Este es de página completa, también de la I.S., pero parece un acta de junta directiva:

LA JUNTA DIRECTIVA DE
LA CÍA. INTERNACIONAL DE SEGUROS, S.A.
CONSIDERANDO

1. *Que el día 13 de octubre de 1998, falleció en la ciudad de Panamá la Sra. Lolita Alfaro de Eskildsen;*
2. *Que la Sra. Lolita Alfaro de Eskildsen era la esposa del Sr. Manuel A. Eskildsen, Gerente General de la Cía. Internacional de Seguros, S.A.;*
3. *Que la Sra. Lolita Alfaro de Eskildsen, en todo momento se distinguió como esposa, madre, hija, hermana y amiga ejemplar;*
4. *Que la Sra. Lolita Alfaro de Eskildsen, en vida, se destacó por amar y servir a los más necesitados.*

RESUELVE:

1. *Lamentar, como en efecto lamenta, la sensible desaparición física de la Sra. Lolita Alfaro de Eskildsen;*
2. *Destacar sus grandes cualidades y don de gentes para que sirvan de ejemplo a futuras generaciones;*
3. *Guardar un minutos de silencio en la próxima reunión de junta directiva;*
4. *Entregar copia de esta Resolución a su esposo, hijos y demás familiares.*

Panamá, 14 de octubre de 1998
(Firmas de presidente y secretario de la empresa).

Esto me remonta a la película de terror con los intermedios de parodia social de aquellos días. Yo solo tenía trece años y no entendía lo que estaba pasando, pero sí sabía que mucho estaba vacío de sentido común y auténtica humanidad.

En los siguientes días aparecen dos anuncios más, pequeños, de otras dos compañías de seguro, anunciando su pésame en el periódico. La gente debía estar confundida en cuanto a su proceder frente a una tragedia de esta magnitud en nuestro istmo. Estoy segura de la pureza de sus intenciones, pero el resultado fue un tanto extraño.

El jueves 22 de octubre aparece la noticia en primera plana: "Stripper costarricense confiesa asesinato de ejecutiva panameña". Esto significa que lo detuvieron el 21, ocho días después de su muerte. Esto coincide con mi recuerdo del paso de los días sin respuestas, y ya en la segunda semana la esperanza por sabernos seguros, de tener justicia y un cierre emocional a esta parte del duelo. Porque no nos regresaría a nuestra mamá, pero sí descansaría esa sección del dolor.

"...tras señalar que el móvil del homicidio fue un intento premeditado de violación carnal".

"Dolores Alfaro, de 44 años, fue encontrada muerta el pasado martes en una residencia ubicada en Altos del Golf, San Francisco; su cadáver presentaba una herida punzocortante en el cuello y fractura en el cráneo. Su muerte, según la autopsia, fue por un *shock* hemorrágico y se descartó que fuera violada".

Leerlo aquí es la confirmación que necesitaba. Ya lo triple sabía, pero esto, sin duda, calla todo.

"Las investigaciones revelan que el costarricense estaba incluido en la lista roja de la Interpol por tener en su contra unas 20 denuncias en Costa Rica por intento y violación carnal, y su movimiento migratorio registra entradas y salidas de Costa Rica a Panamá y viceversa desde 1996 por vía aérea".

No entiendo. ¿Cómo alguien está en la lista de Interpol y viaja entre países innumerables veces como Pedro por su casa?

"Un día antes, la víctima pudo ser otra ejecutiva de bienes raíces, cuando el costarricense... [el periódico también evita nombrarlo]... utilizando el mismo *modus operandi,* fingiendo estar interesado en una residencia, citó a otra vendedora a la cual también intentó enamorar con sus "encantos físicos", pero se encontró con la sorpresa de que en el lugar había un agente de seguridad por lo que abortó sus intenciones, señalando que la casa no le gustaba".

Cómo me gustaría conocer a esta mujer.

"Méndez Fábrega señaló <...> que lo sensato sería elevarla <la pena> a 30 años. Sin embargo, es de la opinión de que si se actúa de esa manera este delincuente saldrá algún día a la calle y volverá a cometer el mismo horrendo delito".

En 1998, la máxima pena era de veinte años, que fue a lo que lo sentenciaron por los tres crímenes. Nuevamente me asombra con repudio cómo solo por ser un caso que generó tanto escándalo, se evalúan estos temas que siempre fueron un problema. Sin duda hubo muchos casos antes y después, de igual magnitud, sin ningún esfuerzo por cambiar la ley.

Ahora más objetiva sobre los hechos de su muerte y todo lo que se generó a su alrededor, comienzo a entender la magnitud de lo que fue. En el momento solo me sentía en el ojo de algo muy grande, sin poder entender más que, mi mamá murió asesinada, todos me miran y esto se siente surrealista.

He fotografiado lo que me llamó la atención, incluida esta noticia. Con esto tengo suficiente. Seguramente Mariela me ayudaría a encontrar las noticias sobre la audiencia, de cuando se escapó de la cárcel y su reaparición en Venezuela años después, pero ya he tenido suficiente. Me voy a casa a digerir esto y si necesito algo más, seguro lo encuentro en internet.

28

Panamá, la vida

Hubo un periodo de luna de miel en casa, con preguntas afectuosas como:

—¿Cuál quieres que sea tu comida de bienvenida a tu regreso?

—Mmm… ¡qué delicia este consentimiento! Quiero arroz del priti con lentejas, corvina, tus patacones enormes y crujientes con tu ensalada especial.

Y como buena luna de miel, duró poco, o se sintió corta. Mafa, mi amiga sabia, siempre ha dicho: "Las visitas son como el pescado; después de dos días, apestan".

El problema fue que en mi cultura panameña te convertías en visita cuando te casabas; me vendieron que uno debía vivir con los padres indefinidamente hasta hacerte tu nido propio, en pareja y del género opuesto.

Yo no me sentía visita hasta que me sentí visita, y la visita que apesta. Y nada pasaba realmente, era solo el sentirlo. En las mañanas me comportaba como siempre fui desde la mesa redonda de la terraza del dúplex de Marbella. Mi papá y yo discutíamos el último partido de tenis, el último escándalo de corrupción o el último chiste de Carolina. Mi papá preparaba el desayuno mientras comía de pie, y Kathia comía en silencio. Si le preguntaba algo me contestaba en monosílabos. Pronto aprendí que no era muy mañanera. Claro, respetable. Aunque a las semanas sí sentí que su cara en las mañanas estaba torcida en un gesto permanente como si este pescado ya apestara.

En las tardes sí era afable. Incluso, en algunas ocasiones teníamos conversaciones amenas, aunque otras no tanto. De esas que no fluyen, sin más.

No demoré mucho viviendo ahí, solo un mes redondo. Y nunca fue mi plan irme, no tenía en el radar otra alternativa más que seguir la tradición de salir de casa al casarme.

Había llegado la noche anterior del viaje a las islas con MTV. Estaba emocionada porque había sido una experiencia transformadora e inolvidable. Todo lo laboral fue especial, pero lo transformador fue que hice una conexión inmediata con uno de los miembros del equipo. No fue romántica, ya que en ese tiempo no me dejaba tocar el corazón o el cuerpo ni con un palito a tres metros de distancia. Simplemente, fue que al conocerlo no podíamos dejar de hablar. Cuando terminaba el día de trabajo nos quedábamos en la arena contándonos hasta los detalles minúsculos de nuestra vida y, por supuesto, los trozos grandes también.

Él me contó su historia de cómo había sido acusado por su hija de abuso sexual, manipulada por su madre. Había ido a juicio y ganado, pero en el camino se le rompió el corazón y se autoexilió de su país. Se abrió sobre su proceso de sanación y de cómo posponerlo hubiese causado estragos en su vida. Al escuchar mi historia, toda, no solo la muerte de mi mamá, sino mis autosaboteos, amores y desamores, me aconsejó buscar ayuda.

Por supuesto, yo ya había recibido este consejo innumerables veces, de Kathia, de mi papá y de mi tía Lucía, pero los consejos fuera de casa suenan más fuertes o se escuchan más, y además, me hizo ver con empatía el futuro que me esperaba si no enfrentaba mis demonios.

Regresé a Panamá decidida a abrir la herida, sacar la bala y sanar. Realmente sanar. Me sentía fuerte y con hambre de vivir con todos sus matices.

Esa mañana me desperté con un fuego dentro que se me desbordaba. Algo más profundo me decía que no debía compartir nada con mi papá y con Kathia, pues en mi dicha había vulnerabilidad.

No tuve opción porque se me derramó la vida. Me preguntaron sobre mi paseo, de cómo me había ido y con la pregunta se abrieron las compuertas. Traté de hablar con ligereza, contrario a la intensidad que se desbordaba. Debí parecer una enamorada hablando, porque mis palabras decían una cosa y ellos escucharon otra:

—Y bueno, después de contarme su horrorosa historia, me convenció de que debía buscar ayuda y comenzar terapia. Nunca había querido, pero creo que tiene razón.

Pensé que les estaba dando la razón a su viejo argumento y que me responderían con un: "¡Qué bueno, Ani, finalmente! ¡Si quieres nosotros te la pagamos, qué buena noticia!". Pero no, esa parte pasó inadvertida.

—¿Ani, pero qué sabes de ese hombre? ¿Qué tal que sí sean verdad las acusaciones en su contra? —dijo Kathia.

Me desinflé. ¿Para qué hablé?

—Ajá, pero qué diferencia hace. No viene al caso. Yo le creo, ustedes no, pero eso no cambia nada, ni su vida ni la mía. No les estoy diciendo que me vaya a casar con él; está felizmente casado y con hijos. Solo les estoy contando que a través de su historia y sus consejos aprendí que es hora de trabajar lo mío.

—Bueno, porque me preocupa que te creas todo lo que te dicen —dijo mi papá, siempre pensando que somos dulces corderitos ingenuos y que nos va a comer el tigre mundo.

—Ajá, pero nuevamente, no viene al caso.

Me puse de pie, la energía de la frustración no me permitía seguir tranquila comiendo mis huevos en la mesa del desayunador.

—Ese no era el punto de la historia. Y yo, contándoles, pensando que se iban a alegrar por mí. Por lo menos tú, Kathia, que tanto me has insistido en que no estoy bien —posiblemente dicho en tono burlón—. Es muy frustrante. ¿Piensan tan poco de mí? No sé para qué les cuento nada.

Kathia se puso de pie también.

—Ani, es tan difícil decirte algo. Todo te lo tomas a mal, no se te puede aconsejar. Es imposible. Sí, me parece buena idea que consigas ayuda.

—Es que el problema, Kathia, es que nadie te ha pedido consejo. Jan Petter no te pidió consejo sobre si su apartamento en NY estaba limpio, ni Manuel sobre si a sus bebés debían complementarles la fórmula con agua, ni yo sobre qué te parece mi estado emocional. Sería bueno que aprendieras que quizás los consejos no solicitados no son bienvenidos.

Se quedó en silencio con ojos de ira y odio. Mi papá sí seguía sentado como un espectador. Le faltaban las palomitas.

—Anamari, te voy a pedir que me respetes, que respetes esta casa. Ustedes son imposibles. Sí te voy a decir que en mi casa no me voy a quedar callada. Te había querido mencionar la foto que tienes en tu mesita de noche, esa foto de tu papá con tu mamá.

Yo amaba esa foto. Era un retrato de mis padres bailando en una fiesta, cachete con cachete, sonriendo con los ojos cerrados al ritmo de la música. El solo hablar de esa foto me hirvió la sangre. Entró en mi mundo, en mi espacio sagrado, cruzó una frontera. No supe qué decir. Pensé que quizás mi papá me apoyaría frente a semejante violación de mi espacio dentro de su casa. Lo miré esperando respuesta, a ver si decía algo.

—Bueno, Ani, qué te puedo decir. No me parece muy apropiada esa foto, además, salgo borrachísimo.

—¡La foto es divina! Es una foto hermosa de mis padres —dije mientras me brotaban lágrimas de abandono—. Si esa foto no es bienvenida en esta casa, yo no soy bienvenida en esta casa.

—Ay, tampoco exageres —me dijo mi papá—. Solo hablamos de que es un poco inapropiada, no te lo tomes como ofensa.

—Yo pensé que me ibas a defender, que ibas a cuidar mi lugar, pero no, claramente tú nunca vas a estar de mi lado.

Y me fui. Tenía una reunión temprano en la oficina para la entrega de todo el material para los comunicados de prensa por la visita de MTV, pero no me sentía capaz; el sentimiento de traición me había derrotado. Entré a la ducha a ver si lograba lavarme el dolor y hacerme presentable para la oficina, pero no pude. Me tuve que sentar en el piso de la ducha porque las rodillas no me aguantaron. Me sentí sola, lloré de orfandad. Lloré y lloré sin pensar. Habiendo soltado ya un río y sin poder ver el final del pozo de lágrimas, me di cuenta de que no podría llegar a la reunión. Pero ¿cómo explicarlo? No se murió nadie. Físicamente no tenía excusa. Llamé a mi jefa directa, quien me esperaba:

—I - nés. No - sé - si - pue - da - lle - gar - a - la - reu - nión.

—¿Qué te pasó? ¿Estás bien?

—Sí, estoy muy apenada porque físicamente no me ha pasado nada. Solo acabo de tener la peor discusión que haya tenido con mi papá y mi madrastra. Creo que me tengo que mudar de casa. Estoy descompuesta, no me puedo parar.

—O - ok. Bueno, tómate el tiempo que necesites. Si me puedes ir adelantando algo te lo agradecería, pero si no, nos vemos cuando puedas.

—Gracias, Inés, voy a tratar de ir lo más pronto posible.

Me eché a llorar una media hora más y luego resolví llamar a tía Mechi. Solo le conté que discutimos y que me criticaron la foto.

—Ani, vente para acá. Allá no vas a estar bien. Vente para acá. Te tengo un cuarto, lo puedes pintar como quieras, decorar como quieras, poner las fotos que quieras. Solo vente.

—No sé, tía, quisiera, mucho, mucho. Nunca lo había realmente considerado hasta ahora. Es solo que mataría a mi papá. ¡En serio! Creo que lo mataría.

—Bueno, pero él es un hombre adulto. Ya lo descifrará. Tú te tienes que poner primero. Creo que no te han dejado opción.

—Ok, lo voy a pensar. Gracias.

Tener una puerta de salida me dio un poco de tranquilidad. Me volví a bañar, me vestí y fui a cumplir mis deberes. A medias.

Dos días después, senté a mi papá y le partí el corazón. No lo veía llorar, y mucho menos así, desde que murió mi mamá. Aquel llanto del pasado era como una llave abierta, un llanto sin remedio. Este era activo, de impotencia, de querer salvar algo insalvable.

—Ani, pero, por favor, no. Mira, estas cosas se pueden hablar. Vas a ver que cuando comiences terapia te vas a sentir mejor. Yo te la pago, vas a ver que todo va a mejorar.

—Claro, porque tú piensas que el problema soy solo yo, y por eso piensas que todo se arreglará cuando yo me sane, pero eso no viene al caso. Para mí es un estrés vivir aquí, quizás es porque no estoy sana como tú dices, pero todo es un tema, si me comí las lentejas ajenas, que si sí, que si no. Me siento una huésped en tu casa con tu familia nueva.

Se quedó sin palabras, solo lágrimas. Y yo sabía que esto iba a pasar, me sentí la peor hija por hacerle daño a mi papá, quien solo me amaba de la mejor manera que tenía para demostrarlo.

—Papi, hagamos algo, pensemos que es temporal. Yo voy a comenzar mi terapia y te agradezco infinitamente la oferta de ayudarme.

—Claro que sí mi amor, yo lo que quiero es que tú estés bien. Me hace feliz que quieras trabajar en ti.

—Gracias, papi. ¡En serio! Lo agradezco mucho. Hagamos así, yo iré a mi terapia y si con el tiempo sano, me encantaría poder ser feliz aquí, bajo tu techo.

—Ok, mi amor. Tú haz lo que tengas que hacer. Y ¿cuándo te mudarías? No te apures, si quieres comienza terapia y si todavía tienes ganas después, entonces te mudas.

—No, papi, sí creo que tengo que hacerlo antes. Esta semana estoy complicada en el trabajo, pero creo que me iría la próxima semana.

—Ok, ok —se decía a sí mismo—. Lo que tengas que hacer. Solo quiero dejar claro que me pone muy triste. Siento que he fracasado, que soy mal papá, que te estoy dejando ir lejos de mi vista donde no te puedo cuidar.

—Nooo. Por el contrario, dejarme ir es poner mis necesidades por encima de tus deseos. Eres un gran papá. Siempre te lo he dicho. Te ha tocado ser mamá y papá, y una niña no puede soñar con más. Eres mi roca. Yo sé que te tengo. No es necesario estar bajo el mismo techo para eso. Gracias por ser tú, no necesito más. Yo te adoro. Solo voy a estar a cinco minutos en carro, en casa de tía Mechi. Puedes estar seguro, segurísimo de que me cuidará obsesivamente y velará por cada uno de mis movimientos, hasta dormida.

Nos reímos los dos y nos dimos un abrazo.

Ver a mi papá sufrir le alborotó el león a Kathia, y antes de mudarme me sentó:

—Quería hablar contigo, necesito decirte lo que siento antes de que te vayas. Estás siendo egoísta y le has hecho mucho daño a tu papá. A mí me puedes decir lo que quieras, tirar todos los golpes que quieras, pero cuando hieres a la gente que yo amo, eso no lo perdono nunca. Ya tú no me vas a hacer más daño, tú estás muerta para mí. No cuentes conmigo para nada, más nunca. Tendremos una relación formal porque eres la hija de mi esposo y punto, pero solo quería decirte, antes de que te fueras, que el daño que le has causado a tu papá no te lo voy a perdonar jamás.

Quizás no me perdonó nunca, pero el resultado fue perfectamente al revés.

Me mudé a casa de tía Mechi, pinté las paredes de un tono violeta pastel, del color del atardecer más perfecto que podía imaginar, y en la esquina donde había una poltrona, pinté un árbol plateado en la pared. Y un mes después floreció, con hojas de telas variadas y "floripepeadas" que fui recolectando entre ropas viejas y tiendas. Y así se sintió mi alma retoñar después del invierno.

Con tía Mechi me sentí segura, segura de pelearle todas las barbaridades que se le podían ocurrir, segura de su amor incondicional. Comencé a ir a terapia, abrí la herida y la cuidé con amor y paciencia. Lo mismo le pasó a la fractura causada entre Kathia, mi papá y yo. Fue sanando sin esfuerzo, sin medicinas, como se sanan las heridas de los perros, lamiéndolas con ritmo y serenidad.

Con los meses me comenzó a hablar. Al año compartimos nuestra primera risa, un piropo, admiración y, poco a poco, resignación por lo que cada una es.

Un buen día en la playa, dos años después, me estaba sintiendo acorralada por una situación en mi trabajo nuevo.

Ya había huído del mismo escenario en mi trabajo anterior y la vida me regresó la misma bola curva y no sabía cómo batearla.

Vi a Kathia tranquila trabajando en el estudio y me senté a su lado:

—¿Te puedo pedir un consejo?

—Sí, claro.

Cerró la *laptop*, se quitó los lentes y giró su silla con el torso completo hacia mí. Le vacié toda la historia desde mi trabajo anterior hasta el presente, acorralada por una persona con un cargo superior al mío que me había identificado como víctima fácil y se estaba haciendo grande desprestigiando mi trabajo.

—Sí, estoy de acuerdo contigo. Si no das la cara y te enfrentas a esta situación te va a seguir apareciendo en este trabajo u otro, hasta que lo hagas. Te aconsejo que no llames a nadie, manda un *e-mail*. Este tipo de cosas tienen que quedar por escrito. Relata lo que está pasando, con hechos y sin emociones. Es importante que dejes tus emociones afuera. Y se lo mandas a tus supervisores directos y al director.

—Ok, qué miedo, pero sí, es lo que tengo que hacer. He estado evitándolo, pero tengo que poner mis límites. Me tiene de ahuevá, pero... pues sí, estoy muerta de susto. Me voy a armar de valor y lo voy a redactar. ¿Te lo puedo mostrar antes de mandarlo?

—Claro, tráemelo, pero no esperes, haz eso ya. Sal de eso.

—Ok, lo voy a hacer ya.

Eso hice y me fue genial. Causé algo de alboroto en la administración, porque fui la primera en poner una queja por escrito. Mi jefe pudo ver claramente lo que estaba pasando conmigo. Y luego, sin que ninguno de mis compañeros se enterara de mi conflicto, fueron surgiendo muchos otros con otro abanico de quejas hacia la misma persona.

A los seis meses fue despedida, y me enteré al verla gritar desde la ventana del edificio a un público imaginario:

—¡Me acaban de despedir! ¡Me acaban de despedir!!!

Nunca me pasó más y aprendí que Kathia daba unos consejos maravillosos. La comencé a llamar con más frecuencia para solicitar más agua de ese pozo. Ella, por su parte, comenzó a limitar sus consejos a los solicitados, y cuando no, los lanzaba con un preámbulo:

—Me imagino que no me vas a hacer ni pizca de caso, pero…

A unos les hacía caso y a otros no, pero siempre los recibí con amor, el mismo con el que fueron dados.

Y así, de a poquito, fuimos construyendo una nueva familia, con cariño, humor, límites, y sobre todo con respeto.

Y a mi tierrita se le fueron encogiendo los demonios.

29

Entrevista #8

Ya hablé con Efraín Mendieta, ya fui al periódico, el siguiente paso es contactar al doctor Márquez. Lo he pospuesto durante varias semanas desde que recibí el contacto. ¿Será miedo? Me siento tan valiente enfrentándome a los roedores de la conciencia, y a la vez prefiero sus ruiditos escalofriantes desde la profundidad de mi WhatsApp.

Abro el mensaje donde la directora del periódico me compartió su contacto y me genera curiosidad su foto. La abro y siento una avalancha de ternura. Es un retrato del torso hacia arriba, con fondo blanco. Viste de saco gris y camisa blanca sin corbata, tiene piel blanca y cabello blanco con entradas que abren camino a una frente amplia; tiene lentes rectangulares de marco plateado y cara de susto, parece ser del instante antes de estar listo para la foto del pasaporte, antes de preparar la sonrisa o vestir el rostro con un gesto amigable. Me invade la ternura y le quiero dar un abrazo de tío. Con esta sensación a flor de piel me atrevo a escribirle:

—Buenos días, señor Márquez, espero que esté muy bien. Estoy escribiendo un libro sobre la historia de la muerte de mi mamá y mi camino en los años que siguieron. Mi mamá era Lolita Eskildsen. Ella me contó que usted fue el abogado de nuestra parte. Quería pedirle el favor de si me podría regalar un poco de su tiempo para entrevistarlo. El 70% de la historia que estoy contando es desde mi recuerdo y sentir, pero en todo lo referente a los hechos de su muerte, sí me gustaría apegarme a una realidad histórica, en la medida de lo posible. ¡Ah, mi nombre es Anamari Eskildsen, mucho gusto!

—Con muchísimo gusto te ayudo en todo lo que esté a mi alcance. Podemos hablar por aquí ahora que estoy en el exterior, o personalmente a mi regreso a Panamá en cuestión de diez días. Si quieres llámame por WhatsApp y nos vemos las carátulas. Saludos a tu papá.

Mientras tecleo una respuesta, me entra una solicitud de videollamada y le contesto:

—¡Hola, qué gusto!

—Hola, el gusto es mutuo. ¿Sabes que tú y yo somos familia? Soy primo de tu papá.

—¿Ah, sí? No sabía.

—Sí, yo quiero mucho a tu papá y también quería mucho a tu mamá, que en paz descanse. Cuéntame, ¿cómo te puedo ayudar? En este momento estoy en Miami, esta no es mi casa —me dice dándole una vuelta a la habitación con la mirada—, de manera que no me puedo reunir de forma presencial.

Se encuentra en un asiento de estos reclinables que parecen más un trono que silla; la habitación desde mi ángulo limitado parece bastante vacía. Tiene paredes entre crema y olivo con líneas verticales de pequeñas flores rojas, que le dan un calor humano al espacio como de cuarto de abuelita. En la pared hay un cuadro pequeño con un paisaje.

Siento que he visto esta escena antes tipificada en alguna película.

—De hecho, es perfecto de forma virtual, idealmente vía Zoom, porque si está bien contigo, me gustaría grabarnos y así me ahorro tener que anotar todo... porque la memoria no es mi fuerte.

—No tengo problema, nos vemos por Zoom y grabas.

—Bueno, y el tema sobre el cual te quiero entrevistar es sobre detalles del asesinato de mi mamá, la investigación y el juicio. Yo tengo recuerdos grabados, indelebles, de lo que me contó mi papá a los trece años. No parecían diluidos ni maquillados, pero quizás no son la foto completa. Me quedan baches que me gustaría aclarar. Y lo quisiera saber todo. ¡Ojo! Lo quisiera saber todo, pero de tu boca. No quiero abrir el expediente.

—No, no lo abras. Yo te cuento todo lo que necesites saber. Y si necesitas que lo abra yo para que busque algún dato que quedó por fuera, lo hago con mucho gusto.

—¡Ah, genial! Eso sería de mucha ayuda. De hecho, en algún momento consideré contratar a algún pasante para que lo buscara, abriera y me pasara los datos que me hagan falta.

—De ninguna manera. No vas a contratar a nadie, yo estoy aquí para lo que necesites. ¡Y con todo el gusto!

—¡Ah, qué maravilla, muchísimas gracias, señor Márquez! ¡Realmente!

—¡Nombe! Llámame Pizco, con confianza, por favor. Además, ya sabes que somos familia.

—Bueno, Pizco, muchas gracias… Te voy a aceptar todo este tiempo que me estás ofreciendo.

—¡Claro, claro, ya te dije, con todo el gusto!

Me cuesta aceptar ayuda en general, pero la necesito y él parece feliz de prestarla. Creo que es el principio de una extraña amistad.

—Anamari, antes que nada, solo necesito que te quedes con una cosa de esta conversación, y no te lo estoy diciendo para que te sientas mejor. Esto es algo que sé —se puso colorado, se le empañaron los lentes con el vapor que destilaba de sus ojos y bajó el ritmo de sus palabras—. Tu mamá no sufrió, tuvo una muerte rápida.

Se quitó las gafas para limpiarlas y secar sus ojos con los dedos. Me enternece su vulnerabilidad. No me tranquiliza mucho su comentario porque mi angustia yace más bien en el terror que sintió desde el momento en que se supo en peligro. Nunca había pensado en el dolor físico, en realidad. Tengo una relación extraña con el dolor.

—Gracias. Eso fue algo que me dijo también mi papá en aquel momento. Algo como que el impacto en su cabeza le ocasionó una muerte súbita.

—Así es. Así fue. Y no sé si está de más decirlo, pero es importante para mí. Fue probado sin lugar a dudas que tu mamá nooo fue violada. Pese a lo que habló alguna gentuza en la calle —se le tranca la mandíbula y habla con desdén—. Tu mamá murió defendiéndose como un león. Antes la admiraba, pero después de entender cómo pasó todo, no sé cómo es posible, pero la admiré más.

—Gracias. Y sí, sé que se habló en la calle hasta que quizás ella estaba enredada con él.

—¡Uy, sí! Ni me lo digas. ¡Qué ira me da! Quien sea que dijera eso claramente no la conocía. No solo ponen en duda su rectitud... ¡ponen en duda su gusto! Ese tipejo es un asco. ¡Ay, Anamari! No sabes, después de todo esto, yo terminé hasta creyendo en la pena de muerte. Ese hombre es de lo más bajo, de lo más bajo que puede existir en la tierra.

Me quedo en silencio. Lo dejo vaciar su ira porque tampoco tengo mucho que decir. No sé si es que yo tenga esa amargura u odio reprimido en algún escondite del cuerpo, o es porque no lo conocí de la misma manera que él. Guardo silencio.

—Sí, pensar en ese hombre me despierta todo lo malo, pero bueno, volvamos al principio. Te cuento...

Me relató un poco sobre cómo se enteró de la desaparición de mi mamá esa noche y luego de su muerte. Me contó de nuestro parentesco, del árbol genealógico que olvidé inmediatamente después, de la impotencia que sintió, de cómo le ofreció sus servicios a mi papá a través de mi abuela para no ser una llamada más, y cómo, con su aprobación, se dedicó inmediatamente al caso con todo su ahínco.

—Llegué a la fiscalía ese mismo día que tu papá me dio el *go*, para reunirme con Carlos Augusto Herrera, el fiscal auxiliar. Realmente no sabían mucho en ese momento. De hecho, estaban tras la pista de un tal Carlos Agüero, que era el nombre falso que el tipo había dado; nunca voy a olvidar el nombre porque era un puertorriqueño famoso. ¡Y los tuvo tirando bastante de ese hilo! Incluso llamó a una agencia de viajes para cotizar unos pasajes para salir del país con ese nombre falso. Carlos Augusto también me explicó lo frustrante que era trabajar en colaboración con la PTJ, porque desde el gobierno del Toro, ya la policía no respondía a la fiscalía. Trabajaban ineficientemente, cada cual por su lado. Esto le hizo un daño enorme al país y a nuestro sistema de justicia, pero eso es material para otra reunión, o varias más.

Se le nota cómo le dedicó el corazón completo a este trabajo sin cobrar un dólar.

No se pudo aguantar y en las dos horas que hablamos me explicó todas las rajaduras de nuestro sistema judicial y por qué va de mal en peor. También de cómo, a pesar de que no le tiene respeto alguno al expresidente Balladares, sabe que si no hubiese sido por su mandato directo de que había que encontrar a este asesino, seguramente este hubiese podido escapar. Parece tener más información que contarme sobre eso, pero prefiere aguantar esos detalles para la versión grabada.

—Sí, pongamos en calendario de una vez para la entrevista oficial. Posiblemente la primera de muchas, espero que esté bien contigo.

—Anamari, ya te dije, estoy a tus órdenes.

Me sonrojo.

—Muchas gracias, no quiero repetirme tanto, pero estoy muy aliviada de haber encontrado a quién consultar. ¡Además, con una memoria de computadora!

Se ríe y quedamos para la siguiente semana. Después de conversar por dos horas, cerramos, un poco obligados por la bullaranga que llegó a mi oficina con toda la energía del parque.

Sé que él tiene más para compartir porque noté cómo omitía algunas partes, guardándose para la reunión oficial.

Me siento en calma y en buenas manos; creo estar lista para lo que sea que venga.

30

Contraste

Dice Unicef de Darién: "... La provincia más grande de Panamá se encuentra en la frontera colombiana. Es el hogar de los principales grupos indígenas del país, de una considerable comunidad afrocaribeña y de gran número de refugiados colombianos. La región sur, comúnmente conocida como el 'tapón del Darién', es una vasta zona de selvas exuberantes que se nutre de copiosas lluvias y que resulta impenetrable por carretera o por ferrocarril. Intacta aún de los efectos del turismo masivo, la frecuentan guerrilleros y paramilitares colombianos. Los choques entre estos dos grupos han creado en la provincia un ambiente peligroso e impredecible".

Su riqueza en exuberancia natural y cultural es proporcional a su falta, que proviene del conflicto, de la pobreza económica, del escaso acceso al agua potable, la educación y la salud.

Mi vida durante casi dos años se dividía entre el contraste de las semanas selva adentro, cargada con mi mochila llena de comida enlatada y mis garrafones de agua siempre a la mano, para internarme entre culturas autóctonas y selvas vírgenes; y mis días de oficina fría en la ciudad, mi terapia y sus estragos emocionales, y un esfuerzo importante por no participar de cualquier forma de vida social, no siempre con éxito.

Quería que el proceso de hacer una terapia fuese más rápido, terminar de arrancar la curita y sentirme sanada. Curada para siempre del dolor. Ana María, mi psicóloga, atendía en una clínica donde ofrecían sus servicios otros cuatro o cinco psicólogos y psiquiatras. Tenía poca resistencia al aire acondicionado del carro, de manera que atravesaba el tranque y el esmog con las ventanas abajo. Los veinte minutos conduciendo desde mi oficina, me permitían prepararme emocionalmente para lo que venía. A menudo llegaba antes y aguardaba en la pequeña sala de espera compartida.

Cuando me hacían pasar, me transmitía un calor de bienvenida, algo contrastante con la sala fría. Me abrigaba con su sonrisa amplia y blanca. Me sentía pequeña y segura desde su altura imponente, enmarcada por sus rulos y piel canela que destilaban feminidad. Se sentaba en su poltrona de flores, centro decorativo de su espacio de colores neutros, y me extendía la mano en señal de bienvenida para que me sentara al lado de mi cajita de Kleenex.

Nos veíamos dos veces por semana, muchas veces tres, en reposición de lo perdido por mi tiempo en Darién. Comenzamos con menos frecuencia semanal, pero no avanzábamos, porque vernos poco me permitía quedarme en la espuma de la ola, sin realmente bajar a lo profundo.

En Darién, en mi tiempo libre, caminaba a través de la comunidad ribereña, fácilmente recorrida en diez minutos a pie, en busca de la banca o piedra perfecta. Fuese comunidad afro o indígena, siempre me permitía absorber la cultura ancestral desde su arquitectura, modo de hablar, música u olor de la comida. También me permitía sufrir el contraste, imposible de ignorar, de los cartuchitos de Cheetos y Kaprichito por doquier, Crocs y ropa colorida como confeti por todo el piso, evidenciando los estragos de la apropiación de nuestra cultura desechable, sin la cultura ni logística para deshacerse de ella. El sitio perfecto tenía vista al río y ojo ciego a la basura, y así me sentaba con mi libro o cuaderno en una banca bajo un árbol de guaba. Casi siempre interrumpida por un enjambre de niños descalzos, alegres y curiosos:

—¿Qué lees?

—Un libro.

¿Les puedo responder que *El manantial*, de Ayn Rand? Y que este libro me ha hecho pensar esto de las oenegés, de su valor, su incentivo por generar un cambio real. Contarles que me cuestiono nuestro trabajo, que no sé si realmente estamos haciendo un esfuerzo contundente porque no se necesite más nuestro trabajo. Que me cuesta entender cómo es que años y años de oenegés pasando por este mismo río no han logrado solucionar la problemática del agua potable.

¿Les puedo responder que en paralelo leo *Paula*? Porque necesito otro libro de receso, ya que con Isabel Allende he llorado a mares, y que su historia ha sido un abrazo que me afirma que no estoy sola en mi sentir. Que lo leo y releo sola en mi cuarto, que llorar la muerte de otra me ayuda a sacar el llanto que tenía enquistado desde hace doce años.

—¿Qué escribes?

—Mi diario.

¿Les puedo contar que este cuaderno es el receptor de todos mis miedos? Que me escribo para convencerme a mí misma de que mi puerta y los barrotes de mi ventana son seguros. Que nadie va a subir borracho del pindín que se celebra abajo de mi habitación, en el hostal, y me va a violar en la noche. Que también escribo sobre mi pesadilla de anoche, sobre el niño sordo que me enteré que su abuelo abusa de él. Que soñé que era a mí de quien abusaba, y luego otro en que soñé que lo defendía y me lo traía conmigo a casa.

—¿Qué haces aquí?

—Trabajo con los maestros en un proyecto cultural.

¿Les puedo decir que, la verdad, no tengo ni idea? ¿Que realmente no ofrezco mucho valor, que, más bien, es a la inversa? ¿Que mi compañera de trabajo me detesta porque me ve como una niña privilegiada de ciudad, mosquito en leche, y no entiende bajo qué concepto me dieron este puesto? ¿Que estoy huyendo de mi realidad, jugando a la valiente en la jungla, jugando a salvar a otros, que ahora cuestiono si nos hemos inventado que necesitan salvación? Su paz aquí debajo del árbol se me hace envidiable. Quizás es cuando me como el cuento de que son otros los que necesitan de mí, que me siento fuerte y no el trapo de vulnerabilidad en el que me convierto en la noche.

—¿Te puedo tocar el pelo? ¡Qué suave es!

—Claro, mi amor, pero me tienes que dejar tocar tus rulos también... ¡me encantan!

¿Y si te digo que odio mi pelo, que no responde a lo que yo le pido? Que no crece a la velocidad que yo quiero y la humedad lo multiplica. Te quiero tocar el tuyo porque nunca he tocado un afro.

—¡Eres fula! ¡Eres muy blanca! ¿Te puedo tocar la piel?

—Sí, claro. A mí me fascina tu color de piel, tiene la intensidad del cacao.

¿Te puedo decir que entre mis amigos siempre me había considerado morena? Cuando voy a la playa busco las mejores cremas para broncearme y ser cada vez más canela.

—¿Por qué te gusta tanto la guaba? ¡Te busco más!

—¡Ay, qué rico, busquemos juntos!

No, no, yo te busco a ti. Yo vine acá supuestamente a servirte a ti. Déjame abrazarte, salvarte.

Ana María me escuchaba atenta, con expresión neutra. Una vez se le escurrió una lágrima por el ojo derecho, cuando le conté en detalle cómo había sido el día que apareció muerta mi mamá. Más específicamente, cuando le conté de la desesperación del momento y de los golpes que me di en la cabeza contra el clóset de mis hermanos.

La sentí humana por primera vez; hasta entonces solo tenía cara de espejo, lo cual siempre me vino bien, porque no saber nada de su vida, si tenía sentido del humor, familia, hijos, me invitaba a contarle más y más mis, según yo, barbaridades, siempre esperando una reacción o juicio y aliviada de que no llegara. Con Ana María solo logré una manifestación al relatar el día trágico. Ese día me di cuenta de que ella sentía conmigo y que el ser espejo era solo parte de su trabajo. Me sembró la esperanza de que quizás también sentía todo lo demás.

Muchas veces lograba quedarme en la superficie, contando frustraciones de mi jefa, de mi papá, de Kathia, de mis amigas. Otras veces ella lograba tocar los botones correctos y me abría de par en par en una cascada salvaje de mocos y lágrimas, pero a las 4:59 p.m. el reloj avisaba que era hora de irme. Yo recogía lo que quedaba de los Kleenex hechos polvo, desmoronados en mi regazo, los echaba a la basura y salía con la mirada fija en el suelo, para no hacer contacto visual con el siguiente paciente. Un esfuerzo inútil, ya que si me encontraba con alguien, esa persona no me reconocería porque parecía una sandía abierta por el impacto, roja y deforme.

Así, débil desde las rodillas, me enfrentaba al *clutch* del carro para emprender el camino hasta mi cueva. En el camino me reiteraba lo rota y sola que me sentía, sin luz de cuándo estaría ya sana y entera. Quizás sería así para toda la vida, porque el asesino la mató a ella y me rompió a mí.

En mi trabajo visitaba cuatro comunidades ribereñas. Viajaba tres horas en carro desde Panamá hasta el puerto de Yaviza, donde tomaba una piragua, un bote largo y angosto tallado de un solo tronco, propulsado por un motor fuera de borda de 30 hp, pues la falta de profundidad del río, y de los bolsillos, no daba para más. Acompañada de cinco o seis personas, cada una en una silla plástica de ferretería, en la cual transitamos el río Tuira, atravesando una selva palpitante, durante un trayecto de dos horas si iba a la comunidad más cercana, o seis si llegaba a la más lejana de las cuatro.

No conocía el olor de la nada. En la ciudad, usualmente huele a esmog, a pasto recién cortado o al olor fétido del río Matasnillo cuando arrastra los desechos de la ciudad. El Tuira algunas veces olía a la gasolina de la piragua pero, sobre todo, olía a nada, al pecho que crece de hambre por más de este aire que nutre.

Durante la mayoría de las horas leía, también, trataba de escribir, incómoda en la silla, u observaba el paisaje, con pausas para sacar fotos, con mucha vergüenza porque me hacía aún más notoria, más turista, pero no tenía remedio. Nadie que yo conociera en mi mundo había ido a Darién, y esa cámara era la única manera de compartir una pizca de los paisajes y cultura que estaba descubriendo con todos los sentidos.

Al llegar de Darién, intentaba vestirme de ciudad, salir a un lugar rico a comer, tomarme un buen vino, ir al salón para la depilación, *manicure* y *pedicure*.

—¡Niña, ¿pero de dónde vienes tú?! ¡Estas uñas están salvajes!

—De Darién.

—¿De Darién? ¿Y qué se le perdió a su mercé en Darién?

—Mmm, trabajo en una oenegé y coordino un proyecto en cuatro comunidades ribereñas de allá.

—¿Y esto es voluntario? ¿Cuánto tiempo te vas? ¿Tú vives allá?

—No, solo voy dos semanas al mes. Y sí, sí me gusta. Siento que de otra manera no podría vivir Darién como lo estoy viviendo.

Solo pensaba en Darién y en lo que conversaba con mi psicóloga. Todas las demás conversaciones me parecían triviales. Me sentía pesada y densa, me preguntaba quién quería pasar tiempo conmigo.

Tampoco quería estar con nadie. Solo me llamaba con amor la mamallena con sirope de tía Mechi que me recibía en la nevera. La evitaba a toda costa, hasta que a altas horas de la noche sucumbía y me comía medio *pyrex* sentada en el suelo, como hacen en las películas. Y así me sentía más rota, más deforme, menos dueña de mi vida o de mi voluntad. Todo iba mal, pero era voluntario, yo había decidido abrir la herida, pasar el víacrucis, ¿quién me daría la estocada final para resucitar iluminada? No me importaba lo que tuviese que pasar, pero que pasara pronto.

A veces parecía que Ana María se aburría de jugar al espejo pasivo y que mis historias banales no llegaban a ningún lado. Y se hubiese frustrado más si me hubiera visto en el mundo real por un hoyito, si supiera que solo contaba historias livianas en consulta con ella. Quizás se lo olía, porque con voz irritada, sin quererlo, me decía finalmente:

—Ya me has contado esto antes, lo del trabajo, cambio de carrera, tus relaciones… ¿no te parece que quizás hay un denominador común de miedo al compromiso?

—…Pues, sí.

—¿Qué hubiese pasado si hubieses seguido con Alfonso?

—No se podía, a mí se me fue el amor.

—Pero, bueno, hipotéticamente, si le hubieses dicho lo que te molestaba, lo hubieran trabajado y no se te hubiese ido el amor. ¿Qué hubiese pasado? ¿Qué? ¿Se casan?

—Se me regresa la comida un poco con esta idea. ¡Mira! ¿Oíste eso? ¡Esa fue mi tripa!

—¿Se te regresa qué? ¿Un rechazo a qué?

—A estar juntos, a depender de él.

—¿Y qué pasa si dependes de él?

—¿Qué pasa si se muere?

—¿Qué pasa si se muere?

—Vuelvo a perderlo todo —llanto libre—. Mi mamá era todo. Perdí todo. Yo no sé si pueda volver a perder a alguien. Creo que ahí sí me muero.

—Eso que sientes es normal, pero ya estás en el punto que te puedes mirar desde el ojo de adulta. No, no te mueres. Duele, sí, muchísimo, sí, pero no te mueres. No se supone que una niña pierda a su mamá a los trece años. Es antinatural. Por supuesto que sentiste que se te fue el mundo, pero si volvieras a perder a alguien central en tu vida, no te mueres.

Ella no hablaba mucho, pero cuando sí, sentía abrazos en mi alma. Había citas como esta que al terminar me sentía más liviana, con esperanza de que sí iba a sanar. Regresaba a casa sin música en el carro, dejando decantar lo aprendido, ajena al tráfico y los pitos.

Llegaba al silencio del apartamento de mi tía, decorado de familia en marcos de plata, muebles con historias de lugares y modas, cuadros de pintores famosos, amigos que dedican sus obras a la amiga divertida, y me adentraba en mi selva fabricada. Me acostaba en el cuarto oscuro, en la poltrona bajo el árbol plateado a leer algún libro y soñar con volver a soñar, con alegría, con viajar entre amigos o enamorados, sin comparar ni criticar internamente la opulencia que contrastaba con la pobreza de Darién, que de alguna manera en ese momento le hacía eco al "autopobreciteo" de mi alma; soñaba con volver a disfrutar de abundancia, de aventuras, de conocer, volando liviana por el mundo.

A medio viaje se detenía la piragua como una parada obligatoria en una especie de aduana ribereña en la comunidad indígena de Capetí. Nos atendía la policía fronteriza, revisaban nuestras cédulas, hacían preguntas y prestaban algunos consejos no solicitados:

—¿Cédula? ¿Usté es panameña? No parece, mira...

—¿Y qué hace por acá? ¡Usté sabe que esto es peligroso! La semana pasada mataron a un tipo los "paras", allá en Boca de Cupe.

—¿Con una oenegé? ¡Ah... ya! Que le vaya bien. Nosotros también trabajamos con la comunidá. Es importante usté sabe. Organizamos unas ligas de fútbol con los niños. Es bueno porque así no nos tienen miedo, y si tienen que reportar algo, se nos acercan más. ¡Yo lo disfruto mucho, me gusta!

—¿Pa ónde va? ¡Usté no puede pasar de Boca de Cupe! Está prohibido. Y tampoco se le ocurra salir ni un poquito de la comunidá, porque en la selva es donde se esconde la guerrilla y los paras.

Algunas veces te atendían rapidísimo, otras, se requería formar una fila sin orden, y para eso había una tolda a un lado del puesto, como área improvisada de espera. Sin sillas, por supuesto.

Un día me tocó una espera larga y había un misionero contándole su vida a alguien que acababa de conocer. El misionero, colombiano, era de estos que te cuentan las tragedias a ritmo de comedia. Se te junta la risa con las ganas de llorar. Me atrajo la conversación y me integré sin invitación.

—Sí, yo ya llevo veinte años aquí en Darién. Sí, es duro, pero yo ya no regreso. No podría, esta selva ya se me metió dentro. Y el trabajo también, porque me gusta mucho. ¡Sí, ni a visitar voy! Ahí me llaman que se murió tal y cual, falleció tu tía, tu hermano, tu primo… ¡Y que Dios los bendiga! Yo sigo acá. No voy por nadie. Quizá se me sale una lágrima aquí, otra allá, y más nunca.

¡Vaya! Quería que me contagiara un poco de esta levedad, mientras le dedicaba todas mis energías a un duelo como remedio único e imprescindible para vivir una vida plena.

Le pregunté:

—¿Pero cómo es eso? ¿No vas a los funerales? ¿Se te murió tu hermano y nada?

—Es que eso es como otra vida ya. Ellos hicieron las suyas y yo la mía. Bueno, espera, excepto la madre. Esa sí me impactó, esa duele para siempre, ¿sabes? No importa a qué edad se le muera la madre a uno, eso duele para siempre. No se supera. Solo aprendes a vivir con esa falta y con ese dolor. Te queda como un hueco, y bueno, aprendes a vivir con ese hueco ahí...

Me quedé en pausa. Siempre sentí un rechazo hacia los religiosos, que me obligaba a generar una distancia, pero este hombre me lo mandó alguien.

—Dime más, por favor, ¿cómo es eso?

—¿De qué? ¿De los muertos?

—No, del dolor, eso de que aprendes a vivir con él.

—Bueno, así mismo. El dolor se te vuelve como un compañero. Y no tiene nada de malo, solo está ahí. A veces se manifiesta más fuerte, otras veces más calladito. Y si se tiene que llorar, se llora y listo. ¿Por qué? ¿A ti se te murió?

Me sonó un pito mental como el de la televisión cuando se iba la señal televisiva. ¿Cómo sabía? ¿Y cómo lo pregunta así, sin endulzante?

—Sí... pero pensé que ese dolor se superaba.

Con esto soltó una carcajada de mano en panza y boca a techo.

—¡No, mujer! Qué superar ni qué superar. Eso no funciona así. Tú le pides a Dios que te enseñe a vivir con eso y ya está.

Le quería pedir a ese Dios que también me hiciera así, un poco como él.

Darién me dio cada cosa: amanecer, selva ensordecedora, fruta, más fruta, cultura ancestral, río lleno de magia y fábulas, niños y más niñas, lecciones de sistemas rotos; pero, sobre todo, me dio ese día a ese misionero.

31

Entrevista #9

16 de marzo de 2021

Nos encontramos a la hora acordada por videollamada. Su tono había cambiado y era casi imperceptible, pero ya no tenía la misma actitud de tío alegre de la llamada anterior. Ahora, desde la misma poltrona y habitación con pared de flores, vestía una cara de soldado listo para enfrentar al pasado conmigo. Guerreros a la par.

Intercambiamos saludos con palabras formales, pero aun así cargadas de afecto, e inmediatamente, Pizco entró en materia. Se le ve preparado emocionalmente para esta llamada, como quien no quiere perder tiempo para desembarazarse de la verdad que se ha preparado para contar, como quien sostiene un vaso lleno a tope y no puede caminar con él, mejor verterlo rápido. Y este vaso quema, de manera que hay que soltarlo pronto.

—Como te decía, ese martes 13 de octubre de 1998, yo estaba tranquilamente en mi casa y de repente mi esposa me dice: "Oye, Pizco, Lolita Alfaro no aparece". "¿Cómo así que no aparece?". "Bueno, salió en la mañana y ya de noche ella tenía que haber llegado a su casa, tenía que haberse puesto en contacto y no aparece". A la mañana siguiente, muy temprano, visité tu casa con mi papá, pero no duramos mucho tiempo ahí. Había muchísima gente y no era como para estar… no era como para estar tanto tiempo ahí. Sentimos que no sumamos y nos fuimos. Poco después me enteré por parte de mi esposa que había aparecido el cuerpo.

»Ya te conté que le ofrecí mis servicios a tu papá a través de tu abuela, porque no quería molestarlo, y, bueno, de una vez, me puse a trabajar. No había mucho que podía hacer durante la investigación, pero era importante que estuviese empapado desde el principio.

Me relata nuevamente, casi en las mismas palabras de nuestra llamada anterior, sobre su reunión con el fiscal auxiliar, entre otros detalles sobre su apoyo a la investigación durante esa semana de búsqueda. Es como una computadora: nombres, horas, lugares y frases exactas a las antes dichas.

—Cuando encontraron el cuerpo solo se sabía que ella había ido a reunirse con alguien que la había estado llamando porque estaba buscando una casa para poner una academia de baile. Que se habían citado en una farmacia de la calle 50, frente a la iglesia de Guadalupe, y que de ahí, él se había montado en el carro de ella. Se habían dirigido al dúplex, y que pasaron antes por la casa de Zaidée a buscar la llave. La señora que trabajaba donde Zaidée, que le había entregado la llave a Lolita, recuerda que había un señor sentado en el puesto de al lado del conductor, que como que… como que se tapaba la cara para que no lo reconociera. La entrevistaron para que hiciera un retrato hablado. Y ese retrato hablado lo publicaron en las noticias y en los periódicos. Y el retrato que se logró se parecía… ¡se parecía en pila! Yo vi el retrato hablado y después lo vi a él, y no podía creer el parecido.

—Guaooo… —se me escapa un suspiro.

Zaidée es mi vecina de arriba, diagonal a mí. No sabía que ella tenía algún papel en la investigación de la muerte de mi mamá. Esta es la respuesta; además, a la duda de Efraín Mendieta al final de nuestra reunión: él no recordaba quién le hizo el retrato hablado. ¡Y fue la señora que le entregó la llave… de la casa de Zaidée! Todos estos años viviendo abajo de ella y no sabía esto.

—Ella luego tuvo un gran impacto en la investigación, porque ese retrato hablado fue clave, pero después te cuento bien eso. Volviendo a la llave, después de lo ocurrido, por supuesto que no regresaron más, ni tu mamá devolvió la llave. A la mañana siguiente Zaidée se enteró de la desaparición, ató cabos y se fue directo con una amiga a la casa, y ahí encontró el cuerpo de tu mamá.

—¡Espera! ¿Zaidée encontró el cuerpo de mi mamá? ¿Mi vecina de arriba?

—¿Es tu vecina de arriba?

—Sí, literalmente, el piso de arriba, diagonal a mí.

—Bueno, sí, Zaidée fue quien encontró el cuerpo de tu mamá. Esa parte te la puede contar ella mejor.

Él sigue hablando, pero no lo escucho, me cuesta recuperarme de esta información. Esta entrevista recién comienza y ya necesito una pausa. No la voy a pedir, pero la necesito. No logro escuchar lo que sigue debido al zumbido en mi mente. Llevo cuatro años viviendo en el piso de abajo de la señora que encontró el cuerpo de mi mamá. Zaidée, la presidenta del edificio, quien invita a mis hijos en las navidades a disfrutar de los doce metros de belén que instala en su casa para el gozo de sus nietos y vecinos. Yo sabía que jugaba tenis con mi mamá, pero una cosa no tiene que ver con la otra.

Respira, Anamari.

Anoto: "Entrevistar a Zaidée". No me iba a olvidar, pero bajarlo a papel me ayuda a dejarlo en otro lugar y concentrarme en la persona que tengo enfrente, aunque no es fácil.

Me voy a perder algo importante. ¡Anamari, presta atención!

—... la PTJ se estaba moviendo porque bajo esa administración, ellos respondían al presidente de la República, y él había dictaminado que se levantaran todas las piedras que había que levantar en todos los ríos del país. Y eso lo hicieron con mucho interés. Este hombre tenía sus antecedentes, seguramente le prendió el foco a algún inspector. El asesino llevaba ya un rato en Panamá y tendía a los crímenes de naturaleza sexual. Para eso se camuflaba como que hacía *castings*, y acechaba a muchachas jóvenes desprevenidas, haciéndoles ver que él podía meterlas en el mundo del modelaje, y con esa excusa les pedía que se pusieran en tal pose y en tal otra, y esa parecía ser una técnica a la que sucumbían constantemente, y entonces les ponía esposas.

¿Esposas? Esto es nuevo para mí. Se me invierte el estómago. ¿Será que le puso esposas a mi mamá? No sé si esto yo lo pueda digerir, no sé si esto yo lo pueda escuchar.

Pero, ¿no llamaste tú misma para esta entrevista con la seguridad de que estabas lista para escuchar lo que viniera? ¡Pon atención, deja el miedo!

—Y cuando ya estaban esposadas, dizque haciendo actuación para un *casting*, abusaba de ellas.

Se me escapa del cuerpo un suspiro profundo de pánico, como de vieja asustada.

—Quizás te vaya a decir cosas que muy poca gente sabe, pero que tú tienes todo el derecho de saber.

¡Viste! A eso vinimos, te pintaste de valiente; ya no hay vuelta atrás. Todavía existe la posibilidad que esa no haya sido la realidad de mi mamá. Responde, responde.

—Sí.

—Cuando apareció el cuerpo de tu mamá, tenía señales de que le habían hecho heridas, pero muy, muy superficiales, en la piel, aquí en el centro del pecho —se señala con el dedo índice el centro del tórax—, aquí donde debería estar el *brassiere*, como con un cuchillo. Como para intimidarla, como para que ocurriera algo. También se determinó en la autopsia que tenía marcas de haber tenido esposas puestas.

Sí tuvo esposas, sí tuvo esposas, sí tuvo esposas. Me pitan los oídos, se me calientan las orejas, me siento salir corriendo.

¿Cómo sostener una expresión neutra? Siento dolor en los ojos por retener las lágrimas. Las debo dejar salir. ¡Pero no muchas! No lo quiero asustar. Necesito ayuda. Mami, necesito ayuda.

Extiendo mi mano derecha fuera del ojo de la cámara, un poco hacia afuera del brazo de la silla y abro la mano, preparándola para apretarle la mano imaginaria a mi mamá.

Mami, tómame de la mano, tómame de la mano, acompáñame para esto. Te necesito aquí, ahora, conmigo. Yo sola me metí en estas, pero fue mi decisión porque quiero saberlo todo para no dejar nada a mi imaginación. Sabes que mi papá solo me contó que este hombre trató de violarte, y que te defendiste con tal fuerza que, tratando de controlarte, te golpeó y te pegaste con el quicio del baño. Eso ya sonaba horrible, pero algo me decía que había más y mi inconsciente lo imagina peor en mis pesadillas. Sí quiero saberlo todo, pero esto es muy difícil. Me da pánico imaginar el terror que debiste sentir con esposas puestas. No, no, no.

Aprieto su mano.

Mami, acompáñame, acompáñame.

Siento: Hija, ya estoy en paz. Sí, fue horrible, pero fue lo que fue y fue rápido. Ya pasó, ya pasó. Yo estoy bien, estoy en paz.

Respiro. Inhalo, exhalo. Trato de calmar mi respiración.

Así es, ella está bien. Esto es lo peor, pero es lo peor, solo falta sobrevivir esta llamada. Después digerimos.

—Después te cuento más de cómo esta información que se obtuvo de la autopsia desempeñó un rol en la confesión y la diligencia de reconstrucción de los hechos, pero, por ahora, la autopsia demostró también que tenía un impacto fuerte, como si le hubiesen pegado un manotón, pero muy fuerte, en la espalda.

»Y te quiero decir que el que hizo este estudio es un médico de primer orden, el doctor Vicente Pachar, que ha estudiado en Inglaterra, un tipo sumamente competente, yo tengo el mejor de los conceptos de él como profesional, como técnico, ¡como científico! »Acreditó también que ella tenía, aquí, en ambas manos —me muestra los talones de sus manos,—acumulación de sangre, como si se hubiesen roto vasos capilares.

»Todo esto te lo digo porque después nos conducirá a cómo debieron haber ocurrido los hechos.

»Entonces, finalmente, apareció con una herida muy grande en el cuello y había perdido muchísima sangre.

—A mí me habían dicho que eso fue extra —yo hablo con la voz quebrada, pero él sigue con lo que le he pedido e ignora la manifestación de mis emociones, me trata con la dignidad que le pedí—, que el golpe a la cabeza fue suficiente para ocasionar su muerte.

—Sí, la autopsia lo determinó así. Al final esto es pura medicina forense. Se puede determinar qué pasó antes y qué pasó después. Y sí, el impacto a la cabeza era suficiente. Mientras que obteníamos esta información, se iba avanzando en encontrar al asesino.

»Y algún inspector, viendo estos detalles, especialmente el de las esposas, habrá atado cabos.

»Y mientras tanto se demoraban en encontrarlo, el criminal trabajaba en ver cómo borraba las huellas de sus actos. Esto último lo detalló él en la primera indagatoria que se le hizo. Contó que después de dejar el carro él se fue caminando a buscar el suyo a la farmacia donde lo había dejado, y de ahí a tratar de borrar sus huellas.

»Botó el cuchillo en un río, hizo algunas llamadas desde el celular de tu mamá. Se fue donde la novia. Se bañó, porque debía tener mucha sangre. Y comenzó a, como te dije, a tratar de ocultar el rastro de sus acciones.

»Cuando dedujeron que él podía ser y fueron a buscarlo a casa de la novia, ya no estaba ahí. Y la dejaron en vigilancia por si regresaba, pero no volvió. Se había ido donde otra mujer.

—La psicóloga.

—Exacto. Entonces se quedaron pensando, ¿ahora cómo damos con esta persona? Pero parece que aquel que lo conocía también sabía que tenía una novia que vivía en determinado lugar. Porque tenían una relación más estrecha que la de simples conocidos.

»Ya sintiéndose atrapado, porque su retrato estaba en todos los medios, porque acuérdate que era igualito ¡Eso lo puso más nervioso todavía! Entonces este señor diseñó un plan para irse de Panamá, para Colombia, a través de la comarca de Guna Yala, y como se veía caminando una larga distancia, le pidió a la novia que le comprara unas botas. La señora le compró unas botas, pero le quedaron grandes.

»Mientras, la PTJ trabajaba en ver cómo ubicarlo.

—¿Y cómo saben todo esto?

—¡Es que él contó todo este detalle en la primera indagatoria! Su plan era llegar caminando hasta Cartí, que es un tramo largo de muchas horas. Una vez en Cartí, pensaba viajar por vía marítima hasta Colombia. El caso es que le trajeron las botas y le quedaron muy grandes, y como él se veía a sí mismo caminando una gran distancia, le preocupaba que le fueran a hacer daño en los pies.

»Entonces le pidió que le fuera a comprar una talla menor al día siguiente. Y al día siguiente fue que llegaron los de la PTJ y lo agarraron.

—Esto de las botas, la verdad me da un poco de tranquilidad, porque así como todo jugó en contra de mi mamá, a él también. Porque, por lo que entiendo, si no hubiese sido por lo de las botas, capaz y se escapa.

—¡Exacto! Así mismo. Y todo esto está en el expediente. Ya le escribí a la magistrada, que además en ese momento fue la jueza del caso. Dice que con gusto nos ayuda. Espero que esté bien contigo, le conté de tu proyecto y se puso a entera disposición, pero para que te quedes tranquila que eso ya se está moviendo.

—¡Muchísimas gracias! Claro que está bien, no tengo problema con que le cuentes. También te quería preguntar, hubo una señora a quien yo le llamo "la casi-víctima", que fue a quien él contactó primero, pero por alguna vuelta del destino, ella estuvo ocupada el día de la cita y no pudo llegar. De hecho, esto me lo confirmó Efraín Mendieta, pero tampoco recuerda el nombre. Parece que envió a alguien en su lugar, y él no tenía intenciones con quien la sustituyó y que además, al llegar, estaban haciendo trabajos en esa casa, y él simplemente dijo que no le gustó y ni entraron. Sé que esto fue importante en la investigación porque pudieron afinar el retrato hablado.

—Yo no lo recuerdo, pero si contribuyó a la investigación, debe estar también en el expediente y yo te lo consigo.

»En esta casa también estaban haciendo trabajos, pero en este caso se volvió contra tu mamá. No estaban trabajando ahí en ese momento, bueno, de hecho, varias cosas fueron en contra. Primero, que el dúplex era el último y colindaba con una quebrada, una zanja o algo así. Ella seguramente gritó pidiendo auxilio, pero esa habitación, que estaba de aquel lado, era la más lejana posible y nadie la escuchó.

»Lo otro es que él la había sentado en una silla, teníamos prueba de esto por los rastros del polvo en su pantalón y la marca sobre la silla. En algún momento en que este hombre se volteó, ella logró escapar, así esposada y medio desvestida como estaba, y se escondió en un baño, pero el baño no tenía cerradura porque estaba en remodelación y no se la habían instalado todavía.

Siento una extraña combinación de emociones. Se me enreda el estómago ante el horror que debió sentir en estos últimos momentos. Y por otra parte, entender todas las coincidencias me genera un extraño alivio, con algo de culpa por sentirlo. ¡Es que todo fue en contra de ella! Esto parece haber estado escrito. No es un tema de creencias, es simplemente un sentir.

Sigo compartiendo su horror, sigo apretándole la mano, pero ya sin tanta angustia. El horror ya pasó y ahora me queda la seguridad de su paz.

Pizco reduce la velocidad en su relato y me cuenta con pausa, honrando sus últimos momentos. Sé que son los últimos porque sé que todo pasó en un baño.

—Y ahí fue donde él llegó y le dio una patada a la puerta, y eso hizo que tu mamá perdiera el balance... y cayera... y al caer, se fracturó el cráneo... y ahí perdió el conocimiento.

Guarda silencio unos segundos.

—Ahí perdió el conocimiento.

Se permite otros segundos, honrando su partida, y retoma el ritmo de su relato.

—Estos últimos momentos se definen desde el punto de vista científico, entre la autopsia y la escena. Ella tenía *dos* fracturas de cráneo. La primera, con el empujón de la puerta que él le dio, ella cayó y se golpeó contra un escalón de una tina de aguas turbulentas. Perdió el conocimiento. Y la segunda, él, que es un bárbaro, la levantó por los hombros, probablemente frustrado porque no había conseguido su cometido, porque Lolita había luchado como una valiente, una heroína de primera línea. La bajó contra el quicio nuevamente con mucha fuerza, lo que le produjo una segunda fractura de cráneo. Pero ella ya no estaba consciente.

Qué extraño es escuchar este relato del cuerpo de mi mamá, como un muñeco, objeto de la ira de este hombre. Mi mamá, mi vida, mi mamá la de la sonrisa, pero esa ya no era ella.

¿Contra quién habrá sido dirigida tanta ira? Dudo que fuese hacia ella. Seguramente contra sus propios monstruos. El dolor proviene de largas cadenas de dolor. Esto está en mi mente, pero por alguna razón lo creo con absoluta certeza.

Se vuelve a quitar los lentes, se limpia los ojos con los dedos y aprieta la mandíbula.

—Y eso, lo que revela, es lo *animal* del tipo. Y después… le cortó el cuello.

Guardó silencio. No tengo nada que decir y el espacio seguro me lo permite. Hay algo sutil dicho en este intercambio de la nada.

Él continúa:

—Ya cuando lo agarraron, fui y estuve cuando le hicieron la indagatoria. A mí me revolvía el hígado nada más verlo. Yo tenía una afinidad emocional con tu mamá y tu papá. Y aunque tratara de que esas cosas no influyeran, no podía evitarlo; afortunadamente, eso no se evidenció de ninguna manera. Yo sugerí algunas preguntas que pudieran ayudar a aclarar la dignidad e intenciones de tu mamá, y siempre me he felicitado por eso. Porque quedó clarísimo que Lolita nunca supo de las intenciones de este hombre hasta el momento en que la atacó.

—Algo que siempre me impresionó de todo esto, fue que él confesara todo. Porque entiendo que relató todo en mucho detalle.

—Sí, es que ahí hay que resaltar las habilidades de un buen indagador. Carlos Augusto Herrera es un excelente interrogador. Yo me quedé sorprendido con la destreza con la que condujo el interrogatorio.

»Él le decía, así muy suave: "Ya confiesa, suéltalo todo, deja que todo salga". Con un ánimo de convencimiento que, en mi interpretación, el tipo hizo exactamente eso: vaciar todo. Porque la teoría de psicología criminal dice que los victimarios siempre quieren soltar la carga que llevan. Siempre. Y quizás, Carlos Augusto propició justamente el escenario para que el homicida soltara todo. Y así fue. Soltándolo todo. Y cuando vacilaba y no quería decir algo, Carlos intervenía y le decía: "Ya, sal de eso, no dejes que eso esté ahí, acosándote por dentro". Y el tipo fue soltando. Así fue ese interrogatorio.

—Entonces… ¿Ya? Él lo dijo todo... ¿Y qué pasó después?

—Bueno, también contó qué hizo después de asesinarla y dio más detalles que se pudieron comprobar. Como dónde botó el arma, las llamadas que hizo desde el celular de tu mamá, que además coincidían con el área donde dijo que estuvo. Todo lo que dijo cuadraba.

Ambos guardamos silencio. No parece que se ha dicho absolutamente todo, pero sí lo que ambos aguantamos por hoy.

—El juicio fue muchísimo tiempo después, ¿no? Algo como dos años…

—Sí, puede ser, no recuerdo con exactitud. Y fíjate tú, que después… mira que este tipo es tan ruin y tan bajo… ese tipo después de que ya se había concluido todo el debido proceso y casi toda la audiencia, de acuerdo con la ley, el enjuiciado tiene derecho, después de que hayan hablado todas las partes, a dirigirse al jurado por cinco minutos. Y ya después de que se habían mostrado todas las pruebas, su confesión, la autopsia, cómo todo coincidía, el tipo finalmente dice que él sí quería hablar, algo que mucha gente no hace. Él habla y dice que *ese* día, él iba a decir la verdad y toda la verdad. ¡Y se salió con una barbaridad! Y lo que dijo fue que él y Lolita se entendían, y que de pronto él había sospechado que Tony se había dado cuenta. Y que entonces ellos habían ido a esa casa a conversar, y de pronto habían llegado unas personas y que… ¡de pronto! él había perdido el conocimiento, y que, cuando despertó, ella estaba muerta y a él no le había pasado nada y se había ido temiendo que le echaran la culpa, y en vista de que sí había sido incriminado y estaba en todos los noticieros, había tratado de escapar hacia Colombia.

Le cambia el humor y se le vuelve a tensar el rostro.

—¡Es que ese tipo es un mentiroso! Primero le mintió a ella, luego le quiso arrebatar su integridad, luego le quitó la vida porque ella no cedió, y después le quiso quitar el honor. ¡Es que ese tipo es un pillo, es un asesino! —dice entre dientes.

Guardo silencio para darle espacio a su emoción.

—Y, una pregunta… esto no tiene que ver con nada, creo, pero yo recuerdo que mis tías…

—¡Ah, tus tías, tus tías! Tus tías revolvieron el mundo tratando de descubrir qué era lo que había pasado y quiénes estaban envueltos en ese crimen. ¡Las dos! Ellas son… bueno, tú las conoces mucho mejor que yo, pero ellas son de una intensidad excepcional, y te cuento que movieron cielo, tierra, quitaron nubes, pusieron lunas, cambiaron soles… ¡Ah, te digo que sí descubrieron cosas!

Se me agranda el corazón. Ya sé de donde salí tan intensa; mi mamá no era así tan arrebatada como yo, ni como las mellas. Seguro por eso tenemos tanto conflicto, porque somos iguales. Me lleno de orgullo y amor.

—¿Ah, sí? ¿Qué descubrieron?

—Bueno, varias cosas. Recuerdo que fueron dos temas específicos en los que ellas influyeron en la investigación, suficientes como para cambiar el rumbo en la dirección correcta. Ya no tengo el detalle porque ha pasado mucho tiempo. Si no me equivoco, fue una de ellas la que me comentó de esa relación que había entre alguien de la PTJ y el asesino. Ellas estuvieron encima de toda la investigación. Y de las cosas más frustrantes de todo este caso fue, primero, cómo se escabullía el asesino, teniéndose ya claro quién era; y, segundo, saber que este crimen no debió haber ocurrido si lo hubiesen detenido con las primeras denuncias originales.

Ya te he mencionado mi frustración con la PTJ. Así como está, no funciona. Si este crimen se resolvió fue porque el Toro dijo que así debía ser, y punto. Si no hubiese sido por eso, probablemente también se queda en el olvido. Porque el jefe lo decretó, entonces sí encontraron al criminal.

—Sí... no alcanzo a imaginar la frustración que debieron sentir esas mujeres después de pasar por el proceso doloroso de declarar y que no se haya hecho nada al respecto.

—Sí, qué impotencia. Y es que ese tipo es inteligente. Se movía muy bien. Daba clases de tango en el club social más importante de Panamá, era *stripper* en un bar y a nivel privado, y también ofrecía clases de karate. Un tipo habilidoso socialmente.

—¿Y sabes cómo identificó a mi mamá?

—No. Y me queda esa duda porque tu mamá no era una mujer con una vida social activa. Ella era apacible, serena...

—Sí, yo tampoco sé.

—Se dijo de todo, pero la realidad es que nadie sabe.

—Me contó mi amigo que trabajaba en el gobierno de ese momento, que aparentemente era algo común que se escaparan de la cárcel. Algo como que no deben tener celular adentro, pero todos tienen y hacen lo que les da la gana y nadie los controla. Algo así. No recuerdo de qué cárcel fue.

—¡La Joya! O La Joyita... no recuerdo exactamente. ¡Pero sí sé que es la que queda camino a Cartí! Porque, cuando supe que se había escapado, pensé —dice golpeando la mesa con los nudillos de los dedos—: ¡usó el mismo camino que había planeado tomar años antes! Y lo hizo con dos colombianos que estaban comprometidos con crímenes de narcotráfico. ¡Él ya tenía ese camino trazado! Lo conocía muy bien, ya lo había estudiado con precisión y la cárcel quedaba cerca del camino a Cartí.

Yo tengo pendiente darle seguimiento a su caso, porque supe que apareció en Venezuela años después, primero por papeles, pero luego lo apresaron porque tenía una alerta roja de la Interpol, pedido por Colombia por más de dieciocho denuncias por violación y abuso sexual. Creo que su pena debe estar por terminar en Colombia, y Panamá lo tiene que pedir antes de que lo suelten allá.

—¡Ah, vaya, qué peligro! Pensaba que eso ocurría automáticamente.

—No, quiero darle seguimiento a ese tema. Esta semana me pongo en ello.

Han pasado dos horas de conversación. El tema derivó hacia nuestro parentesco familiar. Me habla de cómo mi papá, otro primo y él son "Los tres del 49". Me detalla más del árbol genealógico, saca fotos de su infancia donde también aparece retratado mi papá; otras, de él en los 90, flaco y con un bigote negro robusto; me habla más de política, de sus años como magistrado, de su compromiso con nuestra democracia. Siempre con humildad y pasión por nuestra tierra.

Escucho a mis hijos gritar y sé que han llegado del parque a ponerle fin a esta conversación.

—Ya te he robado mucho de tu tiempo y pronto mis hijos me descubren en este huequito y me obligan a trancar. Prefiero despedirme en paz.

—¡No me estás robando nada, Anamari, no me estás robando nada! No te imaginas el gusto que me da conversar contigo.

Además, me hace sentir como que no me ha hecho un gran favor. La primera hora fue una de las más difíciles de mi vida, sin duda, pero de su mano y de la de mi mamá, me siento ya del otro lado y como que ha pasado lo peor.

Hemos quedado en vernos en persona cuando regrese de Miami, que será pronto.

Ninguno de los dos quiere cerrar la llamada, pero logramos transmitirnos el cariño virtualmente y hasta la próxima.

Podría entrevistar a Zaidée; es muy fácil, solo debo tocarle la puerta, escribirle o hablarle la próxima vez que me la encuentre, que es con mucha frecuencia. Aunque debo armarme de valor y no sé cuánto tiempo me tome eso.

32

Cantante y exbailarina

Nunca tuve una forma de expresión artística en mi vida, más que mi Querido Diario, pero un día me sentí lo suficientemente dramática como para incursionar en el teatro. Ya había practicado por tantos años en la ardua tarea de meter a Iván en problemas. Debo ser buenísima, pensé. Mi consultoría en la oenegé me obligaba a tomarme el duodécimo mes de baja, y me enteré por alguien que conocía a alguien que conocía a alguien, que se estaba audicionando para una obra de teatro financiada por el Instituto Nacional de Cultura (INAC):

—¿Por qué no lo intentas?

—Porque... ¿nunca he actuado ni cantado?

—¿Y por qué no lo intentas?

—¡Pues, porque nunca he actuado ni cantado!

—¡Ajá ¿Y qué tienes que perder?

—Bueno, sí, nunca me ha importado mucho hacer el ridículo… Ok.

Fui. El director de la obra me pidió que cantara y me congelé; mi pidió que cantara *Los pollitos* y la canté con mi voz más aterrorizada, y él decidió darme una oportunidad. Luego entendería que la obra no tenía fecha ni lugar para presentarse ni presupuesto, pero la oportunidad incluía la magia de la posibilidad y me emocioné.

Rápidamente busqué caras amigables y entablé una amistad con María José, la hermana de la antagonista. Antes de decirle mi nombre ya le había contado que nunca me había relacionado con la música, que no toco ni el timbre, que tampoco había actuado nunca, más que mi sobredramatización cotidiana y en un dueto practicado a puerta cerrada con Carolina del *Elephant Song* de *Moulin Rouge*, en el que yo era Ewan McGregor y Carolina, Nicole Kidman; y que secretamente soñaba con invertir los roles. Quería poder ser Nicole sin acalambrarle los dientes a Carolina. A María José le enternecieron mis aspiraciones y me ofreció sus servicios como profesora de canto. Me dijo que cualquiera podía cantar, me prometió que pronto descrestaría a Carolina con mis dotes en la obra, con voz de princesa de Disney, y así me llenó la cabeza de sueños.

Acordamos clases dos veces por semana en casa de tía Mechi. Nos sentábamos en el balcón a practicar algunos ejercicios de respiración, de repetir notas musicales, cantar boca abajo, cantar tocándome la nariz, entre otros. Aprendí que había tipos de voces y que la mía pertenecía a uno de estos grupos con mediano potencial. No me convertiría en Whitney Houston, pero podría dormir a mis hijos algún día sin derretirles los tímpanos. ¡Y también podría cantarle *Los pollitos* al director de la obra sin absoluto pánico!

Un día de clases, alguien que venía por María José se demoró más de la cuenta. Le preparé un té y nos sentamos en la cocina a esperar. Durante la conversación me preguntó:

—¿Tú vives sola en este apartamento tan grande?

—Sí, pero no es mío, es el apartamento de mi tía. ¿Se nota, me imagino, no? Las fotos, etc.

—Sí, sí, me imaginé que no era tuyo. Lo que no entendí es por qué estás aquí sola.

—¡Ah, sí! Es que a mi tía la nombraron embajadora en Chile y está viviendo allá. Antes vivíamos juntas, pero bueno, ahora me quedé sola, pero está bien...

—¿Y eso que no vives con tus papás?

Uff. ¿No tienes pelos en la lengua, no?, pensé.

—Bueno, mi papá se volvió a casar y la verdad funciona mucho mejor así. Desde que me mudé ha mejorado muchísimo mi relación con él y su esposa. La convivencia, en general, no es fácil... ¡Pero más aún cuando no es tu pareja o familia!

—Ah, tu papá se volvió a casar. ¿Tus papás se divorciaron? ¡Vaya, y pensaba que no tenía filtro!

—No, mi mamá murió cuando yo tenía trece años.

—¡Ay, no, lo siento mucho! ¿Y de qué murió? ¿Cáncer o algo así?

—No... asesinada.

Se llevó la mano a la boca y transformó su cara en una de horror, y dejó un silencio de "dime más".

—No sé si escuchaste, ¿o te acuerdas de un caso de hace más de diez años, sobre una mujer que trabajaba en bienes raíces que fue asesinada defendiéndose de un violador en serie?

Acentuó su cara de espanto, se llevó nuevamente la mano a la boca, y ahora la otra mano la puso en el corazón.

—Ani, sí sé. A mí eso me marcó mucho. ¡Pero mucho! Déjame contarte. Yo conozco al asesino de tu mamá.

Se me fue el aire y el calor de la piel.

—Déjame contarte, porque me afectó muchísimo y siento que esto no es casualidad. Él era muy amigo de mi papá cuando vivimos en Costa Rica y yo era pequeña. Allá fue donde lo conocí. De hecho, él fue el que me enseñó a bailar y pasaba bastante tiempo con mi familia.

Imaginarme a ese depredador cerca de una niña me produjo escalofríos.

—Luego, nos mudamos de regreso a Panamá y no lo volví a ver. Un día me lo encontré en el súper y, de hecho, me emocioné mucho de verlo. Nos pusimos al día un poco, me preguntó si estaba bailando, le conté que sí, que un poco nada más, y nos pusimos de acuerdo para bailar.

»La semana antes de lo de tu mamá estábamos practicando para una presentación con otras parejas de baile, y el día que lo cogieron preso teníamos una práctica. Me llamó uno de mis compañeros y me dijo: "María José, no vamos a poder practicar hoy, a Johny lo acaban de coger preso". Me preocupé, pero lo primero que pensé fue que había sido por algo de migración, papeles, qué sé yo. Jamás algo así, pero él me aclaró de una vez y me dijo: "¿Sabes de la señora de bienes raíces que mataron y que ha estado saliendo en las noticias todos los días?". Creo que ni alcancé a responderle; era obvio que sí. Y me dijo: "Bueno, parece que él fue el asesino".

»Yo no lo podía creer, todo parecía mentira. Mi infancia pasó frente a mis ojos; todo el tiempo a solas con él sintiéndome completamente segura. No podía entender nada, pero cuando me atreví a ver las noticias se puso peor todo, porque vi los reportes de las dos mujeres violadas en Panamá, y luego que tenía dieciocho denuncias en Costa Rica. ¡Dieciocho! Está de más decir que quedé seriamente traumatizada. Nunca volví a bailar y me dediqué únicamente al canto en bodas, fiestas y teatro, como tú sabes, pero nada de presentaciones de baile.

Cuando pensé que había terminado, tomó un sorbo de té, ya frío como yo, y siguió:

—Hubo un momento en que no pude con la duda y tuve que ir a verlo a la cárcel.

—¡Fuiste a la cárcel! ¿Y lo viste?

—Sí, todos en mi familia me decían que no, pero yo necesitaba resolver todas las dudas que no me dejaban tranquila.

—¿Y qué pasó?

—Nada. Realmente nada. Fui, me senté frente a él, le hice todas las preguntas: "¿Por qué hiciste eso? ¿Quién eres realmente? ¿Eres la persona que yo conocí? ¿Por qué nunca a mí?", porque obviamente me lo preguntaba.

Quería sacudirla para que me dijera rápidamente qué le respondió, pero pretendí algo de paciencia.

—¿Y?

—Nada, nunca me miró a los ojos. Al principio pensé que no había conseguido respuesta, pero en realidad sí. Entendí lo que hablaban en los noticieros. Es una persona con gran habilidad de camuflarse, y ahora, cuando yo sabía quién era él, no me podía mirar a los ojos.

—Durante mucho tiempo pensé que era una persona enferma o rota. Casi buscando justificarlo. Pero luego entendí esto como un mecanismo de defensa para no llenarme de odio ni perder fe en la humanidad. Ahora tengo paz al pensar que, sí, hay gente terrible con deseos de hacer daño a otros. Y debemos cuidarnos. Punto. El verdadero problema es que está suelto. ¿Supiste que se escapó de la cárcel?

—Sí, qué horror. Es difícil para mí todavía pensar que es la misma persona con quien bailaba, pero sí.

—Todavía no puedo creer que conozco a alguien que lo conocía personalmente. Esto es muy loco, voy a necesitar un rato para digerir esto.

—Yo también. Muchas veces lloraba por tu familia, pero haberte conocido, saberte feliz, con esa energía tan linda que tienes, me da mucha paz. ¿El resto de tu familia también está bien?

—Sí, todos bien. Todos han formado sus familias y son felices.

—¡Qué bueno! Me alegra realmente. Y bueno, me ha estado sonando el celular desde hace un rato, tiene que ser mi hermana que ya está abajo —tomó su celular—. Sí, es ella. No quería mirar antes porque no me quería apurar a contarte todo. La verdad me voy tan liviana y tranquila.

Me alegra muchísimo haber conversado contigo. Espero que quieras seguir dando clases de canto conmigo.

Se puso de pie y seguimos hablando mientras caminábamos hacia la puerta.

—¡Claro! Esto no cambia nada. Cambia todo, pero no cambia nada. ¡Tú me entiendes!

—Sí, yo te entiendo.

—Bueno, ahora sí me tengo que ir. ¿Te puedo dar un abrazo?

Le extendí los brazos y nos dimos un apretón sincero. Ambas ya más ligeras. Cerré la puerta y observé la foto de mi mamá en la entrada de la casa. Aquella, la única foto que pudimos conseguir en la que salía sola, y fue la que circuló por todos los noticieros.

Tuve una clase más de canto, luego me choqué, mi carro fue pérdida total, se me complicaron mis días, se me complicó la logística, se pospuso la puesta en escena, se acabó mi vacación, regresé a trabajar y decidí que participar en la obra parecía estarse haciendo más y más difícil por fuerzas más grandes que yo, y la abandoné.

Después me enteré de que se pospuso varias veces más hasta que se presentó solo una vez en las escalinatas del INAC, al aire libre.

Siempre había tenido este sueño despierta, quizás después de haberlo visto en alguna película, de visitar al asesino en la cárcel, enfrentarlo y preguntarle: ¿Por qué? ¡Mira todo lo que rompiste! ¿No te arrepientes? ¡Eres un monstruo! ¡Me das lástima! Y agredirlo un poco así, esposado e inofensivo.

Luego, apagaba esta imagen de súbito y me preguntaba: ¡¿No es que estás bien?! No pierdas tiempo en él, es un monstruo. No pienses en él. Y luego, por supuesto lo volvía a hacer, pero con este encuentro, ya no apareció más.

La obra había llegado por una razón a mi vida, cumplió su cometido y salió por la misma puerta por la que entró.

33

Vecina

Me tomó un tiempo digerir la conversación con Pizco. Contrario a la entrevista con Efraín Mendieta, salí sacudida frente a tanta información nueva y necesité un tiempo para decantar la turbulencia. Contrario, porque a aquella llegué preparada para lo peor y no fue grave, la mayoría lo había escuchado ya exactamente igual de parte de mi papá hacía veintidós años. A esta entrevista llegué optimista y salí atropellada por un tren de información nueva. Definitivamente, lo que me sacudió profundamente fue el dato de las esposas, pero sentir la paz de la mano de mi mamá me ayudó a sanar justo en el momento en que se abría la herida.

Lo que todavía me tiene sacudida y enfurecida fue conocer que la ineficiencia y corrupción de nuestro sistema de justicia tuvo igual cantidad de culpa que el asesino. Y ver cómo pasé tantos años pensándome privilegiada porque sí obtuvimos justicia. ¡Cuán inocente! Poco antes de la entrevista, yo había ya entendido que no éramos realmente privilegiados, porque la justicia no debería ser privilegio, pues es un derecho humano e inalienable. Lo que debería ser es que todos tuviésemos el mismo acceso a la justicia, el problema es que no se le dé el mismo trato a todos.

Lo nuevo fue entender que el sistema que pensé que nos había beneficiado, fue el que tuvo la oportunidad de haber prevenido su muerte habiendo apresado al asesino con las dos denuncias existentes y amplias en información de contacto.

Tenía esta ira a flor de piel cuando a un diputado de la Asamblea Nacional lo declararon inocente por abuso sexual de menores, incluso con pruebas contundentes en su contra. Mi alma gritaba: ¡han pasado veintidós años y sigue podrido el sistema! ¿Qué están esperando? ¡¿Que mate?!

Desahogué mi ira en un artículo de opinión que envié al periódico, titulado: "Se repite la historia, se repiten los monstruos". La magnitud de mi ira fue tal, que no me di cuenta de que después de veintidós años esforzándome por quitarme la etiqueta de "la hija de Lolita" o "la hija de esa señora que murió asesinada por el violador en serie", me la volvía a poner voluntariamente, y no estaba lista para su efecto.

Me llegaron cientos de mensajes y la mayoría me felicitaba por mi valentía o expresaba gratitud por compartir mi voz. Pocos tenían que ver en realidad con mi argumento a favor del Estado de derecho, del fin del privilegio o de la importancia de la justicia. No estaba lista emocionalmente para los mensajes; sentí un eco de las voces de lástima que me hicieron desear esconderme debajo de una piedra en 1998 y me cuestioné este deseo del alma de narrar y compartir mi historia, pero como nunca he sentido que es voluntario, seguí escribiendo.

Dentro de los cientos, estaba este mensaje de mi vecina, que sí atesoré. Llevaba un mes evitando pedirle la cita, y la vida hizo su magia para que me la pidiese ella a mí cuando me escribió:

—Hola, Anamari, me enviaron tu escrito y me removió tanto dolor y trauma. Si alguna vez quieres conversar sobre ello, estoy a las órdenes.

—Me encantaría conversar, de hecho, había querido escribirte yo a ti y te me adelantaste, pero mejor aún.

—Estoy a la orden. Además, creo que sería una catarsis para las dos. Avísame cuando puedas.

Pautamos para vernos en su apartamento, a las cuatro de la tarde.

Ya en su puerta, tengo dudas. ¿Será difícil iniciar la conversación? ¿Será una de esas conversaciones incómodas sobre el edificio, en el esfuerzo por no hablar de lo que realmente vinimos a hablar?

Abre la puerta con un saludo formal y su mascarilla bien puesta; dejo los zapatos en la puerta y entro. Ya he estado aquí en navidades, cuando he traído a los niños a ver su nacimiento extraordinario, pero nunca en un día normal. Es un espacio pulcro, lleno de detalles de sus viajes: el cuadro de batik en la pared, los cojines de Indonesia, los huevos Fabergé, vajillas de la familia expuestas en muebles con vitrina y, al fondo, la vista tan especial de este edificio. Me guía hasta su oficina. La admiro al caminar, más alta que mi mamá, con el cabello corto y muy elegante, y su caminar de reina como si tuviese un libro descansando sobre su cabeza. Nunca había notado que Zaidée es guapa, con sus ojos grandes, regrandes, color miel. Debió ser muy atractiva de joven. Se confirma mi pensar en cuanto entro a su oficina al ver enmarcada en la pared una portada de revista; un retrato de su rostro en sus treintas, supongo.

Sí. Guapa y exótica.

Me equivoqué en pensar que daría vueltas antes de empezar, ya que no me he sentado y cae de clavado en el tema, como si hubiese estado deteniendo con un dedo el chorro que buscaba salir por un hoyito y al soltarlo, sale con ímpetu:

—Qué bueno que viniste. Estaba pensando que, aunque ya han pasado veintidós años y medio, tu escrito me movió todo. Sentí todo nuevamente como si fuera ayer.

—A mucha gente, al parecer. Recibí todo tipo de mensajes. Para mi decepción, pocos sobre lo que realmente se trataba el artículo. Al parecer, en aquel momento, entre mi situación, mi dolor y el egocentrismo de mi adolescencia, no pude ver los mares de gente a la que esta historia le afectó. Y todos decidieron sacar y compartir conmigo sus historias de donde las tenían guardadas durante tantos años.

»En aquel momento yo sentía que estaba rodeada de morbo, pero con los mensajes me di cuenta de que... claro que sí hubo en aquel momento... pero no *todo* era morbo. Me escribieron personas con relatos muy sentidos. Me he ido dando cuenta de que la onda expansiva que rodea a este asesino es más amplia de lo que yo me alcanzo a imaginar.

—Sí, fue muy amplia, pero es obvio también el cómo era imposible ver más allá de tu propio dolor en el momento.

—Sí, eso lo entiendo ahora que lo puedo ver desde afuera y hacia atrás.

—Y una pregunta. ¿Sabías que yo había encontrado el cuerpo de tu mamá?

—No tenía idea. Yo sabía que jugabas tenis con ella, pero nada más.

—Bueno, decir que jugaba tenis con ella sería un halago. Ella jugaba en una categoría superior.

—Esa era otra cosa que no sabía... que era buenísima. En mi casa la estrella era Iván, así que nunca supe que ella tenía su mérito también.

Pero no tenía idea. Me enteré por Pizco; él fue el que me dijo y me generó mucha impresión, saber que habías sido tú, viviendo todo este tiempo en el piso de arriba.

»En el artículo puse que he estado investigando los detalles de la muerte de mi mamá.

No, no estoy lista para contarle del libro. De a pocas me lo creo yo, que tengo la madera para escribirlo.

—Sí, lo leí. Por eso fue que me atreví a escribirte. El primer año que te mudaste al edificio sentí muchas ganas de acercarme y hablarte, pero no me diste la impresión de que sabías, así que decidí no hacerlo.

—No tenía idea. Creo que ahora es el momento perfecto, me siento lista para hablarlo y escuchar tu historia.

—Qué bueno, gracias, porque no debe ser fácil.

—Nada que vale la pena lo es, y este mirar al monstruo a la cara, enfrentar el miedo, ha sido extremadamente sanador.

—Obviamente, no siento lo que tú sientes, pero lo puedo entender. Te cuento. ¿Sabes que yo fui la que le habló de esa casa?

—¡Ah, guao!

—Sí, me voy a ir un poco más atrás. Me la encontré en un evento del club de tenis en agosto. Era un *happy hour* con puestos asignados. Me acuerdo perfectamente; me habían sentado al lado de los Rivera, al final de la mesa, pero me paré un momentito al baño y cuando regresé, alguien me había quitado el puesto. Y cuando busqué otro, vi que había uno disponible a un lado de tu mamá. Me alegré mucho porque, bueno, yo quería mucho a Lolita. La saludé...

Cierra los ojos y recuerda con una sonrisa.

—Es que recuerdo hasta lo que traía puesto. ¡Y con esa sonrisa!

Vuelve a abrir los ojos y me mira fijamente sosteniendo su expresión.

—¡Y cómo se parecen las dos! —hace pausa y regresa con calma a su relato—. Bueno, conversamos un rato y ahí me contó que estaba contenta porque iba a comenzar un trabajo nuevo en unos meses, que estaba sacando su certificación como corredora de bienes raíces. Me acuerdo que me dijo: "Sí, disfruté mucho mi jubilación, pero… ¡ya, mucha vagancia!". Estaba contenta porque con ese trabajo iba a poder dedicarle el tiempo a los pelaos, que era lo bueno de su jubilación, y a la vez aportar al hogar. Sobre todo sentirse productiva. Y yo le dije: "Qué bueno", me contenté mucho por ella porque se veía muy feliz. Y ahí mismo le conté sobre la casa de mi vecino, que estaba vendiendo el dúplex del final de mi calle.

Qué interesante esta persona que describe. Me encanta escuchar de mi mamá en su elemento, en su vida de adulta. Siempre bella, alegre y radiante. Su historia me la pone enfrente saliendo de la casa.

—Ese mismo lunes, el día antes, me llamó para pedirme el contacto de la casa, que tenía a alguien interesado que quería montar una escuela de baile, karate o algo así.

—Ambas.

—Ah, ok, algo así era. Y le dije que, claro, que yo era la que tenía la llave, que se la iba a dejar con la empleada de mi casa.

Me acuerdo específicamente que le ofrecí acompañarla. Le dije que seguro la ayudaba porque como vivía ahí, sabía la reglamentación del conjunto de casas, y, bueno, del vecindario en general, porque me gustaba mucho. Seguro podría ser de valor, pero ella me respondió muy enfáticamente que no, gracias.

—Y ¿por qué crees? No te parece raro eso. Porque tampoco le dijo a su jefe, que normalmente acompañaba a las mujeres a las citas que eran con hombres.

En mi adolescencia me enteré de eso y siempre me generó mucha culpa pensar que quizás rechazó la compañía para poder ser más coqueta y así atraer la venta. Sentía vergüenza por la sola idea, vergüenza con mi mamá si podía escuchar mis pensamientos.

—No, por nada malo, de eso estoy segura —dijo en defensa de ella como si escuchara mi pensamiento—. Se le notaba en su voz muchas ganas por hacer la venta sola, poder colgarse la medalla de haber cerrado su primer negocio sin la ayuda de nadie. Eso me quedó claro y se lo respeté. Y me puse a sus órdenes.

—Ok, tiene sentido.

—Yo tenía dos llaves de esa casa, una destinada para los corredores de bienes raíces y otra para quienes estaban trabajando en las remodelaciones. Las tenía en dos platitos en la entrada, de dos colores diferentes. Así, apenas yo entraba a la casa todas las tardes al llegar del trabajo, sabía si alguien no me había regresado la llave. Y esa tarde faltaba la de bienes raíces y recuerdo que pensé: "Oye, qué fresca Lolita; no regresó la llave. La tengo que llamar", pero me olvidé. A la mañana siguiente fui a jugar tenis con mi grupito de las siete de la mañana. Y apenas al inicio del boleo, mi *partner* de dobles, mi amiga Lila, me dice muy angustiada: "Zaidée, no puedo ni jugar tranquila. Te quiero contar algo, aunque no debo; pero me lo tengo que sacar del pecho. Nos dijeron que no podemos contarlo porque si se entera todo el mundo podemos poner su vida en más peligro si está secuestrada, pero te tengo que contar: Lolita Alfaro está desaparecida desde ayer".

»Me puse pálida y supe de una vez. No me vas a creer. Yo giré la cabeza así —Zaidée mira hacia su derecha y apunta a la pared con ambas manos— y la vi allá sentada en una silla, no sé por qué, pero sentí que tenía mucha sed. En ese momento le dije a Lila: "Yo sé donde está. Acompáñame". Ella accedió y así, de la nada, dejamos el juego colgado.

»Ahora pienso: ¡qué raro! ¿Por qué no llamé a la policía? ¿Por qué tenía que ir yo? Pero Lila tampoco me cuestionó. Nos fuimos en carros separados porque ella tenía su carro en el club también, y en el carro tuve otra visión. La vi en medio de un charco de sangre.

Mira, Anamari. Yo la verdad ni sé qué fue eso que me pasó, pero estaba tan clara de lo que me iba a encontrar que comencé a pensar en los pasos a seguir. ¡Es más! Me acuerdo cuando llegué a la luz roja, en la vía Porras con el Banco General, para girar a la izquierda, haber pensado: mi hermano está de viaje, necesito abogado, y haber pensado en mi sobrino, y también que debía cerrar la puerta después y no dejar entrar a nadie, que debía cuidar de que nadie tomara fotos. ¡Imagínate, todo eso pensé!

»Estacionamos en mi casa, busqué la llave y caminamos juntas a la casa. Afuera había unos muchachos que le estaban haciendo unos trabajos a la casa de enfrente, que también estaba en remodelación, y fui a decirles: "Si yo no salgo de esa casa en los próximos cinco minutos, llamen a la policía". Y entramos.

»Al entrar, sentí que hacía el mismo recorrido que hizo ella y fui directo a la recámara principal, y en el baño la vi.

Hace pausa, mira hacia el mar desde su ventana y luego a su falda. Se la arregla un poco y me mira con mucha intención.

—Anamari, yo nunca voy a olvidar lo que vi, la tengo tatuada en mi mente. Sobre todo su cara. Me pareció tan rara su cara de ángel. Lila estaba conmigo, pero nunca pasó de la puerta del cuarto. Yo estaba tan clara de lo que iba a ver que estuve relativamente tranquila. Cuando entré al baño y la vi, me arrodillé, me persigné y la observé, en estado de *shock*. Recuerdo que estaba la cartera sobre el inodoro y ella boca abajo en medio de un charco enorme de sangre. Me impresionó mucho su cara. No sé, en las películas la gente que muere asesinada tiene como cara de pánico u horror. Los ojos abiertos, no sé, pero ella no. Eso de alguna manera extraña me dio paz, sentí que ella estaba en paz.

Me corren las lágrimas y me las limpio con los dedos. Ella no me lo está diciendo para hacerme sentir mejor; se me hace obvio que ella no tiene filtro. Es quien es y dice lo que piensa. Punto.

Me confirma lo que me dijo mi mamá el día que la tomé de su mano mientras hablaba con Pizco. Sí, fue ella y sí estuvo en paz. Está en paz.

No parecen importarle mis lágrimas y eso me relaja. Sus ojos vidriosos también expresan su sentir.

—Di unos pasos hacia atrás y salí de ahí. Afuera ya, comencé a temblar y llamé a mi sobrino. Lila hizo otras llamadas que alertaron a las personas adecuadas. Pronto llegó el poco de gente, la policía y toda la turba con su morbo. La policía me hizo mil preguntas, me pidieron repetir todo cuarenta veces, luego mi sobrino intercedió por mí y me dejaron tranquila. Le pedí que me acompañara a mi casa. Quería lavarme el horror del cuerpo. Me quité la ropa y ahí me di cuenta de que tenía manchas de sangre en el cuerpo y en la falda. Me bañé rápidamente porque no soportaba estar dentro del baño. Me puse la toalla y salí al cuarto donde me estaba esperando mi sobrino y me senté ahí a llorar.

Me limpio las lágrimas una última vez. Me está pasando algo ahora cuando escucho las historias de otros también afectados. Como que me roban un poco de mi espanto, horror y dolor. Algo de saberlo compartido me alivia el mío. Y me lo permito.

Ella se nota entregada a su esfuerzo por vaciarse de su relato. Tiene la postura recta, que la sostiene siempre elegante. Sus manos de dedos largos delatan sus emociones, manifiestan lo que no logro ver en su cara por la mascarilla. Se mueven, se acarician entre ellos, arreglan su falda. Con los ojos empañados, continúa:

—Al día siguiente, ese miércoles, fue el funeral de una vez, y antes tuve que llevar a mi empleada porque necesitaban su ayuda para un retrato hablado. Entiendo que tenían algo de las cámaras de la farmacia de cuando se había cruzado este hombre al carro de tu mamá, pero nada de calidad.

»¡Te voy a decir que me sorprendió el retrato! Ella solo logró mirarlo de perfil y con la mano en la cara —y gira la cara mostrándome su perfil mientras la tapa toda con su mano, dejando solo la nariz a la vista—. Ella solo vio que él tenía una colita y su nariz que quedó por fuera. Y aun así, cuando dibujaban su relato de la cara... ¡lo dibujaban de frente! Yo quedé impresionada con la destreza, bueno, no sé si de ese señor o si todos pueden hacer lo mismo. Pero quedé positivamente sorprendida.

»Estuve un rato, pero me fui porque quería llegar a tiempo a la misa.

Se detiene un momento, parece recordar la misa, pero solo para sí misma. Sale de ese lugar, vuelve acá y me mira:

—¿Sabes que duré un año completo sin mirar hacia esa casa? No volteaba hacia allá. ¿Y que me duró mucho tiempo también el pánico por los baños? Un año después estaba con una amiga y entré sola a un baño público, y no sé qué me pasó, pero salí corriendo, histérica. Me dijo mi amiga: "No más Zaidée, necesitas hablar con alguien. Ya ha pasado un año; claramente es algo que debes trabajar". Yo no creía mucho en esas cosas, pero ella tenía razón. Había pasado un año y ... ¿qué? Le iba a tener terror a los baños para toda la vida? Así que me tocó. ¡Tuve la suerte de caer en manos de un psiquiatra muy bueno! Creo que solo fui como a cuatro o cinco sesiones.

—¡Ah, guao! Tienden a querer atenderte por años, normalmente...

—¡Sí, yo sé! Por eso me pareció tan bueno. Me acuerdo que me dejaba tareas y yo las hacía. Eran unas visualizaciones, y poco a poco fui sanando. Le agradezco mucho a mi amiga que me haya dado ese empujón.

—Sí, la verdad qué bueno que hayas podido conseguir esa paz.

Le cuento un poco de mi experiencia con terapia, sobre todo de cómo me demoré once años en finalmente echarme al agua y enfrentar el dolor que tenía guardado con llave.

También hablamos de cuánto se habló del tema en la calle y las barbaridades que llegó a escuchar.

—A la gente le gusta hablar mucho, Anamari, y se dijo de todo. Gente que claramente no la conocía. Lolita era una de las personas más rectas que yo he conocido.

—Yo supe que se habló mucha cosa, pero, obviamente, no me dijeron a mí, así que no sé exactamente qué se habló.

—Y, para qué... ¿mejor así, no?

—Sí, totalmente.

De pronto lo siento en el pecho, como una verdad que llega. Tengo un par de meses tratando de vender mi apartamento y ha venido una cantidad sorprendente de personas a verlo, más de las que esperaba en medio de una crisis económica causada por la pandemia, y casi todas se han ido interesadas; parece como que fuesen a hacer una oferta, pero hasta ahora no he recibido ninguna, y acabo de entender; nadie me iba a mover de este edificio hasta que nosotras tuviésemos esta conversación.

—Zaidée, sabes que acabo de sentir que ahora que tuvimos esta conversación, sí se me va a vender el apartamento.

—¿Cómo así? —pregunta confundida por mi comentario—, pero ¿tienes un buen corredor? ¿Ha venido gente a verlo? Si quieres te puedo recomendar un corredor excelente que conozco.

Ella no me entendió, y menos mal, porque sueno como bruja y loca.

Pasamos un rato más hablando de la venta del apartamento y por qué pensamos que este edificio sostiene su valor en el tiempo. Ya se me hace evidente que estamos extendiendo la conversación por la conexión tan íntima que hemos generado después de años de saludos superficiales, pero me siento ahogar con esta mascarilla y me despido.

—Zaidée, no tengo palabras para agradecerte que me hayas contado tu historia.

—Anamari, gracias a ti. Ha sido muy bueno para mí hablarlo. Estoy a la orden si tienes cualquier otra pregunta.

—Seguro que la tendré, tengo mala memoria y no la grabé.

—Bueno, sabes donde vivo. Ja, ja.

Se pone de pie, se estira la falda y me acompaña hasta la puerta.

Después de unas horas de haber salido de donde Zaidée, recibí mi primera oferta por el apartamento. Fue un insulto de oferta y la rechacé inmediatamente, pero sabía que era la primera de varias.

Hoy, una semana después, recibí dos más, una de ellas por el monto completo que pedimos por él.

Cada paso de este camino ha estado condimentado de magia. Te siento, mami, sé que me acompañas.

34

Los sueños

Los sueños son ventanas en las que podemos asomarnos para ver lo que pasa adentro. Si estoy ansiosa, sueño con que llego al colegio, universidad o trabajo, y se me ha olvidado ponerme camisa. Estoy con el pecho al aire tratando de esconderme.

Si ignoro mis ganas de coger, sueño con un polvo espectacular que me deja con más ganas aún.

Y de niña, cuando me orinaba en la cama, soñaba con un alivio brutal, pero, en lugar de caer el chorro con la gravedad, bajaba por dentro del pantalón y me despertaba solo para hacerme caer en la cuenta de que seguía en mi cama y ahora estaba orinada.

Despertarme con este reguero de necesidades interiores, tan de pronto afuera, produce un estado de emergencia por un cuerpo que no se le escucha durante el día y recurre a la calma de la noche. Antes calma, ahora interiores derramados pidiendo ser atendidos.

Cuando los temas provienen de una conciencia más enterrada, más profunda, los sueños ocurren en trilogía, pentalogía, octología. Hasta que me acuerdo de uno, lo agarro por la cola, me hago consciente de él y ya no vuelve más. Unos más tercos, sí, pero la mayoría se esfuma como el burbujeo en la superficie.

Hay otros buenos, como en los que puedo volar sobre una tabla de natación. Solo debo aferrarme fuerte a la tabla, correr y despegar hacia el horizonte. Incluso, a veces despierta, observo los pájaros en el cielo y sé exactamente cómo se siente, porque lo he vivido con mi tabla azul.

Otras series son menos fantásticas: una persecución, huyendo de un asesino; una fiesta eterna con gente que me ignora; que me encuentro con cientos de arañas y me caminan por todo el cuerpo. Y si se avecina un desenlace interesante, algo que le daría un fin decoroso a la pentalogía, caigo en la cuenta de que es una serie, que son solo sueños y ya no vuelven más.

Hay otros que no he tenido la dicha de experimentar. En las películas se muere la gente y luego aparecen en los sueños de los dolientes, bellos, vestidos de blanco, con un viento que les mueve el cabello, para transmitirles un mensaje de bienestar y amor desde el más allá. Yo quise sueños así, entre nubes, pero no me llegaron nunca.

Sí he soñado con ella, y sin duda son los sueños más memorables de mi vida, pero nunca con una versión celestial. El más impactante fue aquel en el que se cumplió mi deseo más profundo de despertarme del terror de aquel presente en el dúplex de mi infancia, y verla a ella tranquila, en la mesa del desayunador, lista para consolarme de tan horrible pesadilla.

Luego hubo otros como este, un desfile anual de ellos, igualmente dolorosos, con suficiente separación para volver a dejarme convencer por mi mamá, de que el sueño era la realidad y que esta era la pesadilla. A pesar de que caía una y otra vez, sí fui aprendiendo, de manera que los sueños no me engañaban tan fácilmente, así que se fueron sofisticando en su habilidad de hacerse pasar por la realidad.

Cuando me obsesioné con el programa de televisión *Hechiceras*, que se trataba de tres brujas hermanas, una de ellas enamorada de un ángel del cielo y la otra de un demonio del bajo mundo, soñé que me descubrían como la cuarta hermana, y que al iniciarme como bruja, los sabios del cielo decidieron premiarme, por lo difícil que la pasé con la muerte de mi mamá y lo bien que había respondido a lo hechos, con regresármela desde lo cielos, de carne y hueso.

Esto sí era creíble, por supuesto. Pasamos un día genial juntas; además, conmigo estrenando poderes mágicos de mover cosas con la mente. Fue el mejor día de mi vida.

Despertarme no fue tan genial. Pasé un día gris de duelo horroroso, casi tan grave como el día cuando encontraron su cuerpo, con la cara soplada y roja de llanto, de mal humor, en pijamas, deseando que acabase pronto para dormir y salir de esa realidad.

En el último de la serie de la mamá que regresa, soñé que salía ella de alguna selva donde estuvo escondida durante todo este tiempo, perfecta, hermosa como siempre, pero con un halo de paz que solo dan años de comunión con la naturaleza. Me explicó que, para realmente escapar de las garras de su asesino, había huido, haciéndoles creer a todos que estaba muerta, pero una vez se supo fuera de peligro, pudo regresar. Lo que no calculó fue que todos superaran su muerte, especialmente su esposo, quien se volvió a casar. Yo la senté y le expliqué con mucha vergüenza que no le pude guardar su lugar, que mi papá insistió mucho en que necesitaba rehacer su vida y yo había perdido la batalla. Ella, un poco decepcionada, entendió y me agradeció que fui la única que se mantuvo fiel en el dolor por su falta. Que ahora podríamos ponernos al día juntas. Y eso hicimos, un día de plan de chicas con visita al sauna, compras y salón de belleza. Todas las actividades que me perdí al crecer en una casa de machos remachos.

Al despertarme, ya no sentí la tristeza profunda tan conocida; me atacó la vergüenza. Vergüenza de entender que esa era mi resistencia a Kathia, el deber autoimpuesto de guardarle el lugar a mi madre para cuando regresara.

Los otros eran un espejo de la terquedad de mi inconsciente por aceptar que mi mamá no regresaría, pero este en particular trajo consigo los instrumentos necesarios para desatorar bloqueos, marcando un antes y un después, sobre todo en mi relación con mi papá y Kathia.

35

Audiencia 1

Tengo las 127 páginas, pero en mis manos pesan como si fuesen mil. Es solo el acta de audiencia perteneciente a un archivo con más de 2,000 folios. Siempre pensé que este era el expediente de mi mamá, pero no. Aprendí que se le abre al acusado y adentro está todo sobre sus otras víctimas en Panamá, y estas 127 páginas son solo el acta de la audiencia.

Pizco cumplió su palabra. De haber sabido la magnitud del esfuerzo y tiempo que le iba a tomar, jamás hubiese aceptado la oferta de conseguir el expediente. Le tomó cuatro visitas al Registro Público, algunas solicitudes burocráticas, y una visita a un magistrado.

Después de varias reuniones en las que me recibía decepcionado, con alguna historia nueva sobre los tejemanejes de encontrar un archivo dentro del universo de la institución panameña, cuando me disponía para salir hacia su edificio, vi que tenía un mensaje de él: "¡hoy sí te tengo buenas noticias!". Supe de una vez que se trataba del expediente. Ningún otro tema dentro de este proceso de entrevistas invitaría a que me diera una "buena noticia".

Al llegar, me esperaba en su escritorio, igual que siempre, rodeado de papeles de abogado. No estaban estos libracos gigantescos que me había imaginado cuando me describió el voluminoso expediente. Al sentarme con la pregunta en la punta de la lengua, me dijo: "¡Calma! Déjame contarte...".

Había confeccionado una nota al Tribunal Superior de Justicia pidiendo que se le permitiera revisar el expediente. Diez minutos después lo dirigieron al despacho de un magistrado que lo esperaba. Al entrar, reconoció a un viejo amigo de su juventud, Wilfredo Sáenz. Luego de intercambiar algunos saludos se dirigió a Pizco formalmente:

—Le cuento magistrado —como se referían a él aun años después de haber salido de su cargo en el organismo electoral panameño—, el expediente que busca está en este despacho, lo he guardado por mucho tiempo, anticipando que después de que el homicida escapó de la cárcel, en algún momento se iba a necesitar.

Pizco le contó cuánto había buscado el expediente y que temía que se hubiera perdido entre tantos que se manejan en la administración de justicia en Panamá. El magistrado enseguida llamó a su asistente y le dio instrucciones para que el expediente pudiera ser revisado por Pizco y obtuviera todas las copias que requiriese.

Me contó también que conversaron sobre el estatus del asesino luego de haber escapado de la cárcel de Panamá, y luego en el intento de escapar de las dieciocho denuncias que tenía en Colombia, trató de entrar a Venezuela con un pasaporte falso, donde fue capturado.

—El magistrado me confirmó que sigue en Colombia, que solicitó que se activaran los mecanismos para su extradición a Panamá y que las autoridades colombianas confirmaron que luego de cumplir su pena de cárcel allá, así lo harían.

»Luego nos despedimos y me tomé el resto de la mañana ahí, revisándolo, y me traje este fólder en copias del expediente; la última, que contiene la información de su aprehensión y la audiencia... creo que puede ser de tu interés. Si necesitas algo más, con gusto regreso.

Con lo que me cuesta pedir favores, no sé cómo más expresarle mi agradecimiento. Supongo que haciendo buen uso de él, y no como he hecho, de haber guardado lo que me dio en una gaveta por un mes y medio, hasta ahora cuando me armo de valor.

Me marcó la expresión con la que me lo entregó. Hasta ahora me había hablado con mucha soltura de información que me ha sido extremadamente difícil de digerir, confiado en que tengo el estómago de acero necesario para recibirla, o así parece, por lo menos; pero cuando le pregunté si me podía llevar el acta de audiencia, me miró con cara de duda. Y al extendérmela, miraba el documento con recelo, reticente.

Lo tomé con ambas manos como si fuese de cristal, también mirándolo. ¿Será que yo quiero esto?, pensé. Sí, la curiosidad está ahí. Seguro me va a revivir la media hora que estuve en la audiencia, porque no soporté y me fui. Tenía quince años. También siento curiosidad de comparar el acta con mi recuerdo.

Le pregunté, antes de guardarlo en mi bolso:

—¿Estás seguro de que me lo puedo llevar?

—¡Sí, claro, es tuyo! No hice el esfuerzo de conseguirlo para mí…

—Eso pensé, pero luego te noté inseguro al dármelo.

—Bueno, es que es pesado, pero has demostrado estar lista para todo, de manera que no dudo en dártelo.

—¿Hay algo que no me hayas dicho, que vaya a leer aquí? —le pregunté con miedo.

—Para nada. Creo que te he dicho todo. Solo que vas a encontrar detalles sobre el cuerpo, la escena, la autopsia. Y yo te las he contado hablándote de tu mamá, de la Lolita que conocí. Y en el juicio se refieren a la víctima, al cuerpo, a una más. No es igual a lo que yo te conté.

—Ok, pero me sirve mucho que me hayas avisado. También me sirvió para posponer su lectura y esperar a estar lista.

Nuevamente me siento masoquista. ¿Por qué estás haciendo esto? Esto es voluntario, tú sí sabes, ¿no?

No, siento el llamado. Estuve en la audiencia de niña y quiero aclarar mi recuerdo, lo que es real y lo que es memoria con tentáculos crueles que generan duda. Si veo la foto oscura directamente, ya no le queda espacio al inconsciente y a su creatividad implacable.

¿Cuál es mi objetivo? ¿Estoy cayendo en el morbo que tanto me asqueó en aquellos años?

Vuelve a mí una y otra vez la decisión de Miguel Ángel H. Después de publicar su libro *El dolor de los demás*, cuando finalmente le dan el expediente que tanto buscó para leer los detalles sobre el caso de su amigo, no lo abrió. Desde ese día me pregunté si cuando tuviera acceso al expediente del caso de mi mamá, haría lo mismo y lo dejaría sin abrir.

Me da miedo leer algo que me produzca pesadillas. Tuve algunas de niña, pero nunca sobre lo dicho, siempre fantasías que llenaban los espacios de lo que no sabía.

Así es, me da más miedo el miedo. Lo que he evitado saber, pensar, preguntar, sentir, ha resultado en mayores estragos.

Me produce más miedo no saber, el miedo de no entender mi aversión a los baños, mi miedo a los hombres desconocidos, mi miedo a vivir el poder de mi sexualidad. Prefiero mirar el verdadero objeto de mis miedos a la cara, y si es muy fuerte, digerirlo y trabajarlo. Llegar solo hasta donde me lleve la curiosidad porque ella nunca pondrá en peligro mi salud mental.

Lo abro:

ACTA DE AUDIENCIA

En el salón de audiencias del Segundo Tribunal Superior de Justicia, siendo las tres y diez minutos de la tarde (3:10 p.m.) del día de hoy, lunes veintitrés (23) de octubre de dos mil (2000), se encontraban presentes…

Trato de entender en qué momento de la audiencia fue cuando estuve presente. Una de mis tías mellas me invitó a ir. No sé por qué dije que sí, supongo que decir que no significaría aceptar miedos o evasión, de manera que acepté.

Era en la tarde, quizás recién había comenzado. Vuelve a mí el aire a formalidad de la sala con olor a madera, exacerbado por el traqueteo de las bancas y un lenguaje ajeno. Se usaban palabras técnicas que no me comunicaban nada. Era un proceso burocrático, como el de las películas. Tanto que se me hacía difícil entender que aquella era mi realidad.

Todo el tiempo que estuve ahí hubo una sola persona en el estrado leyendo un documento que parecía ser el levantamiento de la escena.

Mi fila era la quinta o sexta detrás de la mesa donde estaba sentado el asesino, solo podía ver su afamada colita de caballo.

Sentía una energía demasiado fuerte. No podía creer que lo tenía tan cerca. Podía acercarme y hacerle daño, gritarle... lo que quisiera, porque estaba esposado. Pero lo que bullía dentro mío era demasiado fuerte para ser sentido. Ya a estas alturas el bloqueo de mis emociones estaba bastante cimentado y las pude mantener bajo llave. Sentir cualquier cosa hubiese significado abrir las compuertas a todo lo que había detrás.

A mi derecha, en la otra fila de bancas, al otro lado del pasillo, estaba mi hermano Jan Petter, el único hermano que estaba en Panamá en el año 2000. Mi hermano más apático en apariencia, sarcástico, chistoso; sumido en llanto, hinchado, hipando en silencio.

¡Hasta él sentía! Y yo muerta por dentro, viendo todo desde el lente de una película de suspenso. Era muy difícil asociar lo que estaba pasando con la realidad, ya que mi único referente a esto sería lo visto en la tele.

Lo que presencié no fue más que a un señor relatando detalles de la escena del crimen monótonamente. Logré entender detalles como la profundidad y largo de las heridas de cabeza y cuello, pero mis emociones eran perfectamente paralelas al tono burocrático de este señor.

Le pedí a mi tía irme, no porque fuese particularmente doloroso lo que decían; le pedí irme porque me di asco. ¿Cómo no lloraba?, ¿cómo no sentía frente a semejante escena? Me sentí cobarde ante el potencial de sentirme muerta por dentro.

No encontré estos detalles en el expediente, no puedo ubicar mi recuerdo dentro de este archivo. Seguramente lo que escuché está resumido en:

Declaración jurada rendida por...

Con una retahíla de nombres y los folios del expediente que leyeron en su declaración.

Lo que sí parece estar detallado es lo que no es recuento, sino que sucedió por primera vez ahí.

Me toma por sorpresa el primer testimonio; es de mi papá. No sabía que había declarado. Responde formalidades y de repente le preguntan:

¿Qué impacto tuvo en su vida y en la de su familia la desaparición de su señora esposa? CONTESTÓ: Se dice que la vida no tiene precio y es difícil poder medir una pérdida de este tipo. Quizás es la forma de ayudarle a distinguir lo que ha significado esta pérdida. Lo voy a hacer describiendo cómo era la persona de Lolita, mi esposa.

Al abrir este archivo imaginé todo tipo de emociones, pero no estas, ni ternura ni conexión con mi papá. El placer que me produce leer su descripción de mi mamá, su rol en nuestra vida y el dolor de su ausencia, me abraza. Me dice que no estoy sola.

¿Por qué es ahora que debo sentir esto, cuando me hizo tanta falta en esos años?

Todo es perfecto, todo es parte del camino y del crecer. No es mi trabajo entender.

Durante todo el tiempo estuvo detrás de mí y al lado mío, en todo, en sus consejos, conmigo, inseparable en cuanto a actividades, convenciones, seminarios, que son muchos, aquí y fuera de Panamá, siempre estuvo a mi lado. En la casa ella era el papá y la mamá, porque sí fui muy dedicado a mi trabajo y ella, a pesar de que trabajaba 8 horas al día, no sé cómo sacaba tiempo para hacer cosas en la casa, atender a mis hijos y, sobre todo, llenar ese vacío en mi ausencia que requieren los hijos de uno. Ella administró mi casa, digo como por control remoto, porque trabajaba, era excelente en su trabajo, ganó toda clase de premios; hasta el presidente de Estados Unidos le hizo un reconocimiento nacional…

Yo nunca he entendido cómo lo hacía. Creo que por esto ni trato de seguir este ejemplo. Ese problema no lo tengo yo. No aspiro a llenar sus zapatos afortunadamente, porque me ahogaría en el intento. Ella era una *lady,* y yo un animalito salvaje.

Hacen pasar al detective III, Andrés Gutiérrez Bonilla. Le preguntan sobre la escena del crimen, sobre el cuerpo, y detalla a cabalidad, pero en palabras coloquiales. No como lo que escuché cuando fui.

Lo difícil es digerir que esto pasó, pero siento certeza de su paz y continúo.

Su pantalón no tenía presencia de sangre, que las medias no tenían presencia de sangre… Pizco me advirtió de esto y se lo agradezco mentalmente. Es horrible, pero ya sé todo. Prosigo.

... la forma en que pienso yo se manipuló a la víctima se observa la violencia donde a ella se le domina corporalmente, a través de su brazo. Por ser una dama, tener poca fuerza, llevarle los brazos hacia atrás y tal como se contactó allí en el dictamen <de la autopsia>....

Esto se repite a través, lo leo una y otra vez: "por ser una dama, tener poca fuerza".

Termino de leer su testimonio, preguntas y respuestas. Creo que es todo por hoy, ya llegarán pronto los niños del parque y no quisiera estar en medio de un texto cuando lleguen.

Voy a la cocina a prepararles algo para cenar, y estas palabras me rondan: "por ser una dama".

Ahí está, eso es lo no dicho, pero que está en todo, que está en mi inconsciente. Que me hacía imaginar peligro en cada esquina cuando salgo de mi carro en un estacionamiento, cuando entro a un baño, cuando soy objeto de miradas de hombres. El concepto de que ser mujer es peligroso. Antes sentía miedo, pero no sabía por qué y aquí se me aclara. He escuchado la frase "por su condición de mujer". Sí. Lo he aprendido como una condición de susceptibilidad y no como un poder, aunque haya que cuidarse, obvio. Por ejemplo, permitir que te acompañe el jefe para no ir sola a mostrarle una casa a un extraño.

Enfrentarme a esta investigación me ha dado esto: Ver la causa de mis miedos a la cara me permite tener el cuidado objetivo para seguir adelante. Ahora me cuido por amor a mí, desde mi inteligencia felina y no desde el terror de víctima.

Sí, eso me da este texto. Saber es poder.

36

Retazos

Lo conté Todo
Y lo borré.
Mi querido diario
lo cuenta mejor.

(Sin fecha) - Panamá

Antes me sacaba de quicio Kathia con su "tú no estás bien". Ahora ya sé que tenía razón, pero cómo me hervía la sangre escucharlo. Ahora viene desde otro lugar. Y pensar que en algún momento me dijo que yo estaba muerta para ella, porque ahora siento que hasta me quiere, aunque nunca me lo ha dicho verbalmente. En dos ocasiones diferentes me ha contado de cuando ella hizo un proceso de *coaching*, intenso, por dos noches con Marina Peña, en su cabaña en Costa Rica. Me cuenta que le cambió la vida y que le encantaría hacer lo mismo por mí, que con gusto me lo pagaría si yo quisiera ir.

Antes sentía que mi "no estar bien" le estorbaba, que debía sanar para que finalmente hubiera paz en nuestra familia. Y quizás ella sí lo pensaba así, pero creo que ya no. Ahora parece que genuinamente quiere lo mejor para mí.

Tenía un tiempo sin escribir en este cuaderno, y ahora, leyéndome, veo cómo estoy desde hace tiempo en un hueco muy oscuro. Ya llevo casi tres años en este viaje de supuesto sanar, pero no veo la salida. Ayer, Carolina me dijo que "extraña a su amiga", y usó las palabras "ya no más". Y también Mafa el otro día, pero de otra manera, me hizo ver que uso la palabra "odio" de más, que no soy la misma. Me preguntó por mi terapia. Parece curiosa, como Carolina, de cuándo voy a salir de este hueco. Y tienen razón, ya no me aguanto ni a mí misma. Al inicio sentía que era parte de mi proceso, pero ahora siento que estoy nadando en círculos en una piscina pequeña. Antes tenía mucho ímpetu, pero ya no. Quiero salir del agua y vivir mi vida.

(Sin fecha) - Panamá

Ya está todo listo. Se siente como que hay magia en todo esto. Ya había escrito que me voy a India a visitar a Pao y a pasar diez días en un *ashram*, pero ahora también voy a ver a Marina. No solo Marina tiene un solo fin de semana disponible de aquí al próximo año, es justamente el fin de semana antes de mi viaje. ¡Y me parece perfecto! Siento que voy a llorar todo, sanar todo, aprender todo, y luego irme al otro lado del planeta, lejos de mi rutina, donde podrá decantar la bruma de la sacudida emocional, para lograr finalmente la claridad y calma de la que estoy hambrienta.

1 de julio de 2011 - Costa Rica

Me voy a quedar dormida con la pluma en la mano, y pensar que hoy solo fue mitad del día de trabajo con Marina; mañana sí será completo. No tengo las energías ni el tiempo para contar lo que ha sido esto hasta ahora. Estoy guardando las hojas de apuntes que Marina usa cuando quiere ilustrar un punto, para acordarme, porque sí quiero en algún momento, probablemente en India, ir escribiendo todo en papel para que no se me olvide nada.

Lo que sí quiero contar antes de que se me diluya entre tanta cosa valiosa que no quiero olvidar, fue mi llegada. Al salir del aeropuerto me estaba esperando su esposo. Se le sale la paz por los poros a esta gente, ¡qué increíble! Qué belleza de señor. Me conversó todo el camino, me contó de los volcanes de San José y del lugar tan especial adonde íbamos. Subimos y subimos a lo que parecía ser el jardín del edén. Campos verdes, un telar de parches de colores de flores minúsculas y perfectas, y un clima templado que invita a ser abrazado. Lagos, y pájaros que sobrevolaban. Solo me faltó ver el árbol de manzanas y gente desnuda.

Cuando llegamos a la tan esperada cabaña, salió Marina a recibirme. No le había puesto cara al nombre antes, no sé ni qué me imaginaba, pero nunca la pensé así de bonita. Es más o menos de mi altura, cabello liso color café y corto hasta los hombros, una sonrisa sentida, y los ojos más hermosos que yo haya visto, verde olivo con chispas de colores. Al hacer contacto visual con ella es difícil escucharla sin perderse en sus ojos, como un cuadro que puedes observar infinito y siempre descubrirle algo nuevo. Me dio un abrazo de mamá que ama e inmediatamente me tomó de los hombros, fijó su mirada en la mía y me dijo:

—Quiero que sepas que yo estaba en Panamá, por trabajo, al momento de la muerte de tu mami, y entre el horror, sentí muchas ganas de conocerte. Me alegra que estemos aquí finalmente.

Y aquí estoy, derritiéndome de sueño, hinchada de llorar, pero también de gratitud. No sé cómo haré para agradecerle esto a la vida más adelante. Por ahora prometo sacarle el jugo, de manera que... ¡a dormir!

3 de julio de 2011 - Costa Rica

(Hojas sueltas de anotación de Marina).

Mami, con esta carta espero darle fin a un capítulo de mi vida que llevo trece años tratando de cerrar, porque cerrarlo significa dejarte ir.

Este fin de semana te dejé en Costa Rica; Marina me lo pidió y me dijo que te iba a cuidar.

Viernes 8 de julio de 2011 - India

Tuve un excelente vuelo de venida, después del parto al revés que fue entrar al avión. Conversé un rato con un tejano que iba sentado a mi lado, con quien compartí un poco, pero tampoco se puso hablantín. A mí los mejores tejanos y colombianos me persiguen.

Estoy emocionada de ver a Pao; ni ella ni yo nos destacamos por sostener relaciones de larga distancia. Desde que dejó su vida de periodista y se vino a su maestría de trotamundos, no hablamos mucho, pero no sé por qué siento que estamos ambas en momentos densos en nuestra vida y va a ser especial este encuentro.

En camino al aeropuerto de Panamá dejé el celular en el carro, de manera que cuando llegué, comencé a rezar con toda mi fuerza que fuese fácil encontrarme con Pao en un aeropuerto nuevo para mí y seguramente gigantesco. Tampoco sabía dónde vivía, ni su número de teléfono, pero apareció. Además, regia como siempre, aún más morena de lo usual, *fit*, con un *romper* tailandés y su correa metálica a la cintura. Asia le ha caído muy bien.

Me sorprendió verla hablar con el taxista en un inglés con acento indio, con oraciones de a dos, máximo tres palabras: *We go now; yes; left; no*. La miré con cara de pregunta y me explicó que si hablas en un inglés gringo no te entienden. Que debes imitar cómo hablan, como si fuese otro idioma.

Hasta ahora, tras veinticuatro horas desde mi llegada, India ha sido un golpe para todos mis sentidos; incluso el menos popular de todos, el vestibular, porque sientes que hasta dormida te podría salir una moto a toda velocidad desde un punto ciego. Todo huele a masala, sabe a masala, tiene color de masala; el ruido de las bocinas de las motos se te imprime en los oídos y en la piel. Es una agresión auditiva y física. Aunque ya a Pao se le nota bastante acostumbrada.

Quizás es porque consigue el balance al vivir en un lugar tan tranquilo. Cuando llegamos me presentó su casa y el conjunto cerrado musulmán donde queda. Una mansión con muchos cuartos y una cocina enorme, donde el dueño alquila habitaciones a extranjeros.

Me habló bellezas de la cultura musulmana y su gente. ¡Qué bonito! Yo solo conocía la fama terrorista que me vendieron en la tele.

En su cuarto me mostró el parque hermosísimo afuera de su ventana, desde donde se escuchaban las carcajadas de la clase de yoga de la risa. Dice que es todos los días a la misma hora. ¡Qué éxito!

Ya después me cayeron los pies en la tierra de golpe, porque me di cuenta de que por bruta no pregunté antes de partir cómo se sacaba dinero acá. Solo traje mi tarjeta Clave y eso aquí no sirve, dice Pao. Nos fuimos de una vez a nuestro paseo por el Triángulo de Oro y no voy a tener mi propio dinero hasta regresar a Delhi. Pao me va a prestar hasta que alguien me pueda mandar efectivo, pero vamos a estar apretadas de presupuesto hasta entonces. Primero el celular y ahora esto. Espero que se acabe ya esta racha.

Eso no nos dañó nuestra primera noche. Estuvimos hasta las cuatro y treinta de la madrugada chacharreando y poniéndonos al día con todo.

Anoche fuimos a un buen restaurante con variedades de picante, pero ya se me acabó la gloria porque el presupuesto no da para esos lujos. Hoy almorzamos realidad, se me averiaron los sentidos y lloré de picor. Sentí que se me iban a escapar los ojos del globo ocular. Es realmente incomestible el nivel de picante de los locales. Creo que voy a sobrevivir de las catorce variedades de pan de aquí hasta mi partida.

Ya tuvimos nuestra primera aventura en un tren. Acá tienen tantas variedades tarifarias como castas sociales, de las que me entero se nace en ellas sin poder aspirar a un cambio en el curso de esta vida; quizás en la próxima, dependiendo de su desempeño en la actual. Antes de abordar aprovechamos para comer en un hueco en la pared que le prestaba asilo a la mitad de las moscas de India. Comimos una variedad nueva de tortilla de harina, algunas arvejas y un cubito de papa que me produjo lágrimas y sudor a ríos.

Luego corrimos al tren apretadas de tiempo, y una vez dentro, nos enteramos de que estábamos en el equivocado. Al llegar al que sí era, todos los puestos en la sección intermedia económica, que no incluía asignación de puestos (porque, nuevamente, hay un amplio degradé de clases tarifarias), estaban ya tomados. Acá le llaman T.T. al que te sella tu boleto. Fuimos donde él y nos confirmó que nos fregamos… ¡no había puestos! Nos envió al vagón más económico donde vagaban almas en pena, arrastrándose por el suelo recogiendo el sucio con una mano y rogando limosna con la otra. No había lugar donde sentarse tampoco, pero este vagón tenía opción de ubicarse en el piso. Asustadas ante la idea de pasar seis horas en el suelo, fuimos donde el T.T. a rogar que nos ayudara a conseguir un puesto en nuestro vagón, con el boleto pago en mano, y nos lo negó.

Después de caminar y de implorarle a todos los dioses que nos consiguieran, por favorcito, un puesto para el largo viaje, un humano muy humano se apiadó de nosotras y nos dejó sentar a su lado. Con eso obtuvimos el privilegio de acceso a un baño, de aquellos en los que hay que acuclillarse sobre el hoyo, con el suelo de piedra bajo el tren listo para recibir tus orines o pupú, pero baño al fin. Además, le estoy cogiendo cariño a esto de los baños en cuclillas porque hace maravillas por la última parada de mi digestión.

Lunes 11 de julio de 2011 - India

Lista de impresiones de India hasta ahora:

1. (Se mojó la hoja y no se lee).
2. El meneo de cabeza con el que responden a todo. Es entre un sí y no, que nunca logras entender si hay o no eso que pediste.
3. Todo huele a algo, bien, mal, rico, desconcertante... siempre hay un olor.
4. La pitadera. Usan la bocina del *rickshaw*, moto, volquete, bus, auto, en estado permanente. Es imposible encontrar un lugar donde no suene una bocina. Los buses y vehículos de construcción tienen un letrero hermoso atrás con la palabra BLOWHORN (bocina): esto para solicitar que todo el que le transite cerca toque su bocina permanentemente.
5. Lo cariñosos que son los hombres entre ellos. Caricias, miradas afectuosas y manos tomadas. Curiosamente, no he visto afecto hacia las mujeres, solo toqueteo inapropiado y no solicitado.
6. La escupidera. Esto también tiene su letrero: *say no to spitting, spitting free zone, no spitting*, entre otros. Están escupiendo todo el tiempo. No entiendo estas glándulas salivales.
7. Los animales más exóticos que he visto, y vacas, pasean por las calles como si fuesen gente o vehículos.

8. La habilidad de los indios de dormir en todas partes. Esto da para un libro fotográfico de mesa.

13 de julio de 2011 - India

Llegamos a Varanasi. Recorriendo las calles nos detuvimos en la tienda de una familia. Ahí nos sentamos con Sunita, la vendedora del puesto, para ver su infinidad de cuentas y collares, mientras Paò, sin intención, enamoraba al niño que al parecer no era niño (acá todos parecen diez años más jóvenes, cuando en realidad están en edad de casamiento). Este niño-adulto nos acompañó como guía el resto del día.

Pasamos a otra tienda donde Paola quería unos pantalones. Mientras, yo me conseguí un enamorado. Este señor sí podía tener cincuenta años. Me regaló una pulserita y me ofreció chai. Cuando le pregunté al dueño por su religión, me dijo brahma. La comunicación no fue fácil. Pao medió un poco y me explicó que no es una religión sino una casta, la más alta entre los hindúes. Este señor no tenía que pedir nada, mucho menos mover un dedo. Las cuatro personas a su alrededor le servían a todas las órdenes de sus pensamientos.

Salimos de ahí un poco tarde, apuradas para llegar a tiempo a la bendición del Ganga Ma, el río sagrado. El enamorado de Pao, Dani, nos consiguió un bote por la suma módica de ya no recuerdo para verlo desde el agua. Fue una experiencia para todos los sentidos: inciensos penetrantes, cantos, fuegos, vestimentas coloridas para un ritual de siete brahmas coordinados en su coreografía, con velas, flores y más belleza.

En el bote conocimos a otras personas, una pareja de mexicanos con los que conversamos un rato.

Al regreso, mientras buscábamos un baño de urgencia, apareció el hermanito del futuro marido de Pao, que nos llevó hasta su casa para usar el baño compartido de toda la familia. Me quedé con ganas de tomarle fotos a esta casa. No lo hice por respeto, pero creo que es algo de lo que me voy a querer acordar. Ahora me arrepiento porque mi memoria es traicionera.

En el camino de regreso discutí con Pao. Yo no quería caminar. La iluminación de la calle era muy pobre y no había mujeres a la vista. Le pedí que pagáramos un *rickshaw* y ella se opuso porque opinaba que estaba exagerando. Le dije que probablemente sí, pero eso no cambiaba el hecho de que no me sentía segura. Odio esto de no tener libertad económica. En la discusión me dijo que estaba un poco hastiada de mis nervios, lo cual, por supuesto, me hizo sentir rota y dañada. Sobre todo, me hizo envidiar su poder de atravesar las calles sin miedo y no ver baños con terror ni violaciones en potencia. Me pone a dudar si este roto dentro de mí también se arreglará algún día.

Por fortuna, me abraza un poco volver a escuchar las palabras de Marina cuando me enseñó a la yo herida y sensible que vive dentro de mí. Me enseñó a quererla por los superpoderes que me da, y que su lado sombra es el que requiere de más cuidado, ya que es vulnerable. A ella, que por tanto tiempo le resentí que me hiciera débil, llorona y dramática. Por fortuna, también me presentó a la yo aún más pequeña, de antes de la muerte de mi mamá, que se comía el mundo sin vergüenzas de ningún tipo. Hacer esta distinción y las paces con la yo sensible, que ahora entiendo por otro tipo de fortaleza, me dio la claridad para proteger a la yo que sentía miedo de confrontar, de poner límites, de expresar lo que me duele, preocupa y molesta. La yo valiente se enfrentó a Pao.

Le reclamé cuando casi piso un perro y me dio un susto el hijuemadre. Reaccioné con un reclamo explicándole que sentía miedo físico. Igual perdí el argumento y llegamos al hotel caminando.

Antes de dormir le hablé más calmada. No me recibió muy bien lo que tenía para decir. En corto, para no olvidar, le dije que a veces tenía un tono condescendiente conmigo, como de "qué *cute*" o una risa hacia adentro, de "ay, qué tonta", y este había venido *in crescendo,* al punto de que ahora la sentía grosera. No estuvo de acuerdo conmigo en principio, pero luego me dijo que le saco lo peor de ella, que no me tiene paciencia. Ahora escribiéndolo suena terrible, pero, por alguna razón, siento que no tiene mucho que ver conmigo, y el solo decirlo me devolvió mi poder, me sentí autoamada y mucho más liviana.

Decir las cosas así es algo que nunca hago, pero esta nueva yo sí que lo estará haciendo cada vez más.

14 de julio de 2011 - India

Ya una vez en el tren, estábamos tranquilas esperando al T.T. para que nos diera un asiento-cama más de las quichicientas disponibles. Esta vez sí llegamos con tiempo. Me asignó una arriba, clase *AC 2 Tier,* entre cuatro camas vacías, y el puesto debajo del mío a un joven. Paola quedó en otro espacio de dos camarotes compartiendo el área con tres niñas. De un lado del tren había espacios como el nuestro con cuatro camas, y al otro, camarotes dobles directamente en el pasillo. Le hablé un poco a mi vecino sobre temas triviales, como de la luz imposible de apagar e insoportable para dormir. Él por su parte me dijo que la luz le afectaba tanto que prefería no dormir. Cerró nuestra cortina hacia el pasillo y se sentó en el puesto frente al suyo, de manera que quedó diagonal a mí. Me acomodé para dormir y me tapé la cara para ignorar la luz. Por supuesto, pensando: yo aquí sola, con este *dude,* creo que me voy a despertar a medianoche con el hombre durmiendo encima de mí.

Pero me dije: no, Anamari, no seas tan paranoica, ya te lo dijo Pao anoche sobre tus miedos. Además, estamos en un tren lleno de gente, él no ha sido más que amable contigo. Tú siempre estás pensando lo peor. ¡No más, a dormir tranquila!

Y así me dispuse.

Cuando estaba ya en el limbo de los sueños, ni aquí ni allá, sentí algo raro en la espalda a la altura del *brassiere*, como un bichito o viento muy suave. Me volteé lentamente porque seguía medio dormida y vi a mi vecino con cara de pánico inmediatamente retraerse como un resorte, de regreso a su madriguera. Me tomó unos segundos entender que él tenía su mano adentro de mi camisa, tocándome la espalda tan suavecito y delicado, que si hubiese estado más profundamente en mi sueños, se da gusto acariciando quién sabe hasta dónde.

Me bajé entre nervios y *shock* a gritarle: *"You touching? No touching! What is wrong wit you? You don't touch!"*.

Ahí caí en la cuenta de que esto me sonaba obvio a mí, pero posiblemente no servía ningún propósito. Pao sabría qué hacer. Por eso me fui donde ella y la sacudí de su sueño: "Paola, el *dude* me estaba tocando por la espalda, qué loco, qué asco, me estaba tocando". A ella también le tomó unos segundos reincorporarse y cuando reaccionó, se fue a paso estruendoso hasta mi puesto: "muéstramelo".

Cuando llegamos, se estaba haciendo el dormido y Paola trató de despertarlo sin suerte. Impulsada por su frustración y culpa por la conversación de la noche anterior, se quitó la bota y le comenzó a dar zapatazos. Esto lo obligó a regresar de su falso sueño y Pao arremetió contra él a gritos sacudiendo un puño de ira al aire: *"You touch again, me call police, you touch again, me punch you"*. Él solo nos miraba con cara congelada dc pánico y ojos saltones.

Se volteó Pao y me miró transformada nuevamente en el ser sereno que yo había sacudido antes: "Ya él no te va a tocar más, ya te puedes dormir". Se dispuso a regresar a su cama, pero antes de salir le dijo una vez más, con el dedo levantado cerquita de su cara: *"You hear me?, no touching, me hit you"*, y cerró el puño.

La vi partir y me senté en mi cama, todavía en estado de *shock*, lista para pasar una noche en vela observando la pared.

A los minutos regresó Pao con el señor más grande de toda la India, que me dijo: *"Come, we go get T.T."*. Me levanté diligentemente y los seguí.

En el camino, me contó Pao que de regreso a su cama este *big friendly giant* le preguntó sobre lo que había pasado. Cuando ella le contó, él dijo: *"No, not normal, we go get T.T."*.

Encontramos al T.T. tres vagones de gente dormida después, recibiendo los boletos de los pasajeros. Nuestro nuevo amigo le contó mi historia al T.T. y a un grupo de mujeres que se escandalizaron con el relato, que me decían: *"You traveling alone? No, not good, stay here. Don't be alone"*.

Emprendimos el camino de regreso y nos encontramos con nuestro vecino nuevamente fingiendo un sueño profundo. Esta vez el zapato se quedó en el pie porque estábamos frente a una autoridad. Lo tocamos, le halamos el brazo, Pao le aplaudió en el oído mientras yo le decía: *"We know you awake"*. Cuando el T.T. casi se rinde, le habló nuestro defensor en hindú y le explicó que no le iba a pasar nada, que solo lo iban a reubicar de puesto. En ese momento pretendió regresar de un sueño largo y profundo, sacudiéndose el letargo entre bostezos, con los puños en los ojos y estirones de brazos.

Jugaron ajedrez con nuestros puestos. El gigante se mudó a la cama de Pao, donde estaban sus hijas; a mi vecino libidinoso lo mudaron al pasillo en el puesto que era del gigante, y a Pao a la cama debajo de mí.

En ese tren también me comenzó el *jetlag-mareo-delhi belly* que no me ha soltado hasta ahora. Los mareos ya se fueron, pero mi estómago no retiene nada.

Por fortuna, acá en McLeod, el pueblo donde está el ashram, hay comida tibetana, más específicamente, comida libre de la explosión de especias y picante.

15 de julio de 2011 - India

Ya llegué a Tushita. No puedo creer que voy a estar aquí por diez días. El aire que se respira viene con ritmo de paz y escarchado de magia.

Al llegar, me recibieron emocionados, porque gracias a mí podían agregar un país nuevo a su lista de países de donde los habían visitado personas. ¡Qué honor!

Las tareas del karma yoga se administran por orden de llegada y me tocó lavar platos a la hora de la cena. Este detalle no lo sabía, menos mal no llegué de última. Lavar platos suena ameno, no sé si hubiese tenido el estómago para limpiar los inodoros del resto de los visitantes durante diez días.

Ya tuvimos la sesión de introducción y me sorprendió su duración y contenido: cuatro horas, y una completa fue dedicada a los requisitos para la buena convivencia con los monos. Al parecer es de suma importancia este tema.

Después de la cena ya no vamos a poder hablar más. Nadie en casa cree que yo sobreviviré diez días callada, pero en este momento no me suena tan retador. De hecho, me emociona. Entiendo que en el centro de retiros próximo a este, su silencio consiste en que no puedes hacer contacto visual, leer o escribir. Eso sí me parece mucho más difícil. Nosotros tendremos una discusión grupal durante una hora una vez al día para contestar unas preguntas que nos entregarán después de las clases. Esto para asegurar que estemos alineados en la interpretación de las enseñanzas. Alguien preguntó si era posible que uno de los grupos fuese de habla hispana para poder discutir en español y nos dijeron que sí. Conectar con ellos también me emociona.

Mis días van a lucir así:

6:00 a.m. Despertar

6:45 a.m. - 7:30 a.m. Meditación guiada

7:30 a.m. Desayuno

9:00 a.m. - 11:00 a.m. Budismo 101

11:15 a.m. - 12:00 p.m. Estiramiento

12:00 p.m. Almuerzo

2:00 p.m. - 3:00 p.m. Discusión en grupos

3:00 p.m. - 3:30 p.m. Receso de té

3:30 p.m. - 5:00 p.m. Budismo 101

5:30 p.m. - 6:15 p.m. Meditación guiada

6:15 p.m. Cena

7:30 p.m. Meditación guiada

(Sin fecha, entre apuntes de clase)

Hoy, durante la segunda sesión de meditación, de estilo analítico, pude ver mi vida desde fuera. El tema esta vez era enfrentar la muerte. Para ello tuvimos que visualizar nuestros últimos seis meses de vida después de un diagnóstico terminal, y ver de qué nos arrepentimos, de qué nos enorgullecemos, etc. Mi principal arrepentimiento fue haber sufrido por lo que piensa la gente de mí. El poder reconocer ese sentir en mi cuerpo, ese arrepentimiento tan real, y la visión de mis seis meses restantes viviendo sin ataduras negativas, fue una experiencia de luz y claridad.

Me acabo de acordar de algo más que surgió durante esta meditación. Glenn hablaba de "alabanza y crítica" y "buena reputación y mala reputación". Pude identificar que estas son las que no me dejan escribir mi libro. Tengo que dejar estas ataduras al reconocimiento, a la buena reputación y al terror del rechazo. Solo así voy a poder escribir como lo visualizo: con paz y gozo por lo que me gusta hacer. Esta visión de paz y fluir nunca la había tenido antes y es mi deseo más profundo. Como ahora, escribiendo estas páginas.

Tengo un deseo fuerte que desde ayer me roba la calma. Necesito cortarme todo el cabello. Es algo muy raro, como si vistiera una ropa que ya no es mía.

Se me atraviesa en todas mis meditaciones y me molesta con picor. Apenas salga de aquí me lo corto casi al rape.

Cita del libro que me prestó Mia, *La senda sagrada del guerrero*: "La clave para ser un guerrero, y el primer principio de la visión de Shambhala, es no tener miedo de quién eres. En última instancia, esa es la definición de valentía: no tener miedo de uno mismo".

Esta cita me ubica de regreso a la cabaña con Marina, el sábado en la tarde cuando me sacó a caminar por el bosque. Llegamos a una bifurcación en el camino; de un lado tenía una subida y del otro una bajada.

—¿Por dónde prefieres seguir? —me preguntó en tono metafórico.

—Por la subida —le respondí después de una pausa.

—¿Por qué?

—No sé, siempre me he identificado con la cuesta arriba. Siento que tiene más para ofrecer. El esfuerzo nos trae más aprendizaje y yo he asumido que mi vida es cuesta arriba. De hecho, siempre me he identificado con el pez koi, porque nada río arriba. Es mi contraseña para muchas cosas y he considerado tatuármelo. Siempre me he identificado mucho con el reto de la cuesta.

—Pienso que ya es hora de soltar esa idea. Elige el camino que fluye, la corriente del río… ¡ve con la corriente y vas a ver qué bien se pasa!

Acabo de entender que mucho de mi ego ha estado ahí, en la lucha, en el orgullo de la conquista. Siempre me he sentido valiente eligiendo la cuesta, pero la realidad es que ir con la corriente de quien soy, de lo que puedo hacer, de un camino de fe, porque lo mejor que puede pasar simplemente vendrá a mí, que las cosas buenas llegarán con paciencia y de manera fácil, requiere más valentía de mí que esta lucha intencionada. La realidad es que la incertidumbre de fluir, amar, confiar, se me hace mucho más aterrorizante.

Me inspira esta cita a vivir la valentía de ser mi ser más auténtico, fluyendo. Este es realmente mi reto y camino.

Encontré otra cita en el libro que le hace eco a lo que mencioné antes. Hablaba de tristeza y de llorar, y luego: "Esta es la primera pista de vivir sin miedo, y la primera señal del verdadero guerrero… descubrir la valentía en la tradición Shambhala proviene de trabajar con la suavidad del corazón humano".

Fortaleza no es negarlo para no sentir, valentía es sentir todo lo que pide ser sentido. Esto ya lo había pensado antes, solo que ahora lo entiendo desde el fluir con el río, con sus cascadas, piedras, golpes, río calmado, en diferentes climas, pero fluyendo siempre. Ese flujo es lo que más me exige valentía y ahora sí me siento lista.

<Cartas para no entregar>

Estimadísimo grupo:

He recibido de ustedes detalles silenciosos muy conmovedores, después de contarles parte de mi historia hace un par de días. Me han dado fuerza de dos maneras:

1. Cada uno de sus gestos ha venido con un aprendizaje, una anécdota, un libro o desde sus propias historias. Gracias por prestarse como gurús para mí.
2. Sus gestos han sido una señal para mí. Les cuento:

   A partir de la muerte de mi mamá me sentí muy sola, y en pleno fervor dramático de la adolescencia necesitaba atención y vivía partida en dos: la fuerte, con la retórica de "puedo sola y esta pared no la rompe nadie"; y, la víctima, con sus debidas palmaditas, besos, consuelos, abrazos, para luego sentirme patética. Ninguna de las dos servía más que para aumentar mi soledad. En algún momento me di cuenta de esto y deseé una vida comenzando desde cero en otro lugar, donde pudiese ser otra y despojarme de mi historia y no sentir la etiqueta de "pobrecita" en los ojos de los otros, y así no tenerme lástima. Tenía una idea de que podía ser fuerte si recreaba una nueva yo en otro lugar, ignorando mi historia.

   Luego fui a Costa Rica donde una señora con el objetivo de sanar y dar cierre a mis heridas. Con ella aprendí que no necesitaba ni lo uno ni lo otro, que con una autoestima fuerte, podía apropiarme de mi historia sin permitir que me definiera, y dejar a un lado mi obsesión por salvar a los demás y las diferentes excusas para poner mi enfoque fuera de mí. Entendí que puedo aceptar todo lo que sucedió, lo que me dio, cómo me obligó a crecer, y que generó una sensibilidad extraordinaria en mí. Nuevamente, sin dejar que me defina. Es lo que es. Sí, es una parte importante de mí, una parte de todo lo que soy, pero no quien soy.

Y contarles mi historia ayer me confirmó esto que entendía solo en teoría. Les conté con la esperanza de dar un pedacito de mí, liberarlo y a su vez aportarles algo a ustedes, y pude ver en sus cartas que sí fue así. Sus respuestas fueron mi señal de que la era de la patética quedó atrás. Me confirmó que tengo una fuerza en mi corazón digna de compartir.

Gracias por responder a mi vulnerabilidad con tanto amor. Por esto estaré siempre agradecida.

Sin mucho, me despido con un hasta pronto,

Ani (la panameña / *wannabe* gringa).

Acabamos de hacer la meditación de dar y pedir perdón. Lloré como una idiota.

1. Perdoné al asesino, lo tuve enfrente y sentí un miedo que no había experimentado antes. Quizás este miedo lo tenía bloqueado. Su presencia me inspiró terror puro por su capacidad de depredador. Luego, lo imaginé como estaba en el juicio, sin posibilidad de hacerme daño. Cerré los ojos y conecté con el miedo, conecté con los estragos de sus actos, conecté con lo que sea que lo haya llevado a ser el monstruo que es. Me dolió conectar con el miedo que pudo sentir mi mamá, por su impotencia ante este salvaje. Finalmente, alcé la voz y le reclamé. No respondió nada, como con María

José. Luego volví a cerrar los ojos y conecté con mi capacidad de perdón. Sentí cómo perdonar es más para mí que para él. Perdoné y luego se esfumó frente a mis ojos.

2. Luego, apareció mi papá. Esto no me lo esperaba del todo. Con lo que lo amo y agradezco, no me esperaba que surgiera en mí una necesidad de perdón. Lo observé, ya mojada en lágrimas por lo anterior y fue fácil conectarme con el dolor por el abandono. La herida que dejó en mí tenerlo tan cerca entre los viajes, cantadera en el carro y demás, y luego perderlo por Kathia, el dolor de no poder guardarle el lugar a mi mamá, resentir su infidelidad: infidelidad al dolor, al quedarse conmigo sufriendo para siempre sin rehacer su vida. Conecté con mis heridas, con su decisión de ser feliz; lo amé por ello, lo perdoné y luego lo amé más.

26 de julio de 2011 - India
Registro de traslados

- Panama City - Newark, 6 horas, avión.
- Newark - Delhi, 14 horas, avión
- Delhi - Jaipur, 6 horas, tren
- Jaipur - Agra, 4 horas, tren
- Agra - Varanasi, 13 horas, tren
- Varanasi - Delhi, 17 horas, tren
- Delhi - McLeod, 10 horas, taxi
- McLeod - Dharamshala, 30 mins, bus
- Dharamshala - Chakki Bank, 3 horas, tren

Mi regreso fue especial y quiero documentarlo. Llegué a la casa de Paola a las siete y media de la mañana sin llave ni manera de contactarla. La llamé desde afuera, sin suerte. Resolví lanzarle piedras a su ventana como enamorada clandestina. Salió un poco extrañada, con cara de pavor por el niño que la llamaba. No me reconocía porque, saliendo de Tushita, paré en casa de una alemana que tenía un jardín mágico, y me cortó todo el cabello. Le tuve que decir:

—Pao, soy yo, Ani.

—¡Ah, carajo, qué susto! ¡Te cortaste el pelo! ¡No te reconocí, ya te abro!

Me había guardado un pan especial para mi desayuno de regreso, me preparó un chai con más amor del usual y se sentó con una misión en los ojos, sin espacio para cuentos banales.

—Ani, he estado esperando mucho tu regreso porque quería hablar contigo.

—Ok, suena serio. ¿Todo bien?

—Todo bien. Solo que desde que te fuiste he estado pensando mucho en lo que me dijiste esa noche. Al principio no podía ver cómo era eso de que te estaba tratando feo, pero después sí y luego me afectó mucho, porque entendí de dónde viene, lo cual resultó en que todos estos días han sido de introspección intensa. Entendí que yo estoy acá lejos de mi vida en Panamá y de todos los conflictos emocionales que había estado ignorando muy tranquila desde la comodidad del otro lado del mundo, y que me los trajiste todos al llegar. El rechazo que he estado demostrando hacia ti es realmente hacia todo a lo que no quiero volver.

—¡Ah, vaya, suena terapéutica toda esta revelación! Y bueno, para mí, fantástico confirmar que no tenía nada que ver conmigo. Porque me costó un mundo armarme de valor para confrontarte con eso que me dolía.

—No, qué bueno que me lo dijiste. Yo te quiero muchísimo, y en verdad la pasé increíble paseando contigo. Y no quiero jamás que pienses que no te valoro. Eres de mis mejores amigas y estoy feliz de que hayas venido. Y no sé cuándo vuelva a Panamá, porque quisiera regresar a Alemania y quedarme allá más tiempo. Aunque ni idea de cuáles son mis planes todavía, pero eventualmente sí creo que volvería a Panamá. Me veo viviendo allá. Y, si no, de todas formas es importante que le eche un ojo a esas heridas para sanarlas.

—Suena increíble toda esta revelación. Pagó mi valentía entonces. Porque ¡cómo me costó!

Seguimos hablando un poco más sobre las heridas encontradas, luego sobre la gente que conocí y todo lo que aprendí en Tushita.

28 de julio de 2011 - India

Ya estoy en el avión de regreso a Panamá. Casi me deja porque algunas cosas no cambian. Fue un susto horrible; el transporte que había programado para que me llevara al aeropuerto nunca llegó, y en mi pánico a voces, una pareja de compañeros de casa de Pao se apiadó de mí y me llevó en plena hora pico de Nueva Delhi al aeropuerto. Menos mal que el avión no me dejó porque no tengo un dólar para comprar un pasaje nuevo.

Estoy consumida leyendo *El plan infinito*, de Isabel Allende, pero paré porque tengo una duda que quiero plasmar en papel. Siento que me espera una nueva vida, muy emocionante sin duda, pero aún así me siento nerviosa de regresar a la yo de antes, en piloto automático, sin darme cuenta. ¿Cómo logro sostener esta claridad, paz y *momentum*?

Ya veré, supongo…

37

Audiencia 2

Quiero terminar de leer el acta; no puedo esperar hasta el lunes. Por eso me propuse despertarme a las cinco de la mañana hoy sábado, de manera que pueda tener una hora y media de silencio para mí. La madrugada tiene su magia, un silencio profundo, una negrura muy negra, un vacío lleno de potencial, como la luna nueva.

Enciendo una lámpara pequeña en mi escritorio ya que la del techo asustaría a mis ojos.

Estoy lista, abro el fólder con las hojas. Continúo con el interrogatorio del detective.

Sigue el doctor Vicente Pachar Lucio, de quien Pizco me había hablado con mucha reverencia. Aquí también se detalla su larga lista de estudios en el extranjero y méritos profesionales. Luego le pide describir los resultados de su autopsia en un lenguaje menos técnico, que se pueda entender.

Esto está difícil de leer, no me lo esperaba. No sabía de la letanía de golpes, moretones y raspones.

... esto es un área de moretón en toda la parte anterior de la oreja derecha.

... esta es un área como un raspado en el área del ángulo de la mandíbula.

Son cinco hojas completas tamaño legal de esto. No necesito leer en detalle, ya entendí que la agredió físicamente también. Luego, el doctor explica la interpretación de su estudio, y esta frase me desajusta:

En el mismo instante se trataba de que la víctima no gritara y era apretada en el cuello…

Aquí se corta el texto. Veo la numeración de las hojas: 1,465, 1,467. Reviso la continuidad del resto de las hojas y no falta ninguna más. Esto no es casualidad; la sacó Pizco. Me está tratando de cuidar de algo. No tengo problema y me dejo cuidar. Precisamente para esto le pedí a él que abriera el expediente y me curara lo que iba a leer.

La página 1,467 comienza con:

... de contacto sexual? CONTESTÓ: No encontré ningún indicio de asalto sexual.

Esto me ha sido confirmado hasta el cansancio y no me sobra, hay algo adicional que ocurre al leerlo. Observo alivio en mí. ¿Por qué? ¿Qué significa? He observado en mí algo de irritabilidad ante tanta gloria a que murió "defendiéndose como un león". ¿Y es que las otras víctimas que sí fueron violadas son menos merecedoras de respeto? Lo escuché demasiado de chica. Esta es una pregunta que siempre ha estado presente en mí, ahí sostenida en la frontera de la conciencia.

Y no lo creo, no creo que una tenga más o menos mérito que la otra. Mi mamá y las otras víctimas tuvieron experiencias y resultados dramáticamente diferentes. Muchas deben vivir con la experiencia temida por tantas, de ser ultrajadas de esta manera, y a mi mamá se le cortó la vida antes de tiempo. Todas son unas heroínas.

Sigue el psicólogo y el psiquiatra que evaluaron al asesino, sobre si estaba él en sus facultades al cometer el crimen, porque él se declara inocente alegando que tiene una segunda personalidad y que fue Carlos Agüero quien cometió el asesinato.

Ellos explican en detalle por qué él sí estaba, en efecto, en sus facultades, y cómo una persona que tiene doble personalidad no está consciente de ello. De hecho, una personalidad no se entera de la existencia o acciones de la otra.

Decenas de hojas explican esto en detalle con su debida justificación. Aunque sí ofrecen un diagnóstico de trastorno disocial de la personalidad:

...Caracterizado por una despreocupación de los sentimientos de los demás...

Me parece bastante obvio considerando su historial de casos en Costa Rica, de dieciocho denuncias de violación. Más que despreocupación, parece ser un placer por el dolor de las mujeres.

Luego habla Pizco y lo puedo escuchar hablar con la propiedad y el lenguaje que lo distingue. Hechos, fechas, citas, todas grabadas y dispensadas desde su memoria de computadora.

En alguna de nuestras conversaciones le pregunté:

—¿Y cómo eras en aquel momento? Para imaginarte...

—Flaco.

—¡¿Flaco?!

—Sí, flaco y con bigote. ¡Y fumador! Fumaba hasta por los codos.

Me imagino a este Pizco fumador, flaco y de bigote, hablando con la propiedad que le conozco frente a la magistrada y al jurado.

Cuando las señoras describen el acto violento del cual fueron objeto, imagínense a la señora Lolita de Eskildsen, que este le haya *dicho ¡o te callas, o te mato! Y, eso fue lo que no hizo Lolita de Eskildsen ese día. Las fotografías de la necropsia, las contusiones y escoriaciones de Lolita reflejan con toda claridad que Lolita demostró a <acusado> que ese día no se iba a dejar ultimar su honor y su dignidad, tratando de defenderse.*

Que nadie carga consigo unas esposas teniendo como premisa alquilar un local.

Continúa con su alegato y se transmite también su tono agitado.

Surge algo que no sabía:

A folio 1,372 del expediente, el 2 de agosto de 2000 trató de evadirse del Centro Penitenciario La Joyita... El informe de su evasión y cómo él lima los barrotes y sale de su celda con otro imputado, describe de manera muy clara la inteligencia, la habilidad de <acusado>.

No sabía que antes del juicio hubo un primer intento de fuga.

En su alegato, Pizco no busca tanto sustentar que él es el asesino, sino que se debe insistir en administrarle la pena máxima de veinte años, o idealmente más.

Luego de un receso, poco después de la medianoche, la presidenta de la audiencia concede la oportunidad al procesado de dirigirse al Jurado de Conciencia.

Ya había escuchado de este acontecimiento, la primera vez de la boca de su abogado, el papá de mi amigo, hace todos esos años atrás, cuando se me presentó. Me contó que al final del juicio él eligió defenderse solo. Sabía que encontraría este texto acá, me intimidaba leerlo y escucharlo directamente en sus palabras. Respiro profundo y continúo.

Es muy extraño porque es convincente aun a través de un texto. Sustenta con varios puntos cómo es víctima de un sistema elitista que le trata injustamente. Esto sí me parece posible, porque pasa en todas partes, que los acusados pierden sus derechos por el desdén de quienes los llevan en su tutela. Y puedo empatizar con el desdén, pero esa no es su labor; su labor es operar bajo el ideal de la justicia ciega.

Va punto por punto desmantelando todo lo que han dicho de él. Cómo el psicólogo casi no lo examinó, lo vio apurado y luego salió en las noticias hablando en detalle sobre su personalidad y trastorno. Nada de lo que dice suena descabellado. Se pinta como una víctima de la oligarquía y de un sistema subjetivo y parece lograrlo. Cómo trató de escapar de la cárcel ya que sabía que sería juzgado por un sistema sesgado.

Si yo, víctima indirecta, me voy comiendo todo lo que dice, entiendo lo que dicen sobre su habilidad de manipulación.

Luego habla Pizco nuevamente, de manera contundente, clara y obvia. Deja todos los argumentos del acusado en la categoría de fantasías de un desesperado:

¿Y por qué utilizó el nombre de Carlos Agüero? Si a ninguna de las otras señoras como hemos visto en el expediente se le identificó como Carlos Agüero. Porque estaba armando una trama de premeditación, estaba armando un escenario que le permitiera llegar a su propósito final… violar.

Pero no fue lo único, se metió unas esposas en el bolsillo pensando que mientras visita la casa con una señora lo van a asaltar y va a tener que defenderse. Unas esposas que típicamente guarda en el baúl de un carro… no, él las recoge y se las mete en el bolsillo y se las lleva porque él piensa que puede ser que alguien lo asalte en esa visita donde va a ver la casa con una persona que le va a enseñar la casa y que es del sexo femenino.

Son decenas de hojas más de argumentos contundentes en contra. Hay orgullo en mi pecho por este señor que está ahora en mi vida para quedarse.

Se me atraviesa algo que me supo a traición en aquel momento. Me llegó como un rumor:

—Ani, sabes que en la audiencia del asesino, leyeron una carta tuya a tu mamá.

—¿Una carta mía? ¿Cuál? ¿Cómo así?

—Una carta que dejaste en la cripta de tu mamá en algún aniversario. Alguien la agarró y la usaron en el juicio.

—¿Para qué? ¿Como prueba de qué?... ¿Sin mi permiso? ¿La cogieron de la cripta? ¿Quién? ¿Quién hace eso?

Bullía cuando lo escuché, salí de mí, la ira no me cabía dentro y se me salía por los ojos. Y no sabía contra quién. Recuerdo acalorarme, tratar de averiguar, saber quién fue, reclamar, llamadas, lágrimas, pero todo se resumía en un sentimiento de traición profunda. A lo que más le huía en ese tiempo era a la lástima, y la lástima hacia mí había sido usada como herramienta en la audiencia.

Sobre todo, no entendía para qué. ¿Una persona que no tiene hijos o hijas que le escriban cartas tristes merece menos justicia?

En una de mis reuniones con Pizco le pregunté, pero él no supo de qué estaba hablando. Con él conecté profundamente y me hubiese dado cuenta si me mentía, y sé que no sabía de qué le hablaba:

—¿Una carta? ¿Tuya? No, no recuerdo eso. No sabría ni para qué.

Pero sí, y la leyó él mismo en su segundo alegato:

Eso motivó esta notita de la hija del señor Eskildsen cuando, un año después de su muerte la recordaron y le escribió: 'Mami, quiero *que sepas que siempre fuiste una excelente mamá para mí y siempre lo serás, yo voy a seguir tus pasos, a ser una persona buena, que ayuda y que le preocupan los demás, yo me voy a esforzar para seguir adelante, yo sé que estás siempre a mi lado ayudándome a seguir adelante, solo te pido que le pidas a Dios que no me quite a mi papá, que lo he aprendido a querer muchísimo. Finalmente, me despido ya que nunca tuve la oportunidad'. Señores miembros del jurado, lo que ha hecho <este señor> no es solamente acabar con una vida, es acabar con sueños y con esperanzas, es hacerle daño a la sociedad entera…*

Se me derraman las lágrimas. Me duele esa niña. La quiero abrazar y decirle que todo va a estar bien, que la tengo, que la contengo. Que todo va a estar bien.

Y sobre todo, que no deje cartas en criptas.

...porque la personalidad del señor <acusado> tal como lo revelaron aquí el psicólogo y el psiquiatra forense es tan agresiva que si <este señor> no queda a buen recaudo, aparte del daño que ya ha hecho, lo va a volver a repetir, de ustedes depende que eso no ocurra por tanto tiempo como la ley lo permita. Muchas gracias.

Nuevamente, se le concedió la oportunidad al procesado...

Sigo leyendo. Son las barbaridades de las que ya había escuchado de la boca de su abogado y de parte de Pizco en nuestras conversaciones.

Cuenta de cómo tenía una relación con mi mamá hacía un mes y medio. Que ella lo citó porque mi papá se había enterado y decidieron que el mejor método sería que él llamase a la agencia de bienes raíces para hacer una cita con un nombre falso y así poder reunirse en una casa. Y una vez en la casa llegaron un colombiano y un mexicano armados. Que lo amarraron y él solo escuchó gritos desde el baño. Y cuando se pudo soltar, la encontró muerta y huyó a sabiendas de que lo acusarían a él del crimen.

Lo puedo imaginar hablando y a Pizco retorciéndose.

Lo he visto hablarme de él con los dientes apretados, y ya comprendo de dónde proviene su aborrecimiento. Leer, y poder escuchar en mi imaginación este intercambio, me invita a sentirlo desde la silla del querellante. Empatizo y agradezco que no estuve ahí.

Luego se le concede la palabra al defensor de oficio del acusado, quien concluye el alegato de la defensa. Bastante tibio la verdad. Hace su trabajo, pero nada contundente.

El texto continúa hasta la madrugada y destila hambre, frustración y agotamiento.

El resto del jurado entró a deliberar a las tres y treinta y cuatro minutos de la madrugada (3:34 a.m.), del día martes veinticuatro (24) de octubre de dos mil (2000) y, salieron a las cuatro y cuarenta minutos de la madrugada (4:40 a.m.), con un veredicto CONDENATORIO en contra del señor <nombre>.

Le dieron veinte años de prisión, que en aquel momento era la pena máxima.

38

Dios

En uno de esos días de aquel tiempo en el que me le colé a Iván en su cuarto para interrumpirle la vida, su disciplina, su lectura, sus estudios, para hurgarle su curiosidad y todo lo aprendido a través de ella, me explicó un concepto que me marcó:

—Ani, el concepto del cielo no tiene sentido. El concepto de que nuestra alma tenga solo esta experiencia humana no tiene sentido. La naturaleza nos enseña de todo y es sabia, si puedes ver, se repite en todo, está en nosotros. Nuestros pulmones, en una radiografía, son iguales a un árbol; nuestras venas se parecen al fluir de los ríos; el latir de nuestro corazón se repite en la naturaleza. No tiene sentido que nuestra alma sea ajena a este baile, porque no hay nada en la naturaleza finito, que solo viva un ciclo. No existe ningún ciclo en la naturaleza cerrado, como un círculo. Por ejemplo, el sol todos los días amanece y se pone, y cumple un ciclo, sí, pero el sol de hoy no es igual al de ayer, es un día más viejo y está un día más cerca de su fin. Así falten millones de años para que se transforme, hoy ya no es igual que ayer. Otro ejemplo, mira las flores. Ellas se abren y se cierran, luego mueren, vuelven a la tierra, la nutren, alimentan a la planta y vuelve a nacer otra flor. ¿Y qué nos dice esto? Que la vida no es un círculo cerrado, es más bien una espiral.

»Varias tradiciones de sabiduría ancestral explican el camino de nuestra alma más parecido a un resorte que a un ciclo cerrado. Dicen que nuestra alma se va moviendo hacia arriba o hacia abajo en el camino de esa espiral, a través de las diferentes vidas que experimentamos. Hay unas almas más jóvenes, y eso se siente cuando conoces a alguien, así, ¿no te parece?

Asentí con la cabeza porque no lo quería interrumpir.

—Bueno, hay otras más viejas también, que han tenido más tiempo a través de la espiral, subiendo o bajando. También puede ser que pasemos varias vidas en un mismo punto de la espiral. Por ejemplo, un alma que ha pasado varias vidas víctima de la violencia, pero no logra sanar o romper el ciclo, seguirá viviendo ese reto en sus vidas siguientes hasta que conquiste este reto del alma, y así logrará seguir ascendiendo. El tema es que con el ascenso vienen nuevos retos al alma que ponen a prueba nuestro nivel de conciencia y así se va ascendiendo. En una sola vida se puede ascender muchísimo o poco. Da igual, el tiempo es relativo. El tema principal es que estamos ahí montados.

»Como te digo, para mí la idea de que nuestra esencia cumple una vida y es finita, para luego ascender a un cielo o infierno eterno no tiene ningún sentido. Más bien pienso que esto es una metáfora de los cielos o infiernos que se pueden vivir en las vidas siguientes dependiendo del karma que cultivemos.

»Dicen que todo se paga en la tierra, algunos no lo creen porque no es visible, pero no es visible porque no ocurre necesariamente en esta vida. ¡Ni siquiera en la siguiente! Puede que limpiemos karma unas cuantas vidas después.

Este concepto me impactó con la fuerza de un tren. Ya había leído el concepto de la reencarnación muchos años antes en aquel libro que me abrió de par en par en ese avión con mi papá: *Muchas vidas, muchos maestros*, sobre el cual nunca volví a pensar.

No pude responderle mucho a Iván ni hacer más preguntas; me fui a dormir con este nuevo tesoro de verdad, porque así se sintió dentro. Hizo clic como una verdad tan natural como la gravedad que nos ancla a la tierra.

Con los días y meses este concepto fue sacando raíces e integrándose a mí como una creencia esencial entre mi estructura de valores. Por otro lado, también se volvió abono para fertilizar mi desacuerdo con la Iglesia católica.

En conversaciones acaloradas, pasada de tragos, me salían los argumentos con una risa burlona entre dientes:

> —La religión católica es una religión creada como un cuento para niños o adultos faltos de ganas de cuestionar: si te portas bien, te vas al cielo; si te portas mal, al infierno.
>
> »Sentencia final dictada por un gran juez, por supuesto, blanco, de barbas largas, sentado en una silla en el cielo. ¡Claro! Esto tiene mucho sentido.
>
> »No, para mí no. Para mí tiene más sentido la reencarnación del alma, así como todo en la naturaleza. Nacen las flores, mueren, nutren la tierra y nacen otras. La energía no se crea ni se destruye, solo se transforma. Igual nuestra esencia, nuestra energía. Somos pedacitos de Dios que van pasando de vida en vida, creciendo, aprendiendo, cagándola y así superando obstáculos también.

Eso tiene más sentido para mí. Todo este cuentito del cielo no. Si me lo vendes como metáfora de un cielo en otra vida, quizás ahí sí te lo compro.

> »Y sí creo que Jesús existió, que fue grande entre todos los profetas que han venido a la tierra, tanto que es normal que sea el más conocido entre los profetas, pero también creo que si viera las barbaridades que se han hecho en su nombre, le daría el mismo trato que le dio a la gente esa vez en el templo. Diría, "Nooo, eso no fue lo que quise

decir. Hicieron lo que se les dio la gana con mi mensaje por hambre de poder... ¡¡¡brutos!!!".

»Sus enseñanzas son poderosísimas. Como las de Buda, su filosofía es un espectáculo, sabia, profunda, y hermosa también.

Por mucho tiempo consideré convertirme al budismo, pero ni siquiera se consideran una religión. Les da igual si eres católico, judío o musulmán practicante del budismo, pero yo quería un acto de rebeldía que me separara de mi confirmación a la fe católica. Quería una manera de pintarle una paloma a la institución en la que fui bautizada. A falta de poder hacerlo oficial, simplemente arremetía contra ella cada vez que podía. Y como se presta, entre tanto abuso de poder a través de la historia, no le faltaba munición a mi amargura.

Cuando regresé de India, regresé con muchas ganas de ser disciplinada con mi práctica diaria. Y como dudaba de mi constancia, busqué grupo, templo, para que también me acogieran y me prestaran sentido de pertenencia, pero no lo conseguí. Me compré un zafu, cojín oficial de meditación, y me di a la tarea, pero no duré dos semanas.

Luego de que me enamoré nuevamente de Alfonso, cinco años después de estar cada uno por su lado, lo compré como era, sin saber que lo compré católico, apostólico, romano. Cuando novios, soñaba con una boda inventada por nosotros, un ritual que oficializara nuestro amor a nuestra medida, pero rápidamente me dejó claro que él se quería casar en una iglesia, ante los ojos de nuestras familias y de Dios.

La vida claramente me estaba tendiendo una trampa. Ya enamorada no había vuelta atrás y poco después me pidió que lo acompañara a misa los domingos. Al principio me negué:

—Yo no soy católica —le dije.

—Yo no te estoy pidiendo que seas católica, te estoy pidiendo que me acompañes a la iglesia. Que me acompañes, solo que me acompañes.

Sus intenciones eran puras, no buscaba convertirme: él solo quería que me sentara a su lado mientras él participaba de la misa. Accedí entre chistes de que me iba a quemar al entrar.

No me quemé, pero sí me sentí incómoda e hipócrita. Más cuando la mamá de un amigo le comentó, con ánimos de convencerlo de que fuese a misa: qué belleza que Anamari y Alfonso van todos los domingos a misa, me los encuentro siempre.

Sobre todo me sentía impostora a la hora de ir a tomar la hostia. De ninguna manera podía yo ir a aceptar el *cuerpo y sangre del Señor* después de las arrastradas verbales que le había dado públicamente, pero me quedaban ganas y dudas. Un día invité a Mamos, mi profesora de yoga, a un té; yo sabía que ella navegaba las aguas de todas las religiones y prácticas espirituales sin culpa alguna:

—Mamos, cómo le hago, es tan raro ir a misa.

—¡¿Por qué?! Vas y ya. Son enseñanzas bonitas. No te dejes enredar por tu cabeza y tu ego. Vas, recibes todo y te quedas con lo que te sirve. Y ya. No hay nada más que eso.

—Pero, ¿qué hago? ¿Dizque comulgo, ahí, entre todos los fieles, con las manos en el pecho?

—Pues sí. Piensa en Dios como un todo, como un ser. La misa y todas las prácticas espirituales son celebraciones de ese ser, energía, todo. Ir a su casa y no comer de su comida no tiene sentido. ¿Tú crees que le gustaría? ¿Que vayas hasta una de sus casas, escuches toda la conversa y luego te vayas sin comer?

Respondí a su ligereza con una risa de cuerpo entero.

—¡Pues no! ¡Tú comulga! Tú eres una persona buena y espiritual. Tú eres igual de digna de esa hostia que el resto de la gente.

No me sentía tan espiritual. Esa amargura que sentía no era congruente con todo lo que había aprendido entre libros y el retiro. Ni siquiera lograba meditar. Quizás en shavasana, al final de una clase activa y sudorosa de yoga, después de soltar la tensión, lograba una meditación semipacífica.

En la boda de Mafa, durante la ceremonia, en compañía de sus seres más queridos, empacados todos dentro de una capilla pequeña de bambú y cristal, con los jardines bogotanos más exuberantes y coloridos a la vista, el padre entregado a su sermón dijo algo sobre las responsabilidades de la mujer dentro del matrimonio, algo machista y retrógrado. Ya yo en este momento, después de dos años de acompañar a Alfonso a misa, había logrado filtrar los sermones de toda ideología que no me sumara. Y cuando escuché a otra amiga de las del cortejo decir entre dientes, en tono burlón:

—Ja, ja, ja, ¡qué estupidez! Qué increíble que todavía crean en toda esta babosada.

Me sentí indignada y le dije con mucha propiedad cuando salimos de la misa:

—Isa, escuché tu reacción allá adentro cuando el padre hablaba del rol de la mujer en el matrimonio y se me ocurrió que si fuese una celebración de cualquier otra práctica: sikh, gitana, hindú, judía, budista, cualquiera... jamás haríamos una burla de ese tipo. Eliminaríamos lo que no estamos de acuerdo, lo interpretaríamos como algo parte de lo ortodoxo del rito, y pensaríamos en lo romántico de todo lo demás.

—Ah, guao, sí, tienes toda la razón. No lo había visto así. No sé por qué me revuelven tanto las tripas todos esos comentarios.

Ahí caí en la cuenta.

—Bueno, sí, yo aquí toda creída y correcta haciéndote el comentario. Y la única razón por la que lo pienso es porque la yo pre Alfonso hubiese hecho lo mismo o peor. Solo que como me ha tocado ir a misa, y al principio me sentía exactamente así, se me hizo fácil entenderlo desde afuera. De hecho, nunca lo había pensado, lo de las otras religiones, hasta que te escuché a ti decirlo ahí, entre dientes.

—Mira tú, pero sí, tienes toda la razón, gracias por compartirlo. Quizás es que resiento a la Iglesia por haberme inculcado esas cosas como verdades absolutas. Las mujeres son esto, los hombres esto, los gais el diablo, y pues, me da ira, pero ya no tiene sentido. Ya estamos grandes y sabemos que con eso no estamos de acuerdo… ¡Y ya, pues!

—¡Exacto! Pero es un proceso, supongo. Poder separarse del resentimiento y verlo desde afuera.

Igual quedaba el resentimiento, pero lo pude ver tan claro en ella ese día que me quedó la semilla de pensar: si te disfrazo, te compro, Dios, es vestido de catolicismo que no te soporto.

39

¿Fin?

Tengo una lista de tareas de investigación pendiente:

Quería entrevistar a una de las directoras del colegio donde trabajaba la psicóloga, que escondía al asesino al momento en que lo apresaron. Sé que la despidieron y que fue todo un tema, y me quedó curiosidad ahí.

Investigar quién es el detective amigo del homicida y si se abrió algún tipo de investigación en su contra, después de hacerse evidente, por lo menos para mí como lectora, que tuvo complicidad en la muerte de mi mamá, por encubrimiento de la violación previa.

Encontrar el nombre de la casi-víctima, como llamé a la señora a quien el asesino citó antes, pero no se le dio la escena perfecta como a mi mamá. Siempre sentí curiosidad por conversar con ella. Intuyo que podría tener culpa de sobreviviente, y quisiera saber qué sintió cuando se dio cuenta de que era, de hecho, una sobreviviente. Me imaginé una conversación con ella, sanadora para ambas, como la que tuve con Zaidée.

Pero donde hubo ganas de investigar, ahora hay ganas de cerrar.

Me prometí ser fiel a mi sentir y solo hurgar donde me llevara mi curiosidad. Y ya quedó vacío el pozo o simplemente fui saciada. Tengo una imagen de lo que pasó pintada en mucho detalle, suficiente para callar a mi inconsciente y esto para mí equivale a paz.

Vi el horror de cerca, en casualidades crueles, en raspones, moretones, heridas, heridas emocionales de otros, y ahora compartidas. He logrado un retrato hablado, y estoy segura de que este también es cercano a la realidad.

Pensaría que lo único pendiente es sanar, pero el trabajo en sí, de cohabitar este espacio con otros, tuvo su propio efecto terapéutico. Donde había deseo solo me queda paz, y paz era lo que buscaba.

Parte III

Tuya

Hoy no soy la misma
Ahora
No soy la misma
Sanar
No es ya
El fin
La herida
Es el cuenco de esta hoguera
Es el prisma de la luz
Y soy luz
Que luce
Que crece
Y es.
Habla miedo
Te escucho
Y acaricio
Te saludo
Y agradezco
A quedarte sola
Dices
Pero ¿cómo?
Si este fuego
Esta luz
Es mía
Suya
Nuestra
Es.

40

A vuelo de pájaro

Regresé de India con toda la intención de meditar dos veces al día y nunca pasó. Me monté en el tren de la vida nueva y entre tanta cosa buena al operar sin saboteos, no hubo espacio para el silencio.

Tenía también una lista de pendientes, encabezada por pedirle perdón a Alfonso por los estragos de nuestra ruptura. Mafa me dijo: "No lo hagas, déjalo quieto, está feliz en su relación". No le hice caso y entiendo que sí hice daño, sin saberlo.

Comencé un trabajo en un colegio grande y nuevo, al que llegué pelicorta, maquillada y llena de actitud. Tampoco me duró mucho lo del maquillaje. La actitud, sí.

Hasta que no.

Me fue de perros como maestra. Querían que los niños caminaran en fila, y si no tengo orden en esta cabeza, el resultado fue que mis niños se trepaban por las paredes.

Con el salario nuevo conseguí cumplir mi sueño de mudarme de casa de tía Mechi al orgullo de la autonomía. Di eternas gracias y mi tío Camilo me ayudó a acomodarme en mi nuevo piso compartido con dos chicas maravillosas. Llegué a vivir la vida de la extranjera que soñé cuando me mudé a Panamá. Viviendo cerca del colegio, me iba en bici al trabajo y a mi birria de Ultimate Frisbee.

No me alcanzaba el dinero para más que lo básico y no vislumbraba una manera de crecer. Como resultado, comencé a soñar con emprender.

Empecé una maestría en literatura infantil, aspirando a lograr algún día mi propio negocio en algo que me apasionara.

En la escuela compartía la enseñanza con una diosa del manejo infantil. Nos hicimos amigas, éramos muy diferentes, pero encontramos las casualidades: una de cuatro hermanos, madre muerta, hermano gay… Quise aprender más de ella, pero para ese nivel de calma tendría que nacer de nuevo. Un año, celebrando el Día de la Madre escapadas a la playa, surgió la idea de comenzar un negocio de campamentos en Panamá. Usaríamos su experiencia en campamentos con la mía en manejo de proyectos. Era una idea algo descabellada en una tierra donde llevarse al niño ajeno lejos de su casa y su nana es un insulto. Ideamos que el primer paso sería ofrecerle al colegio organizar su programa de verano *in situ*.

Le dimos nuestro todo: tiempo, cariño, dinero y empeño. Y así fuimos estableciendo un negocio y cultura de aprendizaje al aire libre en Panamá.

De la maestría me rendí y la dejé tirada. Tuve que cerrar esa ventana porque en la otra dirección se abrían caminos.

Alfonso se dejó con su novia y no me enteré. Nos encontramos en un festival de música y estaba soltero. Se me alborotó el mariposario y me puse coqueta. Me dijeron mis amigas "déjalo quieto". Conversaba con una niña bonita, pero hice caso y lo dejé tranquilo.

Dos meses después, mi compañera de piso invitó a Alfonso a nuestro apartamento a una fiesta de *pizzas* que organizó. Seguía guapo y chistoso. En los cinco años que estuvimos aparte se hizo hombre. Grrr. Estuvimos hablando toda la noche, y sin tocarnos, se encendió la carga eléctrica que antes pedía contacto de pies. Se me prendió todo, pero se hizo de rogar. Y me gustó rogar.

Alfonso me huía, pero el universo conspiró a mi favor y se rindió. Me tomó de la mano y me enseñó cómo se sentía la seguridad, y desde esa seguridad, pude soñar sin miedo a lo incierto. Me atreví a bosquejar con él un proyecto de vida que solo pensé que era posible en las películas. Me permití decirle sí a la felicidad y 364 días después de la fiesta de *pizzas* nos casamos.

Comenzó el programa de verano del colegio con niños felices, padres felices, y el colegio facturaba feliz también. Al segundo año del campamento se triplicaron los registros de niños y niñas y pude renunciar al colegio. No más niños caminando en filas y sí más niños gozando en el lodo.

Con matrimonio nuevo, decidimos sembrarles todas nuestras semillas a nuestros emprendimientos, y para lograrlo nos mudamos de regreso donde tía Mechi. Ella seguía en Chile y convivíamos allí con el tío Camilo.

Poco a poco, las semillas germinaron y nos mudamos a nuestro propio hogar, un poco alejado de la ciudad, donde todo era hermoso, y nuestra perrita, la primogénita, corría libre entre pastos canaleros.

Mi vida giraba en torno al campamento. Emprender incluía sobra de golpes. Tomaba nota, aprendía y crecía.

Campamento, campamento, campamento. No pensaba ni hablaba ni hacía nada diferente. A falta de otro tema, posiblemente perdí amigos.

Sonaron las campanas de la maternidad y la paternidad, y buscamos bebé. Quedé embarazada.

Se enamoró mi socia de un libanés y se mudó a Europa. Volví a sembrar y le compré su mitad.

Alfonso se aburrió de manejar hasta el centro de la ciudad y nos mudamos al corazón de ella, frente al mar.

Nació mi bebé, Camilo; nací como mamá, nací como directora de campamentos y cobró vida la familia que bosquejamos.

De acuerdo con el manual de la niña que está bien; colorín colorado, este cuento se ha acabado.

41

Reabrir

Leyéndome como un personaje en estas hojas, me conozco como nunca. Ya tenía claro desde antes de comenzar a escribir que en mi adolescencia hice un esfuerzo importante por nunca aparentar dolor y por seguir el manual social de quien está bien, mostrándome siempre feliz y estable, y así contrariar cualquier expectativa de los efectos de la tragedia que pudiera esperar mi público imaginario.

Lo que sí conocí en estas hojas fue el ego glorioso como producto de mi terapia, por haber trabajado mi dolor, por sentirme sanada y por ya "estar bien". Me sentía grandota pudiendo hablar de la muerte de mi mamá con soltura y sin reguero de lágrimas. Ya no me percibía más la víctima.

Construir la vida de mis sueños sin los grilletes del autosabotaje era mi logro más venerado internamente. Sentirme con la libertad y posibilidad de hacer cualquier cosa que me hiciera feliz me dio una sensación vivificante de control de mi vida, destino y emociones.

Esta sensación fue en aumento, y aunque una voz dentro me decía que saldría por la ventana si decidíamos tener hijos, la callé con la falsa seguridad que me concedía mi experiencia de años trabajando con niños y niñas. Y aferrándome a ese salvavidas, decidimos saltar a la piscina seguros de que estaba llena.

Entré a la maternidad con esta ilusión de control y no me duró más allá de las contracciones. Tanta seguridad tenía de que me las sabía, que solo había leído sobre el embarazo y el parto. No leí un solo libro sobre sueño, lactancia o crianza. Ya con Camilo en brazos en el hospital, comencé a sospechar que la piscina no tenía agua, y lo ignoré un rato más. No solo la seguía imaginando llena; quería entrar a ella sin ayuda para disfrutar sola de todos sus juguetes.

Me decía a mí misma: "los hijos se adaptarán a mi vida; no yo a la de ellos. No verán pantallas y comerán de todo". Hice los entrenamientos de sueño, horarios y todo lo que pude para sostenerme en el abrazo seguro del control.

Luego volví a quedar embarazada, pero esta vez la sola idea de un recién nacido nuevamente me llevó de cara contra el concreto. Recordé mi experiencia como una de soledad profunda entre tanta impotencia, confusión y pánico, y con esta conciencia me sumí en una tristeza profunda. Tristeza con culpa, porque la ley de la gratitud dice que no se debe sentir tristeza con una bendición en camino.

Luego, Camilo comenzó a perder un par de tuercas. No eran las pataletas y comportamientos típicos de un niño de dos años porque no consiguió el vasito del color que él quería o viajar en carro fuera de la silla. No. La ira le bullía del cuerpo sin disparadores aparentes. Podíamos estar en el parque disfrutando de un día perfecto, y de la nada, Camilo se transformaba y comenzaba un episodio de gritos mientras sacudía un inocente arbolito. Con esto, Alfonso y yo nos preocupamos. Algo se había roto, algo estaba fuera de orden y debíamos buscar ayuda.

Tuve la bendición de que pude contactar a la Mona, la dueña del preescolar donde cursaba Camilo y el mismo lugar donde había trabajado entre la oenegé y el colegio. Fue una oportunidad grandiosa de probar la experiencia de enseñar en el momento en que dejar mi carrera en las oenegés sonaba como una locura. Esta no fue una experiencia laboral cualquiera, ensayar el universo pedagógico en esta escuela, que también era fundación y ofrecía una metodología única en el mundo, me permitió enamorarme de la educación como proceso de descubrimiento interior y exterior. En las mañanas, facilitaba talleres a un grupo de estudiantes del jardín preescolar, y en la tarde coordinaba proyectos para la fundación. Tuve el privilegio de ser parte del esfuerzo por ofrecer la magia de su preescolar en comunidades de Darién. Decir que esta experiencia fue enriquecedora se queda corto; por un lado, crecí profesionalmente en manejo de proyectos, ayudando para que su filosofía y visión cobraran vida más allá de las paredes del colegio; por el otro, crecí emocionalmente, porque trabajando hombro a hombro con ella, se prestó con su sensibilidad, amor y firmeza de madre putativa, como guía en aquel momento en el que estaba atravesando el duelo tardío.

Años después, ya hecha madre y en medio páramo, le pedí una cita solicitando nuevamente su guía. Nos sentamos Alfonso y yo en su oficina y le contamos todo: los ataques de ira de Camilo, los golpes, los cambios en el temperamento y, según los estándares que lo persiguen a uno en este camino, la falta de lenguaje para su edad. Después de verborrearle todas nuestras preocupaciones, nos preguntó:

—¿Ustedes ya le dijeron a Camilo que va a tener un hermanito?

—No. Estaba esperando saber el género para comprarle libros y explicárselo con historias ilustradas. Siento que entiende el mundo mejor a través de cuentos.

—Mmm, te entiendo. Es cierto que eso va a sumar, pero tienen que contarle lo antes posible. Él se debe sentir excluido de un gran secreto, de algo grande que está pasando con sus padres que él no sabe. Porque créeme, sienten y saben todo.

—Sí, tienes razón. ¿Será eso?

—Sí, seguro, está enojado y no sabe por qué. Cuando le aclares lo que pasa, vas a ver cómo se va a calmar. Además, vas a ver cómo va a soltar la lengua. Te lo aseguro. Se le va a levantar una neblina de encima, se va a sentir incluido nuevamente y le van a dar claridad. De todo… ¡hasta de lenguaje!

—Guao, nunca lo había pensado. Ok, hoy mismo le contamos. Qué buen consejo. Gracias.

Fue rápida la solución. Y solución sería, porque se calmó y empezó a hablar luego de eso.

En ese momento me dispuse a recoger mis cosas y no robarle más tiempo, pero me interrumpió mi impulso de salida:

—Anamari, otra cosa. Sabes que he notado que Camilo es muy independiente.

—¿Sí? —le pregunté simulando modestia con el pecho hinchado, porque eso quise siempre. Después de mi experiencia en campamentos y de cultivar independencia en mis campistas, en fortalecer su seguridad y darles herramientas para la vida, quería ofrecerle lo mismo a mi hijo desde que naciera. Me dio mucho orgullo saber que lo estaba logrando, pero halagarme no parecía ser su intención:

—Un poco *demasiado* independiente, diría yo. Es buenísima la independencia a esa edad, pero él tiene un poco de más.

—Ok, puede ser. Eso siempre ha sido importante para mí, quizás se me fue la mano.

—Sí, un poco. ¿No será… —hizo una breve pausa, como asegurando que sus palabras fueran impecables— que lo estás preparando para cuando tú faltes?

Sentí sus palabras como si hubiesen salido de un arpón a toda velocidad hacia mi corazón, entrando directo y con efecto de latigazo en todo mi cuerpo. No me esperaba el impacto ni las lágrimas que le siguieron:

—Vaya, Mona, nunca lo había pensado. ¡Qué fuerte! Pero sí, es exactamente eso. Nunca me he destacado por ser afectuosa, pero la razón por la que me he puesto a llorar es porque no me lo esperaba. Tanta verdad que jamás había pensado… Y así, de golpe.

—Sí, me lo imaginé. Y tu hijo te necesita, Ani. Y tú no te vas para ningún lado. Date toda completa a tu hijo que él necesita a su mamá. Necesita los apapachos… ¡todos los apapachos!

—Bueno, como te decía, no me sale tan natural.

—Lo entiendo, pero cuando conectes con eso de que te estás limitando, te va a salir más. Quizás no tanto como alguien más meloso, digamos; pero, ahí puedes tú, Alfonso, compensar un poco. Tú, sí, como que eres más de apapachos, ¿verdad?

—Sí, la verdad que sí. —Contestó Alfonso.

—Él es muchísimo más afectuoso que yo.

—¡Buenísimo! Entonces, tú, Ani, conéctate con ese lugar que tienes bloqueado, que además te va a sanar. Se van a apapachar mutuamente. Y además, con papá afectuoso, ya queda Camilo rebosante de cariño.

Me costó escuchar "te va a sanar", porque ya yo me creía sanada. No cabía en mí la idea de que había algo más por trabajar. Porque así lo veía, como trabajo. Esas cajas ya habían quedado guardadas para no ser abiertas nunca más, pero como aquel arponazo me había dejado abierta de par en par, sí pude sentir que había más trabajo por hacer. Lo pude observar, mas no hice mucho al respecto.

Duré todo ese día digiriendo lo que había pasado. Lo hablé con Carolina y también le cayó como un balde de agua fría:

—¡Qué genio! Yo sí sentía algo ahí, pero no le había podido poner el dedo a la llaga. De verdad, ¡qué genio la Mona, y qué honestidad tan brutal!!

Con hacerme consciente de qué estaba haciendo, trabajé en ser más afectuosa y lo fui gradualmente. Camilo fue poco a poco cultivando a la mamá diferente que le iba a tocar a Vicente.

A partir de esa reunión, también tuve una relación diferente con el embarazo. En este sí le pude hablar a mi bebé; antes me parecía ridículo, me tocaba la panza con ternura, soñé con un parto mágico y con tiempo libre del trabajo en los seis meses que le restarían a 2019, luego de su nacimiento. Contrario a Camilo, que a la semana de nacido tenía treinta personas en el apartamento practicando canciones y juegos de campamento.

Todo fue más hermoso e intenso de lo que imaginé. Después del parto, que me abrió como una flor, me pasaba lo que describen muchas madres de sus hijos y que tildaba de cursi: en las noches, en la mecedora, con él en el pecho, oliendo su cabecita, sentía magia a mi alrededor, una presencia divina en el aire, dentro de él, dentro de mí y en todas las cosas. Todo era meditación, todo era presencia.

Cuando se acercaba el fin del 2019, el año que había decretado para vivir mi embarazo y los primeros seis meses de mi bebé tranquila, comencé a sentir las ansias por cerrar el periodo de parir niños y tener recién nacidos en casa, para entregarme a mis metas. Lanzarme de clavado nuevamente a mi quehacer.

Con 2020, decreté que iniciaba el año de regresar a mi normalidad, a mi vida, a mi negocio, a crecer profesionalmente, y lo proclamé el año de la abundancia. Contraté una empresa de consultoría con el objetivo de llevar mi negocio al siguiente nivel. Al inicio del año también conseguí un colegio como cliente para esta nueva fase e invertí dinero en la expansión para sobrepasar todas sus expectativas y las de todos mis clientes futuros.

La noche antes de salir al campamento, el Gobierno cerró los colegios. Me quedé plantada con un carro lleno de sueños y se instaló una pandemia. Nos encerraron, pasaban los meses;

no nos soltaban y no nos soltaban. Durante el primer mes lloré mi negocio, la consultoría y los sueños.

Rota, sin ver luces de cómo volverme a armar, volví a contactar a Marina:

—Marina, no sé qué quiero. El manual dice que debo hacer todo esto para lograr todo aquello, pero la realidad es que no quiero. Creo que estoy deprimida.

Durante solo dos sesiones me enseñó a escuchar la intuición que me gritaba, me enseñó qué estaba tan mal, qué estaba bien; que la vida tiene etapas que se abren y también se cierran, que mi alma hablaba y era hora de escuchar. Nunca imaginé que la solución fuese cerrar mi negocio, pero aproveché la excusa de la pandemia y lo hice. Me permití una quietud que jamás había conocido, me dediqué a calmar la ansiedad con una práctica constante de meditación y de plasmar el ruido de mi mente en un diario.

Una noche, en el limbo entre estar despierta y dormida, surgieron las palabras del libro que empecé a soñar hacía diez años en las hojas de mi diario en India. Esta vez sí honré la historia que salía a borbotones, me paré de la cama y comencé a escribir.

Pensé que mi necesidad era desembarazarme de mi historia tantas veces practicada en la mente. Jamás imaginé que el ejercicio de escribir mi historia en papel sería un viaje de sanación y transformación. Aunque esto solo lo sé ahora, leyéndome y estudiando de cerca los tantos regalos de esta tarea que me impuso el alma.

42

El dolor

Mi primer recuerdo de dolor físico, suficientemente fuerte como para ser memorable, fue un dolor de oído a los nueve años. Estaba de fin de semana cumpleañero, celebrando a mi amiga Margarita, sin mis padres. Al segundo día, la mamá de mi amiga llamó a la mía porque me estaba quejando de mucho dolor. Llegó después de dos horas de viaje, me acosté llorando en el asiento de atrás, sobre el lado sano, con la mano en el oído izquierdo, como si hacerlo sostuviera los diminutos órganos en su lugar, y emprendimos el viaje de regreso.

Mi papá estaba en un viaje de trabajo y no preciso a mis hermanos en mis recuerdos de ese día. Mi mamá trató de curarme con esas gotas grasosas horrendas que hacen temblar los dientes del asco, pero no surtieron efecto. Pasé toda la noche llorando de dolor en sus brazos, juntas en su cama. Al día siguiente me llevó al médico, me diagnosticaron otitis aguda e inicié un tratamiento hasta mi recuperación, pero nunca olvidaría aquella sensación paralizante que me gritaba desde el interior de mi cerebro, que demandaba ser sentida sin segundo de interrupción.

En el intento de asimilar la noticia de la muerte de mi mamá, conocí el dolor emocional que se siente también en el cuerpo, que se aloja en el pecho y corta la respiración. También me di esos tortazos contra el clóset de mis hermanos en el intento desesperado por despertar de la pesadilla, o por lo menos lograr transferir el dolor hacia lo físico únicamente. No logré ninguno de los dos.

Traté de ignorar el duelo porque le tenía terror a un sentir de aquella magnitud, que quizás me quebraría como una vasija de cristal. El dolor nuevamente exigía ser sentido, desde suspiros más fáciles de ignorar hasta gritos que se instalaban como noches de llanto profundo. Después de varias de estas noches, entendí a aquellas personas que se hacen daño en el cuerpo como preferencia por sentir dolor físico. Nunca lo intenté porque no figuraba en el manual de las niñas que están bien emocionalmente, pero me llamaba la atención la práctica. Así, lejana, como cuando me llamaba la mamallena desde la nevera de tía Mechi a la medianoche.

Siempre he sido empática, especialmente desde el día que interioricé la frase tantas veces repetida por mi mamá: "Trata de ponerte en los zapatos del otro", pero nunca había sentido el dolor ajeno como el día que, trabajando como maestra en el preescolar de la Mona, tuve mi primera experiencia llevando a un niño al hospital. Estábamos en el recreo jugando en el parque, y había tres niños columpiándose; Amet, de tres años, decidió lanzarse como una rana voladora desde lo más alto, como me encantaba hacer a mí cuando era chica. El columpio de madera siguió subiendo su viaje de péndulo, regresó en su trayecto, aterrizó directo en su cara y le abrió la ceja. La Mona respondió al grito, llegó corriendo, lo miró y determinó rápidamente:

—Esto es de puntos. Ani, ¿tú lo puedes llevar a la clínica de la esquina mientras yo llamo a la mamá? Ella trabaja aquí mismo en una oenegé dentro del complejo de Ciudad del Saber y seguro llega rápido.

No le iba a decir que no, pero nunca había vivido algo similar y estaba asustada. Me lo llevé cargado con mucho papel toalla presionando su ceja, y viajamos las tres cuadras en carro hasta la clínica.

Una vez dentro, en la sala de espera, yo abrazaba a Amet y él se aferraba a mí como garrapata, sorprendentemente tranquilo. La Mona me escribió para avisarme que no conseguían a ninguno de los dos padres, pero que siguiera adelante con los puntos ya que el formulario de salud lo autorizaba.

Entramos a la consulta y lo acostaron en la camilla para coserlo. Una enfermera lo tomó de los brazos sin mucho esfuerzo porque Amet, a pesar del susto, no estaba batallando.

Aún sin lucha, cuando vio la aguja soltó un gemido visceral de animal herido:

—Mamááá, mamááá, mamááá.

Lo abracé muy fuerte y ahí sentí en mi pecho su llamado; pude reconocer su dolor desde mi propio corazón pidiendo a mamá.

En el primer año de su ausencia, yo no entendía bien cómo era que se extrañaba a la madre. Sentía que estaba en un viaje largo y no sabía con certeza qué era lo que me hacía falta, pero con el aullido entendí. La extrañaba desde las tripas, con el anhelo primitivo de una cría por su madre cuando flaquea el sentido de la seguridad.

Abrazándolo pude sentir en mi corazón el llamado del suyo. Le hacía eco al mío y se me escurrió una lágrima. A los cinco minutos, como por respuesta a él y no a las llamadas de la Mona, entró su mamá corriendo por la puerta a desplazarme y abrazar a su cachorro.

Me conmovió mucho la escena. Entendí ahí, por primera vez tan claro, lo que me faltó y me faltaría siempre.

Un día, en un concierto mágico en Brooklyn, bailando y saltando al ritmo de decenas de miles, me hice consciente de que estábamos todos saltando al mismo ritmo, y que esa convulsión rítmica era éxtasis puro manifestándose de cuerpo entero. Sentí tanto, que en un brinco de esos casi se me escapa el alma de la caja torácica y me pregunté si sería una de las pocas así de extasiadas sin ayuda de pastillas felices.

A la mañana siguiente, sin efectos secundarios más que dolor en los pies, me quedé pensando cómo a menudo tengo estos sentires tan intensos que parecen pequeños orgasmos del alma: con un atardecer bonito, escuchando música que me caliente las venas, al leer un poema que le hable a mi alma, saboreando las empanaditas de mi abuela o al verme rodeada de los mejores amigos posibles. Me emociono a tal magnitud que me siento anormal, queriendo calmar un poco mi dicha porque despierta burlas o miradas por "rara": "¡Ay, qué *cute*, estás demasiado feliz! ¡Bájale dos, Ani! ¡Ja, ja! ¿Te emocionaste?".

He pensado: ¿será que siento más en todas las direcciones? Surgió en mi mente la gráfica de una onda. Su altura demostrada en el eje Y, los altos por encima del cero marcando las emociones alegres, y por debajo del cero las tristes. Entendí que mi capacidad de extender la curva a números altos en el vertical, estaba directamente relacionada a mi habilidad de pegar puntos bajos en el negativo con las emociones de dolor. Esta gráfica me explicó que no se puede solamente subir la curva por arriba del cero en alegría; ella funciona en espejo y pide sentir en ambas direcciones.

Luego surgieron otras ondas en mi pantalla imaginaria: la de una persona joven en experiencias de dolor, con una onda más tranquila, menos curvilínea; las emociones de una persona que se ha cerrado al dolor, que se niega a sentir o pensar en aquello que duele, como eso que traté, pero no logré, con una onda más plana, casi recta. Con esta última me llega el eco de un pito de máquina de hospital.

¿Se podría reducir la explicación de las emociones a una ecuación de ondas matemáticas? ¿Será el corazón un músculo de emociones que se ejercita, y que si no, se atrofia?

Vuelvo al dolor físico. Pienso en cómo Camilo, cuando era bebé, iba caminando, se daba un tortazo contra el borde de la puerta y saltaban los adultos a cogerlo en brazos para decirle:

—No pasó nada, no pasó nada.

Al mirar la puerta y ver su golpe, pensaba: ¡claramente, sí! Se los quitaba de los brazos y lo consolaba:

—Hijo, te golpeaste. ¿Te dolió?

—Chi… ayayayyy.

—Sí, sí, obvio, ayayayyy. Te dolió. Muéstrame dónde te duele. Déjame darte un besito a ver si ayuda. El dolor te va a ir pasando.

He visto que cuando pasa esto una y otra vez, con niños y niñas en el banco, parque, escuela, nunca falta el coro detrás: "No pasó nada, no pasó nada". Esta observación me ayuda a entender por qué, como sociedad, estamos tan mal preparados para sentir el dolor.

Después de enterarme de que estaba embarazada, comencé a pensar en el dolor del parto con cierta anticipación. Me tomó un rato aceptarlo. Al principio solo sabía que no tenía miedo.

Desde niños lo vemos en las películas: aquella mamá pálida y roja a la vez, empapada de sudor, mentándole la madre a los médicos y al padre de la criatura, con gritos de dragón y dientes expuestos. Cuando se acercó esa realidad para mí, ya no sonaba tan terrible.

Comencé a leer sobre los procesos de partos y un libro en particular me movió, *El nacimiento consciente*, de Pam England y Rob Horowitz, que se refería al parto como un portal. Quizás esto no lo decía el libro y fue lo que quise leer.

Sería interesante sentir un dolor intenso que culmine en algo bueno, pensé. Esta idea de una experiencia dolorosa como portal a la vida de un ser humano, y a mí como madre al otro lado, me dejó deseosa. Sentimos tanto dolor en la muerte; mi mamá con su partida tan traumática, y yo con el dolor de perderla, que la idea de reprogramar el dolor a un resultado de vida y amor me llamó, me llamó y me llamó.

Cuando le conté a Carolina que quería un parto sin epidural me preguntó:

—Pero ¿por qué? ¿Por qué estás tan loca? Habiendo drogas para parir suave y relajado. ¡Deli las drogas!

Me preparé para este parto consciente, pero no se logró y me administraron la epidural. Mi teoría fue que me hizo falta una *doula*, pero hubo otras explicaciones médicas que me contradicen.

Sigo pensando que con una *doula* lo hubiese logrado.

Con Vicente sí la tuve, lo logré y fue más transformador de lo que pude haber imaginado.

Me dijo el pediatra cuando ya tenía mi bebé en brazos:

—Anamari, he visto muchos partos, pero este está entre los más hermosos de mi carrera. Quiero que sepas que eso que sentiste cuando salió Vicente, se llama un parto orgásmico.

Lo busqué luego y sí existe el término. Y así me sentí, parida en éxtasis a una nueva vida. En el momento no fui consciente de ello, pero con el tiempo fui notando los cambios. Otra yo se quedó del otro lado del portal.

Traté de ignorar esta nueva sensibilidad con el tren del día a día, pero la vida no me dejó a punta de frenazos que me obligaron a mirar hacia adentro y reconocer esta nueva versión de mí.

Cada día evoluciona más mi intimidad con el dolor. Ahora tiene una variedad de caras. En ocasiones es mensajero de algo. Si es físico, me habla de algo que le está pasando a mi cuerpo y me invita a la investigación para descubrir qué pasa adentro. Y si es emocional, igualmente me pregunto: ¿qué te traes? ¿Qué me enseñas?

Cuando es más prolongado e incómodo se siente como un túnel. Y si lo observo con mucha atención, puedo hasta percibir el momento sutil en el que comienza a disiparse.

De entre tantas caras, el denominador común es la necesidad de ser observado con curiosidad. He comprobado que ignorarlo sale caro.

43

Atando cabos

Me estoy mudando y mi vida está al revés. Mi exterior hace espejo de lo que me sucede adentro, mientras me encuentro en las últimas páginas de esta historia y a la vez leyéndome como a una historia ajena, viviendo el regalo de poder observarme desde diferentes ángulos para crear mi vida desde un nuevo punto de partida con intención. Se siente parecido al proceso que conocí en un viaje reciente a la comarca indígena Ngäbe, de cómo fabrican el tejido de sus bolsos: diferentes manos de la tribu, en colaboración comunitaria, secan la penca de la palmera, la deshilachan, poco a poco van uniendo las hebras hasta formar hilos largos, los tiñen con preparados hechos con semillas, raíces, frutas y flores, los vuelven a manipular para darle una forma más redonda al hilo, y con el resultado de las diferentes madejas en variados colores, tejen sus bolsos.

Así me siento tejer todas estas partes, producto de diferentes procesos, unos descargados en papel, bajo impulso, y otros, en cuidadosa investigación. Ahora me sirven para trenzar este bolso, en donde puedo depositar lo justo para este nuevo camino.

Este sentir de transformación ya me ha acompañado antes. Me siento en el balcón más y más con la necesidad de despedirme del mar. La fuerza de las olas ha sido hasta ahora la banda sonora de mi maternidad. Cuando mis bebés lloraban los traía aquí y el sonido inmediatamente los calmaba. Ahora, sentarme aquí a escribir me regresa a la primera noche que nos despertamos en este apartamento. Dormimos con las ventanas abiertas y a la mañana siguiente la marea estaba en ascenso con las olas tan bulliciosas que se me colaron en los sueños. Soñé que me despertaba en mi cuarto "floripepeado" en la casa de playa de mi papá, tomándome mi tiempo entre las cobijas antes de bajar a desayunar. Disfrutaba del sonido de las olas, en gratitud plena por esa casa, su brisa, su significado y la paz que me traía.

Me desperté confundida, fue tan real que se me desdibujó el final del sueño y el estar despierta en el apartamento. No sabía dónde estaba. Se escuchaban esas mismas olas desde otro lugar hacía un segundo. Al voltearme, vi a Alfonso, sentí los ocho meses de embarazo y caí en la cuenta de mi realidad.

El sueño me llegó como un mensaje y se me empañaron los ojos.

Ya Marina me lo había dicho cuando la cité para desahogar mi desolación ante la noticia de que mi papá vendería la casa: "Anamari, hablas como si esa casa te perteneciera. Resientes a tu papá como si vendiera un bien tuyo, y es de él. Él hizo familia ahí con tu mamá y ahora toma decisiones difíciles, pero en pro de su nueva vida. Está construyendo nuevos sueños y eso está bien. Algún día vas a tener tu propia casa donde harás tu familia y crearás recuerdos con nuevos significados, igual de profundos, porque serán de tus hijos".

Lo entendía en teoría, pero aún así me dolía la separación. En ese instante de despertar, mi cuerpo también lo asimiló. En este apartamento voy a hacer familia y pude comprarlo gracias a la venta de esa casa, porque tenía un terreno atrás con mi hermano Jan Petter que sumamos a la venta, y ese dinero me habilitó la inversión para esta nueva etapa.

Me costó el duelo. Además de ser en sí fantástica, una casa de playa de aquel esplendor le sería de desapego complicado a cualquiera. Siempre dije: en esta casa vive mi mamá. No puedo repetir esto nunca más, porque la vida se ha encargado de corregirme cada vez que trato de poner a mi mamá en cositas. La última vez, y la más agresiva, fue cuando me robaron.

Alfonso me preguntó ese julio de 2018: "Mor, me gustaría regalarte una joya para tu cumple. ¿Qué quisieras?". De una vez vino a mi cabeza la bolsa de alhajas rotas que unifiqué en la última limpieza que hice de mis cosas, y le dije: "¡qué belleza, gracias! Pero ¿sabes qué me encantaría y también le sacaría más provecho a cualquier presupuesto que tengas? Usar ese dinero para reparar y hacerme algunas cosas nuevas con las joyas rotas e incompletas de mi mamá". Le pareció fantástica la idea y eso hice.

Me fui una tarde al apartamento de mi vecina joyera y juntas diseñamos unas cuatro piezas nuevas, resolvimos cómo arreglaríamos otras, y cuáles seguirían en la bolsa para proyectos futuros. ¡Quedaron espectaculares! Cuando me las entregaron, me compré una caja fuerte para cuidar de mis nuevos tesoros. Para mi cumpleaños me vestí de negro con una gargantilla gruesa de ónix decorada con un cable delgado de oro alrededor. ¡Mi favorita!

Tres semanas después, estábamos en la playa con unos amigos y me llamó la vecina para contarme que ladrones habían entrado a mi apartamento y se habían llevado la caja fuerte por la ventana.

—¿Qué ventana? —pregunté entre lágrimas.

Era una que los dueños anteriores habían condenado en la recámara principal con una pared falsa de *gypsum*. Los ladrones se habían subido en una escalera, aprovechando lo bajo de mi apartamento, quitaron los vidrios de la ventana francesa y empujaron el *gypsum*. Arrancaron la caja fuerte y la sacaron completa por la ventana.

Estaba destrozada. Nunca había llorado tan profundamente por artículos materiales. Se llevaron todo y era lo último que me quedaba de mi mamá desde la venta de la casa.

Justo al llorar este último pensamiento, escuché: "si insistes en poner a tu mamá en cosas y no la puedas encontrar únicamente adentro tuyo, la seguirás perdiendo".

Después lloraba mi aprendizaje tan caro, porque la verdad es que estaban muy lindas las joyas.

Fue difícil escribir y releer sobre la casa y su historia. He ido aprendiendo a los golpes a dejar ir más y más fácilmente. Me alegra poder observar que cada vez duele menos. La vida me va enseñando a practicar el desapego, a conectar hacia adentro, con el amor, porque este está siempre dentro de mí y es todo a mi alrededor.

Vuelvo a escuchar lo que me enseñó Iván de nuestra alma y su trayecto en espiral hacia arriba o hacia abajo: se siguen viviendo las pruebas en las vidas siguientes hasta que finalmente se superen estos retos del alma, y solo así se podrá seguir ascendiendo en la espiral. Me reconozco precisamente en este proceso practicando desapego, con fe de que lo mejor para mí se me abrirá de par en par, y lo que no, se hará evidente con puertas trancadas. Todo fluirá como debe ser, siempre y cuando no haya resistencia.

En este momento estoy transitando entre varios cambios: una casa nueva, Camilo a su escuela, inicio de un nuevo trabajo y finalizando este libro que ha sido un cataclismo en mi vida, pero toda esta transformación hacia esta vida nueva con Alfonso y los niños se ha hecho más fácil, porque fue diseñada entre nuestros sueños. La casa entre árboles que manifesté, el colegio que soñé y el trabajo que pedí.

Cuando regresé a Panamá en 2008, graduada de la universidad, fue diferente la transición porque tenía miedo físico de regresar; lo que quería era hacer vida de nómada y esa puerta nunca se abrió a pesar de que la deseé con toda mi alma. Igualmente regresé con mucha ilusión porque había soñado un puesto de trabajo ambicioso y se me presentaba uno incluso más suculento que mi capacidad de imaginar. En aquel entonces, ver tan claramente lo que era para mí y lo que no, me trajo de regreso a mis miedos para enfrentarlos y sanar.

Ahora se me vuelve a abrir el camino de par en par, y ya tengo la experiencia como confirmación de que aquello que es lo mejor para mi alma se me hace evidente con un camino despejado. De manera que siento la guía y me entrego a ella.

Releer este libro ha tenido sus partes difíciles, algunas más que otras. En la cabecera de la lista, definitivamente, fue revivir mis tres años de duelo a través de mis diarios, rememorar sobre mi estado de fragilidad, la porción de mi vida en la ciudad, sentir el privilegio tan evidente y la valentía requerida para enfrentarme a mi terapia con la frecuencia que lo hice; en contraste sobrecogedor con la selva virgen, los indígenas y su magia, los refugiados y su historia, los niños y su pureza, la jungla y cómo Dios late en ella. Pude ver muy claro cómo el contraste de la transformación de lo que me ocurría dentro también me estaba pasando afuera. Todo iba en orden divino, obligándome a estar fuera de mi zona de confort para estar en constante cuestionamiento y presencia. Verlo en papel me invita a observarme en una realidad paralela a mi presente. En aquel momento, hurgando en las gavetas de mi historia que había mantenido cerradas con tanto esfuerzo, me transformé. Me transformé en aquel entonces y ahora me vuelvo a sentir otra, atravesando todo lo que me ha exigido este libro.

En algún momento dudamos la movida de vender el apartamento y decidimos dejarle la decisión al destino, y este nos habló claro, porque se vendió en menos de dos meses. Nos enamoramos de una casa sin alternativas, tanto, que nos ponía nerviosos no conseguirla por el precio que podíamos pagar, y se logró tal y con las especificaciones que nos eran posibles. Coincidió que en el momento que estaba programado a salir el inquilino de la casa, era justo al tiempo que desembolsaría el banco el monto por el apartamento que vendimos. El tema de la escuela de Camilo también lo dudé por algunas angustias de pandemia, y finalmente decidieron abrir los preescolares con asistencia todos los días, entrando él la misma semana de la mudanza. La perfección de los tiempos trajo su mensaje.

Todo comienza a oler distinto, como cuando estos olores nos transportan a un periodo de vida y con él a otros sentires, a momentos cuando el corazón palpita a otro ritmo. Siento que estamos en la puerta cruzando juntos en familia. Nos vamos de apartamento a vida con patio, a olor de casa vieja, a madera, y espero que a un palpitar menos de caballo de carrera y más de monjes tibetanos.

La diferencia con esta nueva transformación es que antes me sentía sobrevivir a un viacrucis que había evitado por años. Ahora me siento alquimizada en oro por una experiencia de cocrear con la magia de lo divino. Me he dejado llevar por la inspiración y mis guías, y ahora me siento capaz de recopilar en esta bolsa tejida, los elementos para una vida soberana y llena de poder.

Sigo releyendo y reescribiendo. Visitando a los protagonistas de mi adolescencia me viene a la cabeza aquel póster noventero que me retorcía las entrañas cada vez que lo veía. Era una playa con huellas en la arena, en una parte dos pares, y en otra solo un par. Es una parábola de autor anónimo que cuenta de un sueño en el que puede ver su vida resumida en huellas en la arena. Nota que en los buenos momentos de su vida hay dos pares de huellas, porque Dios está con él, pero en los momentos difíciles solo hay un par. Él, resentido, le reclama a Dios por qué en los momentos difíciles lo abandonaba. A lo que este responde que en su amor infinito jamás lo abandonaría, que cuando veía solo un par de pisadas era porque lo llevaba cargado.

Siempre me revolvió el estómago sin saber por qué. Quizás por cinismo, ese que te permite reemplazar el terror de sentir con humor. Mientras releía mis recuerdos en papel, me volvió por alguna razón el sabor a bilis que me producía aquella historia. Me regresó toda la sensación de soledad y abandono, lloré una sensación de orfandad que sentí de parte de mi papá, mis hermanos, y más que de ellos, del Todo, de Dios, de la Vida.

Ahora, con las miles de palabras escritas enfrente, leo el índice y veo cómo cada persona, cada historia, era realmente una mano, un reto y crecimiento.

Ahora me siento cliché al identificarme con la parábola. ¿Será que sí me traías cargada? ¿Que hasta los portazos en la cara eran guía?

Estas preguntas me regresan a un día en el balcón del apartamento de tía Mechi. Tenía cerca de doce meses de haber salido del apartamento de mi papá y Kathia, después de aquella gran discusión. Estaba conversando con tío Camilo, el hermano de mi mamá, quien es de la misma edad de mi papá y fue su alcahuete cuando mi abuela no los dejaba ser novios. Era el tío Camilo quien la sacaba a la esquina para que pudiesen salir juntos. El tío Camilo, el alma libre de la familia, mi tío indomable, mi tío feliz, mi tío con el que mi mamá no me dejaba salir porque decía que era loco y no confiaba. Aunque él dice que era al revés:

—No, Anamari, tu mamá no te dejaba salir conmigo porque estabas ñampiá. ¿Te acuerdas cuando te tiraste de un bote? Eras cosa seria. La loca eres tú.

Quizás era la combinación de los dos en la que mi mamá no confiaba. Y después terminamos viviendo juntos, porque tía Mechi se mudó a Chile como embajadora y él se regresó de su vida de retirado en las montañas porque no soportaba la idea de que yo viviera sola en ese apartamento.

Un día, en el balcón, nos pusimos profundos y hablamos de los temas dolorosos. Entre cigarrillo y cigarrillo, me contó que fue él quien tuvo que identificar el cuerpo de mi mamá, que lo hizo por mi papá y que nunca lo olvidaría. También me habló de su hijo, que tendría la edad de mi hermano Jan Petter, y que murió a sus dos años.

Luego me dijo algo salido del tema, como si lo tuviese enquistado:

—¿Te puedo decir algo? Deja de hablar de tu papá y de Kathia por ahí. No sé qué tratas de hacer, pero le estás dando municiones a la gente, a los que les encanta hablar, a los que querían emparejar a tu papá con una mujer de las de ellos, que no soportan que se casó con quien le dio la gana. A esa gente es a la que le das batería. Deja a tu papá ser feliz. Tú haz tu vida y deja que él haga la suya.

Me cayó esto como un balde de agua fría. Principalmente, porque no sabía que yo hablaba de mi papá y Kathia "por ahí". En ese momento entendí que estaba buscando refugio en el "pobreciteo" que tanto decía aborrecer.

Pero ahora entiendo algo más navegando este texto. Mis villanos de aquel momento eran los que esperaban más de mí. No exigían. No. Lo esperaban desde la expectativa pasiva. Quizás esto lo sentía más agresivo por lo no dicho. Ahora entiendo que quienes no me "pobreciteaban", no veían en mí la tragedia; me veían a mí, simplemente a mí en mi dignidad.

Ahora es tan evidente como una cachetada que mi papá, Kathia, Jan Petter, Iván, Manuel, Mafa, Carolina y su mamá veían lo que pasó como algo trágico, sí; pesado, sí; pero no más grande que yo. Ellos fueron espejo de fortaleza y me dieron alas. A las patadas, pero me echaron del nido de lástima hacia mí misma en el que estaba deliciosamente acurrucada.

En paralelo, leo mi experiencia de figuras masculinas en mi vida a partir de los trece años. No soy psicóloga, pero pensaría que es la edad en que se mira hacia afuera del núcleo familiar a buscar pareja, y lo que conocí fue a hombres en retirada emocional y, muy lejano, la figura de un depredador sexual.

Con Ana María también aprendí que la ausencia súbita de mi mamá marcó mi relación con los hombres, contraria a una muerte esperada y prolongada en proceso. El perder al centro de mi universo de la noche a la mañana y sin aviso, creó en mí un instinto por estar siempre lista para perder a quienes amo. No entregarme al cien por ciento nunca, porque se podrían ir. Nunca olvidaré esa cita en la que aprendí que no me muero con la pérdida de alguien más. Ahora estoy hecha de otra cosa, quizás no de otra cosa, pero por lo menos más cocida en consistencia para no hacerme pedazos para siempre.

Luego llegó Alfonso a mi vida, con ese amor tan puro, relleno de afecto y seguridad. Seguridad porque sabía cuándo se iría, cuándo terminaríamos, porque cada uno tenía su futuro escrito en universidades distintas. Me permití aferrarme como línea de vida a la pureza y autenticidad de su amor.

En algún momento, releyendo, caí en la cuenta de que no estaban mis hermanos en mis recuerdos del día que se perdió, ni en los días después. Los tengo más o menos dibujados en su habitación en un momento, y en el funeral, pero solo ahí.

Los llamé a cada uno a preguntar: ¿dónde estabas? No te ubico en mis recuerdos. Los tres respondieron casi al unísono, pero no porque fueron llamadas diferentes: "Yo no me acuerdo de nada de ese día, Anamari, o muy poco".

Y pienso, ¿será su ausencia un personaje en sí? El fantasma de ellos, conmigo llorando a la madre como lloramos a Randy, nuestro perro perdido. El fantasma del deseo de esos cuatro hermanos juntos en las trincheras del dolor, padeciendo juntos, sanando juntos.

Y vuelvo a las huellas en la arena. Ese era mi viaje, la ausencia de cada uno en la vida del otro, para hacer el esfuerzo, ahora como adultos, de tenernos. No es un afecto evidente, pero afecto al fin.

Ese viaje en el deseo de tenerlos me enseñó a querer a diferentes ritmos, en diferentes idiomas y a valorarlos como lo hago. ¿Qué diría Ani chiquita de que ahora vivo al lado de Iván, y que cuando se sienta a mi lado descansa su brazo en mis hombros? ¿De que Jan Petter en algunas ocasiones hasta reclama (a su manera) cuando no somos buenos hermanos? ¿De que Manuel y yo nos escribimos y llamamos cuando se nos desborda el peso de la paternidad-maternidad?

No me lo creería. Caería desmayada, incrédula, con un gesto dramático.

44

Atravesada

La tormenta de vergüenza después de aquel sueño en el que mi mamá regresaba, y que con mucha culpa le contaba que mi papá se había vuelto a casar, que no logré guardarle su lugar, me duró hasta mi cita con Ana María. Con ella no sentí vergüenza, más bien hastío al escuchar los gritos de mi ego alborotado ante la gloria imaginada de psicólogo que logra desenterrar un tesoro de trauma, con aquella cara escondida de victoria, en esfuerzo simultáneo por sostener la mirada estoica requerida por una profesión que no permite mostrar emociones o reacciones.

A pesar de mi ego, asistí a mi cita, clara de que sería una provechosa, con tesoros del inconsciente desterrados. Y así fue.

El poder observar desde mis sueños, como espectadora de mi inconsciente, mi deber autoimpuesto por guardarle el lugar a mi mamá para que pudiese encontrar a su esposo soltero y disponible a su regreso, fue todo. Primero y básico, entender que seguía esperando pacientemente su regreso de la muerte. Segundo, y la joya más preciada, cómo pude ver a mi papá y a Kathia como víctimas secundarias de la tragedia, como dos enamorados queriendo rehacer su vida con el fantasma de mi mamá atravesado en su camino. Su fantasma saboteador manifestado por mí, porque siempre pensé también que fue mi mamá quien los juntó desde el más allá. También vi a Kathia con otra luz, una de protagonista de drama romántico, enamorada de un hombre bueno, fiel y comprometido contra viento y adolescente. Y a mi papá, como un chiquillo con una segunda oportunidad en el amor, en una relación segura, estructurada, llena de juventud y sueños por conquistar. Y a mí como la antagonista, manifestación física de la tragedia que les obstaculizaba rehacer su vida.

En resumen, me vi atravesada en una relación que era de orden divino. Para lograr su relación debían sacarme del medio con pinzas para no herirme. Él como hombre, debía darle el lugar a su pareja, y eso fue lo que hizo.

Por mucho tiempo sostuve un miedo de que, en mi inconsciente traicionero, yo fuese Electra en esta dinámica retorcida con Edipo, y que por esta razón yo tenía el corazón roto. La revelación del sueño acabó con el desasosiego de ser la retorcida enamorada de su padre, y al entender que en esta dinámica yo no era Electra, sino una simple asistente guardando la silla para quien se fue a Barranquilla unos cuantos años, me dio algo de alivio.

Me permití también sentir por última vez el duelo de despertar de una realidad en la que mi mamá regresaba mágicamente. Al detectar el origen de estos sueños, lloré ese vestigio de esperanza porque algún día regresara. Y así poder realmente dejarla ir.

Aunque el regalo más grande fue verme a mí como la piedra en el zapato de la felicidad de otro. Sí, me enfermó el estómago y generó una vergüenza aguda, pero el consuelo por estar del otro lado de ese rol, aliviada de saber que con esta visión clara de lo que estaba ocurriendo ya no volvería a sufrir por su relación, y mucho menos atravesarme en la mitad.

El sanar la herida de la orfandad de mi adolescencia, de necesitar y ser negada, me dio mis primeras dosis de soberanía. El deseo de permitirles su felicidad sin más trabas, me obligaba a buscar mi propia plenitud.

Poco después mi papá fue diagnosticado con tres discos herniados. Pareció envejecer veinte años en una semana porque estaba físicamente doblado del dolor. Para moverse de un punto a otro, ir al baño o hacer alguna otra necesidad básica, caminaba con el pecho perpendicular al piso.

Al verlo así, sentí un repertorio de emociones variadas: angustia de, en tan pocos días, descubrirlo frágil y no invencible, transformado por el tormento del dolor físico, sin independencia ni movilidad. Esta angustia estaba contrastada por una certeza, sin saber por qué, de que él estaría bien y que volvería a ser el mismo de antes. Esta seguridad me permitía en la misma proporción, observar mi corazón agrandado de ternura y gratitud hacia la dedicación de Kathia por sus cuidados. Había amor en cada tomada de la mano, en cada comida traída personalmente a la cama, en la mano sobre su hombro con cada pregunta, en su meticulosidad al acomodar las almohadas. Había amor en cada uno de sus cuidados.

También sentí alivio de que no me tocara aquella responsabilidad a mí, porque como seguía en una edad de egocentrismo absoluto y no podía cuidar de un cactus, mucho menos hubiese podido ofrecer aquel grado de atención.

Pude observar el orden divino de todo y agradecí que el universo fuese más sabio que los deseos inmediatos de una adolescente atrapada en los dramas de su presente, sin saber en realidad lo que más le convenía.

Paralela a esta gratitud, sin ser a causa de ello, mi relación con Kathia crecía como un bonsái: pausada, con bases fuertes, con determinación y digna dedicación.

Me fui acercando a ella. En principio solo para pedir consejos de trabajo. Y de a poco mis solicitudes fueron ascendiendo en vulnerabilidad:

—Kathia, tengo terror. Les dije que ya había treinta niños registrados y solo tengo tres. ¡Y encima esos tres niños son familia! El campamento es en un mes. Renuncié a mi trabajo y ahora con la fama de mentirosa, seguro acabo con mi reputación en el mundo de la educación.

No paro de llorar Kathia, estoy en pánico, estoy en pánico, no sé qué voy a hacer, me quiero morir.

—Ok, Anamari. Primero que nada, cálmate. Todo va a estar bien. No le has dicho mentiras a nadie porque tu campamento se va a llenar, pero tienes que salir a vender. ¿Creías que ibas a vender así bien bonita con dibujitos en Instagram y un puesto en una tienda? Pues no. ¿Te quieres llevar a los hijos de la gente? Entonces te toca salir a vender. Llamada por llamada. ¡Cientos! Cita por cita y venta por venta. Una a una. Después te van a llover, vas a ver. Pero en este momento tienes que hacer el trabajo de hormiga.

Y yo escuchaba mientras me iba secando las lágrimas.

—Mira lo que vamos a hacer, voy a llamar a todos mis clientes que tienen hijos y les voy a decir que tú los vas a llamar, y te voy a pasar todos sus contactos. Te haces tu cuadro de Excel, te organizas, y ya sabes... uno a uno, llamada por llamada, cita por cita y venta por venta.

El respeto fue abono al cariño que floreció en amor. Nuestras diferencias se convirtieron en tema de risa:

—A ti que te gustan esos hombres pelilargos horrorosos, seguro te encanta un nuevo jugador de tenis, buenísimo; se llama Rafael Nadal. Usa unos pantalones largos en la cancha que seguro te encantan.

—Kathia, te faltó combinarte el moño. No es del tono exacto del pantalón.

—Anamari, el otro día fui a una tienda que te encantaría. Me pareció todo espantoso, y era así, todo carísimo, y las niñas estaban todas vestidas igual que tú.

—Kathia, no quieres a Kala porque es de la calle. Eres racista, acéptalo, solo te gustan los finos. Pero sabes que te toca, ¿no? Si no me cuidas a mi perra, después, cuando los tenga, no te mando a mis hijos.

—Ajá, quiero ver eso. Me vas a rogar por mandármelos. Y te va a tocar traerlos a mi puerta, porque te has mudado donde el viento da la vuelta, y para allá no voy a buscar a nadie. Te vas a terminar mudando al edificio de al lado nuestro. ¡Vas a ver!

Mis amigas también comenzaron a llamarla para pedirle consejos. Después de haberla odiado en fraternidad, aprendieron a amarla de la mano conmigo. Sobre todo a admirarla.

Un día me cayó el diez. Estábamos en la casa de la playa celebrando Año Nuevo, teníamos unas copas encima, y entre el vino, la luna, la compañía y el lugar, se me hinchó el corazón. Alfonso y yo teníamos tres años de casados y estábamos jugando con la idea de tener hijos.

Me quedé sola un rato en la fiesta, con mi copa en la mano, bajo la profundidad del cielo que hipnotiza y mi gente querida dispersa y contenta en amena conversación. Vi a Alfonso a lo lejos conversando con Kathia y pensé: tengo mi lista de tres madres putativas: la Mona, de mis años en el preescolar, de quien aprendí a enseñar desde el amor y respeto; tía Ceci, la mamá de Carolina, quien fue mi mamá cuando la necesité; y tía Margarita, la mamá de Mafa, igual. ¿Por qué nunca ha estado Kathia en esa lista? Claramente la llamo para pedirle todas las ayudas que le hubiese pedido a mi mamá.

Por eso, Anamari, porque agregarla en esa lista sería decretar que reemplazas a tu mamá, así como la reemplazó en la vida de tu papá. Pero es que una cosa no reemplaza a la otra. Estar bien es guardar a mi mamá en un lugar sagrado y todavía tener amor para dar a todas mis otras madres.

Y, cuando yo tenga hijos ¿Cómo será? ¿Haré igual que mis hermanos, que la presentaron a sus hijos e hijas como Kathy? Mi caso es diferente, yo la tengo en mi vida desde los catorce, ellos no. Para ellos sí es la madrastra, para mí ya es obvio que va más allá.

Sentí un impulso grande y me fui a zancadas a interrumpir la conversación entre ellos. Le tomé la mano a Alfonso y me dirigí a Kathia:

—Sabes que estuve pensando que nunca te he dado el lugar verbalmente que ya tienes en acciones. ¿Sabes que tú eres como una madre para mí?

Se quedó en silencio. Parecía tener la necesidad de recuperarse de mi muestra inesperada de afecto. Cuando bajaron mis palabras a su corazón, puso su mano sobre este y se le aguaron los ojos:

—Ani, a mí a veces me da miedo, porque te he llegado a querer como la hija que no tengo. De verdad eres como una hija para mí. Trato de no extralimitarme, porque sé mi lugar, pero te siento y te quiero como a una hija.

—Sí, el amor está de ambos lados, creo que solo faltaba decirlo. Por supuesto, antes no lo hacía por miedo a que darte ese lugar sería serle infiel a mi mamá, pero ambas sabemos que ella tuvo su mano en que estés aquí. Ser felices y querernos también es honrarla.

Nos dimos un abrazo sentido. De esos que rayan en lo incómodo porque no sabes cuándo acaban. Al separarnos le dije:

—Estaba pensando que, en un futuro, cuando Alfonso y yo tengamos hijos... creo que hablo por los dos cuando te digo que nos haría felices que te tengan como abuela. Serán niños o niñas muy afortunados de tener tres abuelas: su abuela Silvana, su abuela Kathia y su abuela Lolita, que los ama y cuida desde otro plano.

Derramó lágrimas y me apretó fuerte. Raro, porque ella no es de esas muestras de afecto.

Me sentí extraña después, porque mi ego me felicitó por ser una buena persona. Como que hice algo noble, como que me merecía una estrellita, pero lo pude observar y no lo dejé. No fue, ni nunca será suscitado por la estrellita.

Hemos tenido más dramas y peleas, y son más grandes que las que tendría con mi mamá porque, sencillamente, no es mi mamá, lo cual requiere de una diplomacia extraña.

Pero en el conflicto aprendemos. Reflejarnos mutuamente nos ha servido para conocernos la una a la otra, y a nosotras mismas. Hemos aprendido también que, ambos, nuestro valor y conflicto, está en nuestras diferencias. Yo soy puro corazón: esta es mi brújula y mi norte. Kathia se da una pausa para visitar su corazón, siente lo que debe sentir, sana lo que debe sanar, y luego vuelve a la zona de su mente desde donde crea con seguridad y fuerza de león. Sobrevivimos desde lugares diferentes también, ella desde el intelecto y yo desde el sentir. Esto indudablemente nos contrapone, pero nos hace crecer. Y en este baile, nos complementamos y apoyamos.

En nuestra última batalla aprendí algo nuevo. La razón del conflicto se volvió a perder en el fondo de las memorias irrelevantes, pero me quedó el crecimiento. Fue tan grande la discusión inmemorable que acudimos a Marina como mediadora. En una sesión de tres horas nos dijimos todo y pudimos de verdad entender lo que estaba pasando dentro de cada una. Comprendimos que de las historias creadas nace el conflicto, y entre la comunicación y empatía sanamos.

Pero el punto de inflexión que marcó Marina en nuestra relación para siempre, fue que nos hizo ver que teníamos la terminología equivocada: Kathia no es mi madrastra, es mi madre adoptiva. Aprendimos que existen muchas relaciones estrictamente madrastra-hijastra y la nuestra definitivamente no es eso. Hace tiempo Kathia me adoptó y ambas firmamos un contrato del corazón.

Nos explicó que en una relación de adopción, el hijo o hija, inconscientemente, siempre duda de esta incondicionalidad por no ser un lazo biológico, y que por ello la madre adoptiva debe manifestar más seguridad, ya que la duda por su amor acecha y aterra. Aterra porque ya hubo pérdida de la primera madre y la segunda está trabajando con una herida previa.

Aprender esto fue un paso enorme para ambas, porque el reetiquetar la relación nos dio más cabida en la vida de la otra, nos validó y nos aumentó el sentido de responsabilidad. En ambas direcciones, porque hasta ahora ambas sentíamos que todo el deber era de Kathia hacia mí.

Nos voló la mente a ambas cuando Marina le preguntó:

—Kathia, ¿tú cómo apoyas a tu mamá?

—Bueno, en todo. Me preocupo por su salud, por su bienestar emocional, me siento responsable de cuidarla, estoy pendiente de ella siempre.

—¿Y sientes que ella cuenta contigo?

—Por supuesto.

—¿Y tú podrías contar así con Anamari? ¿Con la hija que adoptaste?

Se quedó fría. Para ella, como para mí, es más fácil dar que recibir. Se le ablandó la postura y se le relajaron los hombros.

—Sí, la verdad que sí.

—Yo creo que ella sería feliz de apoyarte igual que tú a tu mamá. ¡Ese es su fuerte además! Tú la enseñas en su hacer y ella en tu ser. Son el complemento perfecto.

Nos quedamos ambas en silencio. Había mucha verdad por digerir, decantar y asimilar.

Este asunto de querer es un trabajón. Cuando creo que ya lo sé, la vida me vuelve a enseñar que el amor es un verbo que requiere actividad sin fin, pero cuando el amor es elegido, se trabaja con gusto, se crece, evoluciona, y cuando no parece posible, el corazón crece y se ama más.

45

Alquimia

Queridos hijos:

Recordando siempre en esta fecha a mi querida Lolita, su madre (q.e.p.d.), cumpliríamos 49 años de matrimonio.

Les quiere,

Su papá.

Recibí este mensaje en mi correo. ¿Por qué me produce tanto alivio saber que él la recuerda en su aniversario, y además se toma el tiempo para que la recordemos con él?

Me consuela que sea un recuerdo imborrable y presente para él y para nosotros. Sobre todo porque este correo es un evento aislado. En mi familia no se habla de mi mamá.

Unas semanas después, mientras acompañaba a Vicente durante una pataleta de esas interminables, imaginé a mi mamá en paralelo en cada una de estas tareas de amor.

Y pensé: ¡mi mamá hizo esta locura de tener hijos pequeños cuatro veces! Luego caí en la cuenta: ¡si yo muero y mis hijos no vuelven a hablar de mí en veintitantos años, me revuelvo en mis cenizas, regreso y les halo las patas!

Me indigné con dolor profundo. Tanto que derramé un par de lágrimas, ahí, sola, consolando a Vicente.

En el momento en que murió, mi dolor era por su ausencia. Pero ahora se me hace evidente cómo la ausencia de unión familiar sumó, como el viento suma a la sensación térmica del frío, que provoca que penetre hasta los huesos.

Consuelo mi indignación al sentir empatía por nuestra incapacidad para procesar el dolor, y abrazo, mentalmente, a esa versión 1998 de nosotros. No dejamos de hablar de ella por falta de amor o gratitud, sino porque el amor y su ausencia se hizo demasiado grande para no quebrarnos en pedazos.

Antes veía este viaje de escribir como otra oportunidad de abrir la caja, sanar temas no resueltos y volverla a cerrar, una persona más elevada del otro lado, para luego archivar la caja como proyecto de trabajo que queda en el depósito que no se visita, solo para consultarlo cuando es necesario. Este depósito solo se limpia con las mudanzas, a menos que salga un nido de ratas o alguna otra peste que obligue a abrir dichas cajas para una limpieza.

Así veía yo sanar, una limpieza cuando es urgente únicamente, y así mismo fue mi idea al emprender escribir este libro: una mudanza, un evento puntual que me obligó a entrar al depósito del corazón, un segundo viaje hacia adentro, teniendo ya la experiencia de Costa Rica e India, pero ahora en casa, encerrada por la pandemia.

A la parte dos de este libro entré con miedo. En la primera relaté temas ya trabajados y resueltos, escribiendo lo vivido y sentido en el papel. Lloré reviviéndolo, pero nada era nuevo.

La parte dos representaba territorio desconocido, porque me había planteado aclarar mis dudas sobre la última hora de vida de mi mamá. Confirmar cuán cercana a la realidad era la versión que recibí a mis trece años. Jamás dudé de mi papá, porque confío en que me dijo todo lo que sabía: imposible ser así de creativo con tanto detalle. Además, mi papá es auténtico sin remedio y no miente. Más bien se excede de salvaje al hablar.

—Anamari, ese pelo te queda horroroso. ¿Cuándo te vas a rapar para tenerlo así cortito como antes? Así sí me gustaba.

O como cuando Kathia le pregunta, lista para salir a una boda, después de dos horas en el salón de belleza y un vestido rojo despampanante.

—¿Cómo me veo, Chiqui? —con voz coqueta.

Él se voltea, la mira de arriba a abajo y responde con actitud monótona, tratando de esconder la risa atragantada:

—Enorme.

Kathia le responde con carterazo entre las carcajadas de ambos.

Sí, a veces quisiera que fuese algo más diplomático, pero aun con su honestidad brutal, tenía mis dudas. Algunos tiempos no me cuadraban perfectamente, y en el camino había recibido versiones contradictorias de algunos hechos.

Estaba resuelta a investigar; sin embargo, tenía el miedo latente de entrar a esa casa oscura, donde sin duda también aparecerían las sombras que no me permiten vivir el potencial de mi sexualidad. Sabía que no entraría sola con una linterna en la mano; estaba clara que quería quién me llevara de la otra.

En ese momento, en el proceso de investigar entendí que en mi camino de terapia y duelo yo había hecho justamente eso: un duelo por la muerte de mi mamá. Pero mi herida se dividía en dos: sufrir la falta de mi mamá en mi vida y cómo murió. Y solo había trabajado lo primero.

Sí había hablado del hecho de que haya partido de un momento a otro y sin aviso, contrario a una enfermedad larga, por ejemplo. Especialmente cómo impactó mi habilidad para depender de otros y enamorarme, pero nunca limpié las telarañas y nidos de bichos de mi inconsciente creados alrededor del terror de sus últimas horas.

Sabía que habitaba esto en mi inconsciente porque le tengo un terror ilógico a los baños, especialmente a los públicos, cuando salgo de mi carro en un estacionamiento vacío, corro hasta mi destino, veo a los hombres desconocidos como un peligro en potencia e inmediatamente imagino historias de terror como que son pedófilos, violadores en serie, que violentan a su mujer e hijos, entre otras fabricaciones tenebrosas, que debo espantar con el plumero de la conciencia.

Estaba tan acostumbrada a simplemente ahuyentarlos que había pospuesto este trabajo de la limpieza profunda. Sabía que no me quería enfrentar a estos monstruos sola. Pero ¿con quién? Ya estaba espantada del diván y las garras de la terapia eterna. Pensé en Marina, pero algo me decía que esperara.

Un día entrevisté para mi *podcast* a un alma llena de luz y soberanía, Daniela García, quien me habló de mi poder asociado a mi sexualidad, mi creatividad, el placer por la vida, la comida, el sexo, y el cuidado de mi salud. Todos temas con los que lucho, sin imaginar que podían estar todos relacionados. También me presentó el concepto e importancia de reparentarme. No lo entendí del todo, pero me pellizcó la curiosidad. Decidí en ese momento que ella sería quien me acompañaría en el camino, y en el momento que comencé la investigación, hice el pago por su paquete de sesiones de *coaching*.

Mientras me leo, recuerdo en paralelo mi tiempo con Daniela y los saltos cuánticos de sanación que di de su mano.

Me enseñó a encontrarme con mi cuaderno después de experiencias movidas, de cualquier tipo, antes de vaciarlas con alguien más. A escribir lo vivido y sentido en papel, y luego preguntarme para qué.

Leo el recuento de mi segunda sesión con Pizco y recuerdo cómo me desmadejó durante y después. Fue sin duda lo más fuerte de toda la investigación. Fuerte en todas las direcciones, porque así como fue difícil escuchar, nunca olvidaré la fuerza que sentí al extenderle la mano a mi mamá.

En mis sesiones pude observar que ya no soy la vasija de cristal de antes de mi proceso de duelo, con miedo a quebrarse, no; ahora soy un bambú con la capacidad de vivir la tormenta, despelucarse, doblarse, manteniendo la certeza de que la tormenta pasa y me sostengo entera.

Entender esto me dio acceso a mi poder. Aprendí que este reside en mi habilidad de contenerme a mí misma. Ahora puedo ser mi propia madre cuando necesito caricias en la cabecita, prepararme el té, darme el baño largo, desahogar y escuchar en las hojas de un cuaderno, y si se necesita, me "pobreciteo" sin vergüenza ni látigo interior; y luego así, después de ello puedo ser mi propio padre, que pregunta en las mismas hojas: ¿para qué te sucede esto?, ¿qué aprendes?, ¿cómo creces?, ¿cómo te sirve esto para salir a una mejor versión de ti del otro lado? Aprendí que siempre me debo contener con los apapachos del alma, antes de cualquier trabajo de crecimiento y preguntas productivas. Primero viene lunes antes que martes.

El haberme servido como mi propia madre y padre en esta prueba, con Daniela a mi lado únicamente sosteniendo un espejo, me permitió conectarme con mi sabiduría interior y acceder a mi propio centro de fuerza. Con el poder adquirido vi claramente en estas hojas cómo fui diseñando mi vida según el manual de la niña que está bien. Reclamé mi soberanía y lo tiré por la ventana.

Siempre necesitaré de quienes amo, pero su aprobación ya no es mi fin ni fuente de poder. La soberanía adquirida me pide antes ser fiel a mí misma, y en esa medida, sano, crezco y puedo ofrecer una mejor versión de mí.

La segunda parte del libro me regaló lo que encontré al buscar ayuda para sanar. Lo que no podía haber imaginado era el regalo de transformarme en mi propia sanadora y ser más auténtica. Ya sanar no es el fin, es un estilo de vida en el que no se limpia el depósito porque urge; ahora que fue desalojado de lo innecesario, lo habito con vida, baile, música y experiencias, lo lleno de flores y creo desde la casa de las emociones y recuerdos. La nueva yo habita aquí siempre, en el espacio del corazón.

Esta es mi alquimia. Antes vivía en la mente y visitaba esporádicamente este espacio. Aprendí que duele más evitar el dolor que vivir dentro del corazón, limpiando a diario, sintiendo todo en el presente, acuerpando su fuerza y autenticidad en toda mi experiencia. Esta nueva yo, hecha joya, vive plenamente la vida con todos sus colores.

46

Diosa

Padre, magia y unidad,
Mi nueva trinidad.

En campamento me llevaba la mano al pecho sobre mi medalla de la Virgen María, y pedía desde el corazón: por favor, cuídame a mis niños, cúbrelos con tu manto, que regresen todos sanos, salvos y con el corazón agrandado. Inmediatamente se colaba el pensamiento: ¿muy bonito, no? Ahora sí eres la que más cree. ¡Cuando te conviene!".

La medalla me la regaló tía Elsa, mi madrina. Quizás mi mamá, entregada a su fe, se olió mi tendencia insurrecta desde el vientre y escogió como madrina a la católica más entregada que conozco y conoceré. Como siempre con sus regalos, hizo de la entrega un ritual. Me invitó a almorzar, hablamos de todo un poco, especialmente de su viaje a un claustro monástico en las montañas de Francia, y luego, seguido del postre sacó una bolsita. Con sonrisa pícara, como de niña con un tesoro entre manos, me explicó:

—En este claustro del que te hablaba, las monjas hacen con sus manos estas medallas mientras rezan juntas. Es realmente hermoso el amor que le ponen a su arte. Apenas vi esto supe que tenía que regalarte una —dijo mientras me entregaba la bolsita.

Abrí el regalo un poco escéptica y nerviosa por la posibilidad de no tener la capacidad de valorar el tesoro con el que me honraba. Todo cambió al ver a la Virgen en la medallita porque me conecté con ella de inmediato. Simultáneamente, burbujearon mis resentimientos viejos, mi cinismo hacia aquella devoción a la Virgen y el ego advirtiéndome de que nosotras no portamos medallas de la Virgen al cuello. Los callé con la idea de que la usaría únicamente en campamento; además, vendría bien quizás toda esa energía de las monjas y tía Elsa con su intención; ellas podían sumar al esfuerzo titánico del *staff* por cuidar a mis campistas.

Aunque me generaba un dilema mental agresivo, entre la mano amorosa sobre mi pecho y mi desagrado visceral hacia la Iglesia, la comencé a usar.

Entre tanto uso, duchazos y la piscina de humedad en la que vivimos, se pudrió la pasta que coloreaba la medalla. La guardé en la caja fuerte después de la temporada de enero del 2018, y luego la perdí con el robo de la caja fuerte en octubre de ese año.

En la temporada de campamento 2019 me hizo mucha falta. Con frecuencia me ponía la mano al pecho y sentía su vacío. Y surgía mi voz cínica: Ay, ¿la extrañas? Tan tierna, ahora extrañas a una imagen de la Virgen.

Un año después, en la siguiente temporada, me volvió a hacer falta con el mismo vacío. Mi sentir no era coherente con mi retórica mental, pero sucumbí a mi falta y llamé a tía Elsa:

—Tía, ¿te acuerdas de la medallita que me regalaste?

—¡Claro, cómo no, mi amor!

—Bueno, se fue también con el robo de mi caja fuerte. ¿Tú crees que sea posible que yo pida otra? Si me dices el nombre del claustro, quizás pueda encontrar la manera de pedirla. Me podría comprar una Virgen cualquiera, pero conecté más con la historia del lugar y la energía de las monjas mientras las trabajan, y siento un deseo grande por tener esa misma. No sé, me da un poco de vergüenza pedírtelo.

—¡Ay, no sabes la dicha que me da saber que conectaste con el lugar y sus monjas, ya que mi tiempo ahí significó mucho para mí! Me hace muy feliz saber que logré transmitirte la belleza de lo que se vive ahí. ¡Claro que te puedo ayudar, déjamelo a mí!

En marzo del mismo año, cuando se revolucionó el mundo con la pandemia, en Panamá nos dieron un encerrón inclemente con siete meses de negocios, parques, playas, escuelas y bosques cerrados; nadie podía salir, teníamos una hora de salida según el número de cédula, hombres los martes y jueves, y mujeres lunes, miércoles y viernes, y los fines de semana todos confinados.

Esta condición contrastó violentamente con el pico de energía y ambición que tenía para mi negocio después de la consultoría que había contratado para desarrollar el plan de crecimiento. "2020 será mi año de abundancia", me había dicho. Cuando impusieron las primeras medidas sentía corrientazos que me subían por las piernas, se me iba la respiración a ratos, tenía una mecha cortita con mis hijos que me llevaba a tener reacciones más violentas de lo que quisiera admitir, para luego irme a llorar al baño. Estaba viviendo una crisis obvia e hice un llamado a Marina Peña una vez más. ¡Y como un milagro de la pandemia, me pudo atender casi de una vez! Después de escucharme hipando entre mocos por una hora, me dijo con ternura:

—Ay, Anamari, estás tan mal, que estás bien. Estás viviendo un despertar a tus deseos del alma.

Entre las tres horas de sabiduría y dirección, me habló de Dios, me invitó a que me conectara y rezara. Más que darme ganas de rezar, lo que sentí fue celos, celos por su fe, amor y paz. Sobre todo la paz que le generaba su fe, sin resentimientos ni cinismo como a mí. Lo cual, en medio de mi punto más bajo, me llevó a preguntarme: ¿Y por qué tanto cinismo?

Entre mi desempleo y desocupación no me quedó más remedio que sentarme con esa pregunta. Un día en la ducha me llegó la respuesta desde otro lugar: "No puedes sentir amor por Él, porque no has sentido su amor por ti. Dios te abandonó, te abandonó aquella noche que rezaste empiernada con tu abuela, pidiendo desde el fondo de tu corazón que tu mamá estuviese bien. Te abandonó en tu cama llorando sola las noches siguientes por la falta de tu mamá y tu desolación. Te abandonó cuando tu papá eligió a Kathia sobre ti. Te abandonó. ¿Cómo le vas a querer?".

Este mensaje fue como un puñetazo a la boca de mi estómago. Me doblé del impacto y lloré desde el centro del dolor.

Cuando salí, me sequé el cuerpo, las lágrimas las había lavado en la ducha, y me dispuse a tener un día normal, pero ya sabía, ya estaba claro: si quería paz tenía que perdonar a Dios. Pensé en hacer algún tipo de terapia, pero también pensé en mi falta de salario y la pandemia global. No me quedó más que escribir, meditar, seguir escribiendo y tener paciencia. Fui poco a poco. No hice mucho tampoco, pero tener presente que este resentimiento se me atravesaba entre mi deseo por tener paz y mi espiritualidad, era suficiente. Se incendió una llama de curiosidad hacia el tema y emprendí una búsqueda. Identifiqué como maestra a una "podcastera" con la que sentí conexión, Wendy Bosch, y me pegué a una práctica de meditación, conexión con mi esencia, estudios de Dios que me despertaran curiosidad e introspección de la mano de mi cuaderno.

Una mañana recibí un mensaje de tía Elsa:

—Ani, quería que fuese sorpresa, pero ya no me aguanto. He esperado tanto por ella que ahora que la tengo te tenía que contar. Ya me llegó tu medallita; te la quiero llevar a tu apartamento.

Le expliqué que me había mudado a las montañas de Boquete desde hacía un mes, huyendo de estar encerrada con los niños en un apartamento con las nuevas medidas del Gobierno, pero que me encantaría recibirla si me la quería enviar.

Inmediatamente sentí el dilema de nuevo. "Ya no estoy en *camp*, ya no tengo conexión con la Virgen, qué vergüenza que la puse en esas, no me veo con una Virgen al cuello". Pero ya había aprendido que sentir este rechazo era una pista hacia un tesoro de autoconocimiento. Debía perseguir esa pista, de manera que le escribí a Wendy con mi historia desde el inicio: rezos, empierne con olor a talcos, asesinato, dolor, madrastra, iglesia, India, Marina, rechazo, perdón a medias y medallita.

Ella me respondió con enseñanzas hermosas sobre los rostros divinos, que son solo caras humanas que le ponemos a la esencia divina, y me sugería que esa misma noche debía sentar a Jesús y María en una meditación para exponerles la queja de por qué me dejaron sola. Hizo énfasis especial en que debía desahogarles todo lo que sentía. Con la sola idea de reclamarles se me escurrieron las lágrimas.

Quise posponerlo, pero la insistencia de sus palabras "esta misma noche", me empujaron a la tarea. Igual la pospuse un poco hasta que la tecnología me traicionó, se me descargaron todos mis accesorios de evasión y no me quedó más remedio que ponerme en ello. Me senté en el patio, en mi espacio sagrado de meditación temporal en la montaña, con una vista hermosa bajo un cielo tapizado de estrellas y un horizonte plano hacia la meseta frente a mí, al otro lado del acantilado frente a la casa. Aplacé la tarea otro poco con una meditación de mantras, hasta que se me atravesó la imagen que sembró Wendy en mi mente, Jesús y María sentados a mi lado, listos para escuchar mis agravios. Suspiré, abandoné mis cantos y les dije:

—Me dejaron sola. Yo estaba pequeña e indefensa y me dejaron sola. Dejaron a mi mamá sola. Ella que era tan buena, la abandonaron en las manos de un salvaje, y estoy segura de que sufrió, sintió miedo y el mismo abandono de su parte que sentí yo. ¡Yo les pedí, les pedí que, por favor, me la regresaran! Y no me la prestan ni en sueños. Me dejaron sola, me dejaron sola siempre que necesité un abrazo, una familia y amor.

Luego me callé pensando ¿cómo funciona esto? Tengo la imagen de ellos ahí, pero si ellos hablan, ha de ser la voz de mi mente, ¿o no? Me interrumpió María:

—¿Viste que sí eras pobrecita?

Bajó un hilo delgado y afluente de lágrimas.

—Pero, Ani, ¡si yo no pude detener la muerte de mi propio hijo! Y también estuvo en manos de locos y sufrió y sufrí. Lo lloré, lo vestí y lo enterré.

Acto seguido, pensé: ¿será que es mi mente diciéndome lo que quiero escuchar?

Entre la incredulidad y la fuerza del mensaje, se me abrieron los ojos y lo que vi fue un regalo solo mío, un regalo tan poderoso que quedó tatuado en mi memoria. Era una luna creciente, del mismo ancho y posición que la que sostiene a la Virgen de Guadalupe, de un tono naranja que solo le conocía al sol poniente, brillando directamente frente a mí, casi a la altura de mis ojos.

Fue mucho, demasiado; tanto, que se me fue el aire: Ok, te creo, no fue mi mente.

Me senté con la luna ahogada en sentimiento, a observar el símbolo universal de la diosa, la luna en su naturaleza cíclica, suave, sabia, que mueve mares y es la magia de la tierra. Nos sentamos juntas hasta que se puso sobre el horizonte.

Cuando le conté a Wendy al día siguiente, me explicó:

—Primero, te conectas con la divinidad. Quizás a través de sus rostros divinos, el que quieras: Lilith, Venus, Kali, María, Ishtar, Shakti, con la que más te identifiques. Conectas desde la meditación, hasta que pasas a la siguiente etapa, que es darte cuenta de que la misma esencia que identificas en el rostro divino, vive dentro de ti. En ese momento te das cuenta de que solo queda despertarla, honrarla y vivirla en tu vida.

Y en ese estado quedé y espero estarlo siempre.

Ya enamorados de Boquete, regresamos seis meses después, Alfonso, los niños y yo, de vacaciones por una semana. Alquilamos el dúplex de al lado de donde nos habíamos hospedado la vez anterior y nos dedicamos a disfrutar cada metro de ese paraíso verde.

Con la intención de vivirlo tranquilos, como locales boqueteños, una de las primeras tardes llevé a los niños a disfrutar de un lago artificial dentro de un oasis en medio del complejo de casas uniformadas del suburbio. Sentados al borde, nos emocionamos con cada animalito nuevo que identificamos; mientras alimentaban a los peces con pan, trataban de atrapar gusarapos dentro del agua, perseguían ardillas, avistaban pájaros carpinteros, aves de todos tamaños y colores, encontraban ciempiés y hongos, la nueva fascinación de Camilo. Todos abrazados por nuestras ropas de clima templado, bajo el sol, cielo azul profundo y la brisa perfecta boqueteña.

Mientras esta actividad ocurría a mi alrededor, aprovechaba pequeños intervalos de paz para tumbarme en el pasto a observar el cielo. En uno de estos, Camilo se sentó sobre mí, en un segundo de impulso, y con mirada pícara, juguetona, tomó la cadena que sostenía la medallita de la Virgen junto con otra de María Magdalena y haló de ella tan duro que la reventó. Noté la pausa en sus ojos de decisión, y antes de que pudiese detenerlo, tomó únicamente la medallita de la Virgen y la lanzó al lago con toda su fuerza.

No pude responder a la impresión de esto y perdí todo mi autocontrol. No entendía, sentí una avalancha de tristeza, disfrazada de ira, expandirse desde mi corazón al resto de mi cuerpo: hombros, brazos y manos, y con estas cargadas de histeria, lo quería tomar y lanzar al lago también.

No lo hice. Traté de calmarme, pero no lo lograba. Quería llorar. Sentía perder todo nuevamente: mi madre, su casa, sus cosas, mi conexión con la magia y mi conexión con la diosa. Bullía la violencia en mi interior, esta que tanto temo, que es dolor acumulado y sale en forma de impulsos agresivos. Lo sentí todo, cerré los puños, cerré los ojos y traté de calmar la respiración. Primero, inhalaba y exhalaba como un toro y pude observar mis puños apretados, el calor de mi respiración, mi corazón agitado, pero sobre todo el dolor que se tomaba en ondas mi cuerpo. Con la conciencia de mi sentir se me salieron las lágrimas y las permití fluir.

Mientras tanto, los tenía a ambos frente a mí. Habían pasado solo segundos, pero Camilo se notaba temeroso de mi reacción, que esperaba con la misma adrenalina con la que lanzó la medalla al lago.

Lo miré con ojos represados de llanto, las palmas abiertas en mi corazón y con los dientes apretados, le dije:

—Milo, estoy muy enojada, muy dolida y muy triste. Esa medallita era valiosísima para mí. ¡Nos vamos! Nos vamos adonde papá, porque yo necesito estar sola para calmarme.

Los tomé a ambos de las manos y emprendimos el camino de regreso. Ambos en silencio, a sabiendas de que un tigre les llevaba a casa.

Caminé con pasos fuertes y pesados, mientras seguía intentando calmarme con mi respiración. Pude conectarme con la razón real de mi dolor: "Sigo poniendo lo verdaderamente valioso para mí en cosas, y sigo perdiéndolo todo de manera forzosa, robada por otros. ¿¡Hasta cuándo voy a aprender!? Hasta cuándo voy a aprender que la magia, la diosa, la madre, se lleva dentro. Soy eso. Estoy hecha de eso. Estoy hecha de lo que es Todo".

Dejé a los niños con Alfonso y me fui a caminar con la esperanza de disipar la energía violenta que me latía.

Volví al rato, más calmada, pero me tomó tiempo superar la ausencia de la medallita. Me vi tentada de pedirle otra a mi madrina, pero no lo hice. Me di cuenta de que antes de buscar una tercera, necesito buscarla dentro de mí. Entendí que no sería un proceso con un fin definitivo, más bien, un camino de vida. Ni aunque me hable la diosa a la cara y se manifieste con lunas naranjas lo aprenderé rápidamente. La debo vivir desde dentro hacia afuera en mi práctica diaria, y entender que este viaje es un compromiso para siempre.

47

Uno

Repaso lo vivido al conocer a María José y su relato, la historia de mi exvecina, el trabajo y sentir de Pizco, y el resto de las personas que al entrevistarlas parecían desesperadas por compartir el recuerdo de su experiencia hasta ahora contenida, para mi sorpresa, porque siempre pensé que les estaría pidiendo un gran favor con la solicitud de abrir esas gavetas, probablemente cerradas con llave desde hacía veintidós años.

Digerir esto me llevó a atar cabos de cómo, las pocas veces que hablo del asesinato de mi mamá, quien me escuche, inmediatamente me cuenta dónde y con quién estaba en el momento que se enteró y cómo le afectó. También de las particularidades de su relación cercana o lejana con mi mamá.

Como Kathia, por ejemplo. Ella nunca olvidará el día en que su amiga Pachi le contó lo sucedido en una escalera del edificio de su oficina. Me habló de cómo lloró por esa extraña y por sus cuatro hijos. Me dijo:

—No sé ni por qué, yo no tenía idea de quién era tu mamá, ni nadie de tu familia, pero estaba ahogada entre mocos y lágrimas. Me acuerdo que le preguntaba: "Pachi, ¿qué edades tienen estos niños?". Y no sé por qué me afectó tanto, pero ahí en esa escalera, a mis treinta años, teniendo a Eric chiquitito en casa, creo que de dos años, yo no entendía cómo le podía pasar eso a una mujer y a una familia de un momento a otro. ¡Me impactó muchísimo!

Siempre había interpretado estos recuentos como morbo y en esto justificaba mi rencor. Ahora, al observar estas interacciones desde otra perspectiva, con empatía en lugar de resentimiento, pude notar una necesidad, no solo por sentir, sino por sentir en colectivo.

También veo otro ángulo. Desde que he estado estudiando la punta del iceberg de los conceptos de la física cuántica, los campos energéticos y que estamos todos unidos a través de la energía que somos, comienzo a entender esta necesidad de comunión. Quizás el dolor presenta una oportunidad más accesible para, como con un tomacorriente, conectarnos a la energía colectiva.

Lo ideal sería conectar desde el amor o en la felicidad, pero el estado de bienestar invita a la zona de confort, y esta, a la actividad incesante de la mente; por consiguiente, al ego, y a valorarnos llenando nuestra lista de pendientes, y una vez en ese estado, enlazarnos con el Todo se ubica en la última posición de la lista.

Pero el dolor no. Si algo duele lo suficiente, como el caer de unas Torres Gemelas con miles de habitantes dentro, las actividades se detienen, la vida obliga al sentir, y el sentir grupal sintoniza las frecuencias del colectivo.

El despertar que me han generado estas experiencias intensas ha germinado en más preguntas y en la búsqueda de respuestas. En este camino se me atravesó un libro de Rob Bell, titulado *Everything is Spiritual*, que explica desde su historia y estudios, cómo todo, todo, desde el colibrí hasta el taladro, es espiritual, e invita a darle otra mirada a la interpretación más común al pasaje de la *Biblia* del arbusto ardiente: "Moisés no se quita sus sandalias porque de pronto el suelo se hizo sagrado. El suelo ha sido sagrado todo el tiempo. La historia trata de Moisés haciéndose consciente de ello".

Debo honrar este momento de transformación. ¡Me sorprende lo lejos que he llegado! La sola idea de leer el libro de un expastor de megaiglesia como Rob Bell, antes me hubiese producido ideas cínicas cargadas de desprecio. No solamente me lo leí de canto a canto, sino que lo disfruté como lo hice.

Sanar mi herida con Dios, luego entender que todo es energía de amor y que lo que no se siente como tal es simple falta de conciencia o recuerdo de lo que en realidad es (porque más que aprender estos conceptos, este camino es reconocer lo que ya sabe mi alma), despertó en mí el deseo de estar permanentemente enchufada al Todo.

Anoto en mi cuaderno la idea que surge: sonreír requiere de menos uso energético que fruncir el ceño en enojo. Al medirse en estudios científicos, el amor y la gratitud generan un campo energético más amplio que el del rencor y el odio. Aprendí que sentir las emociones enraizadas en el amor es como correr loma abajo. Simplemente se necesita de menos energía porque corren con la energía del universo.

Me vuelvo a aquella colina en la que Marina me pregunta hacia dónde prefiero seguir en la bifurcación, si hacia arriba o hacia abajo. Ahora respondo: corriendo hacia abajo, pedaleando hacia abajo, en balsa hacia abajo, hasta llegar al mar a conectarme con el Todo que es amor. Conozco esa balsa y sé que a veces agarra una velocidad aterradora, sobrada de golpes, pero me aferro a mi remo con emoción por este viaje único, a veces compartido, otras, en la ilusión de la soledad, mas siempre en unidad.

Epílogo

Y llegó el día en que el riesgo que corría por quedarse firme dentro del capullo era más doloroso que el riesgo que corría por florecer.
Anaïs Nin

Valiente. Contra todos los esfuerzos de mi ego, me siento valiente, y permitírmelo ha supuesto un crecimiento enorme de mi parte. Entre los primeros capítulos cuento cómo en los años después de la muerte de mi mamá, cuando surgía el tema de su asesinato, con todo el nervio que generaba hablar de estos temas inmencionables a quienes estaban presentes, siempre surgía el halago: ¡qué valiente eres, yo no hubiese podido! Y cuánto lo resentía. Ser valiente suponía la idea de que alguien me hubiese preguntado antes si aceptaría un destino en el que mi madre era brutalmente asesinada por una bestia, y yo accediera. No entendía este halago. Usualmente venía seguido de: yo me hubiese muerto. A lo que yo pensaba, pues claro, yo me quería morir también, pero lo consideré y no es tan fácil.

Hace poco sentí este rechazo nuevamente porque una hermana del alma me lo repitió en referencia a la escritura del libro y la investigación que supuso:

—¡Qué valiente eres, Ani, te admiro mucho!

A lo que volví a responder parecido:

—Martha, si supieras que no me siento valiente. Desde que comencé a escribir no he sentido mucha alternativa. Esto ha sido un llamado difícil de ignorar. Por ejemplo:

cada vez que me alejo del libro por más de un día, siento el mismo apretón de pecho y ganas de llorar de cuando me alejaba de mis bebés por más horas de la cuenta. Sí, definitivamente ha sido difícil, pero a menudo siento que esta historia quiere nacer sin pedirme mucho permiso. Como que evitarlo supondría el mismo esfuerzo que retener un bebé adentro.

Me lo ha repetido y ambas veces he respondido lo mismo.

El otro día reflexioné acerca de esta resistencia a sentirme valiente en una conversación con Julieta, la editora y partera de este libro. Recordamos las angustias que he pasado y miedos que he enfrentado producto de este proceso, y ponderábamos en que lo que sigue. Le manifestaba el pánico que siento ante la respuesta que este libro pueda causar. Mi ego me pide que juegue a la modestia y piense que no lo leerá nadie, pero mi experiencia al publicar un artículo de opinión en el periódico sobre un caso que consideré injusto, solo asomando el caso de mi mamá, resultó en una avalancha de mensajes e historias para los que no estaba lista. Conversamos sobre cómo en todo este camino, enfrentar mis miedos ha pagado con creces y me ha traído regalos desproporcionados a lo que he invertido. Son demasiados para nombrar, aunque todos se podrían resumir dentro de una palabra: sanar. Que a su vez es muy corta y pequeña para el tamaño de lo que esto ha supuesto en mi presente y futuro de soberanía con alegría que imagino hacia adelante. Sobre todo sanar mi relación con Dios y finalmente poder sentirme parte de la Unidad.

Luego me escuché decirle:

—Sí, la verdad que la valentía de enfrentar mis miedos ha pagado con creces.

A lo que regresé a mi conversación con Martha, negándole una y otra vez que soy valiente. ¿Por qué? me pregunté. ¿Por qué he resistido y sigo resistiendo a reconocerme valiente? ¿Qué supone para mí reconocerme valiente?

Pondero y resuelvo que significa permitirme que mi sentido de identidad se ate a la muerte de mi mamá y toda la vida le he huido a esto. En mi adolescencia sentí una etiqueta como letrero de "patéame la espalda", con la frase: "Ay, ella es la hija de Lolita. ¿Te acuerdas de ese caso?". Aceptar la etiqueta suponía aceptarme pobrecita, o como mejor explica una de las palabras inventadas de este libro, aceptar el "pobreciteo". Este rechazo siempre se hizo presente en una dualidad: repudio absoluto, buscando esconderme debajo de una piedra para huirle a la etiqueta percibida, y a su vez un "pobreciteo" interno en el que me sentía otra entre el antes y el después de su muerte, sin saber quién sería sin esa etiqueta.

Con este entendimiento pude abrazar mi deseo de querer contar esta historia, porque con este proceso de escribir pude sanar el hecho que este evento haya cambiado el rumbo de mi vida, que mis reacciones a él forman parte importante de mis heridas e inseguridades, y finalmente asumir que la valentía de enfrentarme a mi dolor con la misión de sanar, es algo que ahora honro y deseo compartir.

Al reconocer esto en mí, también pude identificar todos los años que el tirar de estos deseos y miedos en direcciones contrarias me hacía sentir fracturada y rota. Ya hoy, al final de este proyecto, no. Abrazo mi valentía, me identifico con ella, le agradezco cómo producto de ella me he expandido interna y externamente más allá de lo que puedo entender con la mente.

Siempre soñé la vida de los escritores a quienes leía fervientemente, los imaginaba en escritorios pequeños, poco glamurosos, sentados frente a ventanas con vistas a paisajes mágicos. Hoy escribo desde esa ventana que imaginé, con el panorama de la selva surrealista canalera, habitando mi sueño e imaginando sueños más grandes. Sueños en los que mi valentía me lleva más allá de mis límites a más crecimiento y expansión de la que pueda idear.

Gracias por leer mi historia, un pequeño trozo de la suya, y honrarme con la posibilidad de, ahora, sentirla tuya.

Ani
Miércoles 13 de octubre de 2021.

Agradecimientos

A mi mamá, por darme el permiso de escribir esta historia, por ser la luz en mi camino y el apretón de mano cuando lo necesité. A mi papá y Kathia, por ser los padres perfectos para mí. Y, por supuesto, por permitirme pintarlos con cejas de villanos. Cuando creo que no se puede más, me vuelven a sorprender con su capacidad de dar y amar incondicionalmente. A mis hermanos, por permitirme contar nuestra historia, tan sagrada y dolorosa, desde mi lente y voz tan diferente a la suya. A mis tías, Mechi y María, por ser las madres putativas que necesité. A Tuti, por enseñarme el arte de relajarse, dejarse cuidar y querer. A mi abuela Chela, por enseñarme que lo normal era doler. A tía Maité, por darme el apoyo psicológico que necesitaba y que no estaba lista para buscar. A Alfonso, por, como siempre, saltar al abismo de mis proyectos conmigo. A mis hijos, por adelantado, por perdonarme hablar de mi camino en la maternidad sin su permiso. A mi editora, Julieta Ledezma, por sostenerme en el viaje más transformador de mi vida; no me lo quiero imaginar sin ella. A Fernando Berguido, por leerme y darme consejos clave que cambiaron el rumbo del libro. A Sabina Urraca, porque este libro sería una historia insípida sin sus maravillosos talleres de escritura creativa y sus participantes. A Inma Luna, por leerme y corregirme durante un periodo muy solitario de escritura. A Marina Peña por entregarme las riendas de mi vida. A Wendy Bosch y Daniela García por ser mis guías en la magia. A Mariana Núñez, por su generosidad infinita al compartirme su genio creativo y tiempo, nunca lo olvidaré. A Carolina, por leer los primeros trazos de este libro y llamarme con aquella etiqueta que había deseado por tanto tiempo: escritora. A Vane, por ser mi lectora fantasma, llorar y reírse conmigo, y hacerme porras en su lenguaje de silencio. A todos los entrevistados que me ayudaron en la investigación, en especial a Pizco, que me dedicó sesiones infinitas de acceso a su memoria de computadora y anécdotas familiares; jamás pensé que esta investigación me regalaría un tío. A *La Prensa*, por abrirme las puertas de su hemeroteca en el ojo de la pandemia. A mis primeras lectoras, por honrarme con su tiempo, flores, correcciones y sugerencias, que le dieron más claridad al texto. A Marcela Arosemena, por leerme, regañarme y hacerle sus rayoncitos a lápiz a cada una de estas páginas, elevando el texto a un bonito que me hace sonrojar. A Edubenis, por hacer mi trabajo digno de impresión. A Elizabeth Gilbert, por *Big Magic*, porque me hizo evidente que esta historia quería nacer, y gracias a su libro, la dejé. A ti, por leerme: Es mi honra y regalo más grande.

Y a Dios, por todos ellos, por el amor, el dolor, el perdón y la pasión por vivir. Y, sobre todo, por usar este libro como vehículo para habitar mi vida.